D1241018

L'Autre Reflet

Du même auteur

5150, rue des Ormes. Roman.
    Laval : Guy Saint-Jean Éditeur, 1994 (épuisé).
    Beauport : Alire, Romans 045, 2001.
    Lévis : Alire, GF, 2009.

Le Passager. Roman.
    Laval : Guy Saint-Jean Éditeur, 1995 (épuisé).
    Lévis : Alire, Romans 066, 2003.

Sur le seuil. Roman.
    Beauport : Alire, Romans 015, 1998.
    Lévis : Alire, GF, 2003.

Aliss. Roman.
    Beauport : Alire, Romans 039, 2000.

Les Sept Jours du talion. Roman.
    Lévis : Alire, Romans 059, 2002.
    Lévis : Alire, GF, 2010.

Oniria. Roman.
    Lévis : Alire, Romans 076, 2004.

Le Vide. Roman.
    Lévis : Alire, GF, 2007.
    Le Vide 1. Vivre au Max
    Le Vide 2. Flambeaux
    Lévis : Alire, Romans 109-110, 2008.

Hell.com. Roman.
    Lévis : Alire, GF, 2009.
    Lévis : Alire, Romans 136, 2010.

Malphas
    1. *Le Cas des casiers carnassiers*. Roman.
    Lévis : Alire, GF, 2011.
    Lévis : Alire, Romans 174, 2016.
    2. *Torture, luxure et lecture*. Roman.
    Lévis : Alire, GF, 2012.
    Lévis : Alire, Romans 175, 2016.
    3. *Ce qui se passe dans la cave*
       reste dans la cave. Roman.
    Lévis : Alire, GF, 2013.
    4. *Grande Liquidation*. Roman.
    Lévis : Alire, GF, 2014.

Faims. Roman.
    Lévis : Alire, GF, 2015.

L'AUTRE REFLET

PATRICK SENÉCAL

ALIRE

Illustration de couverture :
BERNARD DUCHESNE

Photographie : KARINE DAVIDSON TREMBLAY

Distributeurs exclusifs :

Canada et États-Unis :
Messageries ADP
2315, rue de la Province
Longueuil (Québec) Canada
J4G 1G4
Téléphone : 450-640-1237
Télécopieur : 450-674-6237

France et autres pays :
Interforum Editis
Immeuble Paryseine
3, Allée de la Seine, 94854 Ivry Cedex
Tél. : 33 1 49 59 11 56/91
Télécopieur : 33 1 49 59 11 33
Service commande France Métropolitaine
Téléphone : 33 2 38 32 71 00
Télécopieur : 33 2 38 32 71 28
Service commandes Export-DOM-TOM
Télécopieur : 33 2 38 32 78 86
Internet : www.interforum.fr
Courriel : cdes-export@interforum.fr

Suisse :
Diffuseur : **Interforum Suisse S.A.**
Route André-Piller 33 A
Case postale 1701 Fribourg – Suisse
Téléphone : 41 26 460 80 60
Télécopieur : 41 26 460 80 68
Internet : www.interforumsuisse.ch
Courriel : office@interforumsuisse.ch
Distributeur : **OLF**
Z.I.3, Corminbœuf
P. O. Box 1152, CH-1701 Fribourg
Commandes :
Téléphone : 41 26 467 51 11
Télécopieur : 41 26 467 54 66
Courriel : information@olf.ch
Belgique et Luxembourg :
Interforum Editis S.A.
Fond Jean-Pâques, 6 1348 Louvain-la-Neuve
Téléphone : 32 10 42 03 20
Télécopieur : 32 10 41 20 24
Courriel : info@interforum.be

Pour toute information supplémentaire
LES ÉDITIONS ALIRE INC.
120, côte du Passage, Lévis (Qc) Canada G6V 5S9
Tél. : 418-835-4441   Télécopieur : 418-838-4443
Courriel : info@alire.com
Internet : www.alire.com

Les Éditions Alire inc. bénéficient des programmes d'aide à l'édition du Conseil des arts du Canada (CAC), du Fonds du Livre du Canada (FLC) pour leurs activités d'édition, et du Programme national de traduction pour l'édition du livre.
Les Éditions Alire inc. bénéficient aussi de l'aide de la Société de développement des entreprises culturelles du Québec (SODEC) et du Gouvernement du Québec – Programme de crédit d'impôt pour l'édition de livres – Gestion Sodec.

Dépôt légal : 4e trimestre 2016
Bibliothèque et Archives nationales du Québec
Bibliothèque et Archives Canada

TABLE DES MATIÈRES

(…) vois par cette image qui est la tienne, comme tu t'es radicalement assassiné toi-même!
Edgar Allan Poe, *William Wilson*

Journal de Wanda

12 MARS 2009

C'est donc ça, écrire ?

Ça veut dire que j'ai perdu beaucoup, beaucoup de temps à chercher des réponses à mes questions. En fait, ce n'est pas parce que je me posais des questions que j'ai perdu du temps, mais parce que je ne cherchais pas aux bons endroits, ce qui fait que pendant ce temps-là, je passais à côté de ce que je voulais avoir parce que je ne savais pas comment.

Câline que c'est maladroit. Michaël me l'a dit que je manquais de clarté narrative dans mes nouvelles, que ma structure n'était pas fluide (je l'aime, ce mot-là, Michaël l'utilise des fois). C'est mon principal problème. Je n'ai pas vraiment de style non plus, mais ça, ça peut prendre des années pour en avoir un. Selon Michaël, il y a même des auteurs qui n'en développeront jamais un à eux. Mais pour les émotions, il dit que je suis forte. C'est pour ça qu'il m'a conseillé d'écrire un journal personnel. Il paraît que ça fait du bien (thérapeutique, il a dit) et, en plus, le style et la clarté narrative ne sont pas importants dans un journal : c'est le vécu qui compte.

Alors OK, je commence. Et la première chose que je veux parler (« que » je veux parler ? « dont » je veux parler ? je sais pas trop. Mais c'est pas grave, c'est un journal) que je veux parler, c'est du choc que j'ai ressenti en écrivant ma première nouvelle dans le cours de français. Avoir su, je n'aurais pas lâché l'école à seize ans. Il a fallu que je sois en prison pour découvrir la force de l'écriture. C'est ironique, quand même.

Ironique. Un mot que je connaissais un peu, comme tout le monde, mais je l'ai vraiment appris dans le cours de Michaël. Il emploie souvent des beaux mots. Des mots vivants. Je ne savais pas que les mots vivaient. Ou faisaient vivre. Câline ! Il y a bien des affaires que je ne savais pas.

Alors je vais continuer à écrire. Mon journal, mais aussi des nouvelles. Je vais m'améliorer avec le temps, je suis sûre.

Et si je tue quelqu'un d'autre un jour, ça servira vraiment à quelque chose.

MW et WM

1

— Vous verrez qu'écrire est plus révélateur qu'on le pense.

Les quatorze femmes devant Michaël Walec le considèrent avec curiosité. Normalement, durant les cours de français, les détenues travaillent seules dans leur cahier d'apprentissage et, quand elles ont des questions, vont interroger leur enseignant assis derrière son bureau. Il est très rare qu'en plein milieu de la journée, le prof s'adresse ainsi à toute la classe. On a donc écouté Michaël avec curiosité, mais sa proposition les déroute quelque peu. Maryse effectue un geste las de son bras couvert de tatouages.

— On est ici pour avoir notre équivalence de secondaire V, pas pour devenir des écrivaines.

— C'est pour cette raison que c'est pas obligatoire. C'est un atelier que je propose à mes élèves trois fois par année, juste pour celles que ça intéresse. Mais rédiger une histoire est justement un excellent moyen de consolider toutes les règles de français et de grammaire que vous apprenez. Et en plus, fouiller dans notre imaginaire, c'est intéressant.

Comme chaque fois, la plupart des détenues démontrent peu d'enthousiasme face à ce projet, mais quelques-unes paraissent intéressées, comme Ève qui demande :

— Mais comment on fait pour trouver des idées ?

— Y a pas de truc ni de méthode. Soyez ouvertes, soyez à l'affût de votre voix intérieure. Et surtout, écoutez vos personnages. Comme je vous l'ai dit, écrire est une bonne façon de réfléchir sur soi-même.

— Faut-tu que ce soit sur ce qu'on a fait pour se retrouver en d'dans ? demande Nathalie de sa voix douce, en parfaite opposition avec son apparence de dure à cuire.

— Si vous voulez, mais pas nécessairement. Peu importe ce qu'on écrit, on parle toujours un peu de soi.

— Mais si on parle de ce qu'on a fait pour être ici, c'est correct ?

L'interrogation provient d'une étudiante assise au fond : Wanda, que Michaël entend parler pour la première fois. Elle s'est jointe au groupe il y a cinq semaines et pas une seule fois elle n'est venue lui poser une question. Elle travaille dans son cahier cinq heures par jour avec attention, concentrée et disciplinée. Comme le laissait présager son visage impassible et dénué d'émotion, la voix de Wanda est plutôt neutre, mais plus douce qu'on aurait pu le croire. Elle attend la réponse en fixant Michaël dans les yeux, le regard à la fois curieux et étrangement détaché. Le professeur hausse les épaules.

— Pourquoi ce serait pas correct ? Quand on écrit, on a pas à se demander si c'est bien ou mal. L'écriture est libre, donc elle est au-delà de la morale.

Wanda penche la tête sur le côté, songeuse. Les autres filles se mettent à rigoler et à échanger des idées entre elles, la plupart traitant de vengeance ou de trahison. Michaël sourit. Quand il a commencé, à trente et un ans, à enseigner le français à l'Établissement Joliette pour femmes, il n'était vraiment pas convaincu qu'il y trouverait son compte. Finalement, trois ans et demi plus tard, il doit bien admettre que ce boulot n'est pas si pénible que prévu. Évidemment, il s'agit davantage d'accompagnement, et l'enseignement magistral, où il peut s'adresser à toute une classe et communiquer réellement, lui manque terriblement. De plus, ici, on se contente des règles de français, rien d'autre. Les détenues suivent ce cours pour une équivalence de diplôme afin de dénicher un job potable à leur sortie. Sortie qui peut avoir lieu prochainement ou dans vingt-cinq ans, car comme l'Établissement est le seul pénitencier pour femmes au Québec, ses élèves peuvent être ici pour toutes sortes de crimes, des plus légers aux plus lourds.

C'est pour cette raison qu'il a eu cette idée d'atelier littéraire quand il a commencé à travailler ici, il y a trois ans. Ça lui permet de toucher un peu à l'aspect créatif de son travail.

— Pis toi, t'écris ? demande Wanda.

Michaël s'étonne de l'entendre parler à nouveau, puis adopte un air modeste.

— Je suis en train d'écrire un roman en ce moment.

Les élèves l'observent avec admiration et il ne peut s'empêcher de ressentir une bouffée d'orgueil, mais celle-ci se dégonfle rapidement lorsque Nathalie, la plus âgée du groupe, veut savoir s'il a déjà publié.

— Juste une nouvelle, il y a quatre ans.

Devant leurs expressions déçues, il s'empresse d'ajouter :

— Mais j'ai confiance que mon manuscrit sera accepté par un éditeur.

— Ça parle de quoi ? demande Ève.

— C'est un thriller, un roman noir.

— Avec des meurtres pis du sang ?

— Oui.

Les filles rigolent en passant des commentaires. Michaël remarque que Wanda ne rit pas et le fixe toujours sans broncher. Elle doit avoir à peu près son âge, ses cheveux sont attachés en queue-de-cheval et même si elle a un visage plutôt banal, ses yeux pers sont particulièrement ravissants. Quel est son nom de famille, déjà ? Moreau ? Oui, c'est ça, Wanda Moreau. Quel crime a bien pu commettre cette jeune femme discrète et tranquille pour se retrouver ici ? Contrebande ? Fraude importante ?… Meurtre ?

— Quand tu vas le publier, je vais l'acheter, tu peux être sûr ! promet Nathalie.

— Et ça me fera plaisir de te le signer.

— Donc, si on se fie à ce que tu viens de dire, toi aussi, quand t'écris, tu parles de toi ?

Wanda, à nouveau. Décidément. Les mains croisées sur sa table, curieuse et détachée, elle attend la réponse. Michaël hoche la tête.

— Un peu, oui, par la force des choses. Même si parfois on le réalise pas pendant l'écriture.

Mais il formule cela d'une manière automatique et peu sentie. Wanda s'en rend-elle compte pour ainsi hausser un sourcil dubitatif ? Michaël retourne derrière son bureau.

— Alors, j'en dis pas plus. Celles qui sont intéressées pourront me remettre leur nouvelle dans deux semaines. Et parmi les participantes, il y aura un tirage de dix dollars, d'accord ? Maintenant, reprenez votre travail.

Les filles ouvrent leur cahier d'apprentissage en soupirant. Wanda les imite mais d'un air moins concentré qu'à l'habitude.

◆

```
« Normand voyait bien le couteau dans
la main de Bruno, il anticipait son
intention et pourtant »
```

Michaël interrompt son écriture et fixe l'écran en se massant le front. « Et pourtant » quoi ? Où veut-il aller, avec ça ? En fait, non : où veut aller Normand avec ça ?

Allez, Norm, dis-moi ce que tu veux faire…

Michaël ferme les yeux et attend que son personnage prenne sa décision. Un flash lui traverse l'esprit puis il écrit :

```
« et pourtant il relève le menton et
esquisse un sourire empli de tout le
dédain que seuls peuvent produire ceux
qui entrevoient la chute inéluctable qui
s'ouvre à leurs pieds. »
```

L'enseignant hoche la tête. Le lecteur trouvera Normand encore plus arrogant et n'en sera que plus content qu'il meure. Excellent effet.

Enfin, ce n'est pas un effet… C'est Normand qui a décidé de réagir ainsi. Pas lui.

Vraiment ?

Michaël tique, fait craquer ses doigts et poursuit :

```
« Bruno abat son bras de toutes ses
forces et le couteau entre dans la poi-
trine de Normand en émettant un son
fatal. La victime pousse un cri strident,
lève un regard amer vers le ciel comme
si elle comprenait qu'elle le voyait pour
la dernière fois et tombe. »
```

Michaël relit le petit paragraphe d'un œil réfléchi. Il travaille sur la seconde version de son roman et cette fois, c'est plutôt bien écrit. Mais le meurtre lui-même est peut-être un peu sec, un peu terne. Il réfléchit un bon moment. Les scènes de violence et de

tension sont toujours pour lui les plus difficiles à
rendre, à incarner. Après s'être creusé la tête, il ajoute enfin :

> « … qu'elle le voyait pour la dernière
> fois et tombe dans son sang. »

Voilà. C'est plus violent et plus saisissant comme
ça. Il recule sur sa chaise en remontant son épaisse
chevelure châtaine sur son front et ses yeux tombent
sur le caméléon en céramique, posé sur la première
tablette de sa bibliothèque. Alexandra lui a offert ce
cadeau il y a deux ans et demi, pour leur premier anniversaire de couple, toute fière d'y déceler le symbole
parfait de l'écrivain. Même si Michaël trouvait l'image
un peu simpliste, l'attention l'a touché et depuis,
l'animal coloré trône dans son bureau. Et force lui
est de reconnaître qu'à chaque séance d'écriture la
vue du bibelot l'aide à recentrer sa concentration.

— Tu viens au lit ?

Alexandra est entrée dans la pièce plongée dans
une semi-pénombre et s'est approchée sans qu'il ne
s'en rende compte.

— Neuf heures, c'est pas mal tôt pour se coucher.

— Je te parlais pas de dormir.

Il se rappelle que ce soir elle est au sommet de
son ovulation. C'est le troisième mois qu'ils « essaient »
et Alexandra n'a pas l'intention de négliger son utérus
en rut. À trente-trois ans, son horloge biologique émet
un tic-tac de plus en plus envahissant.

— Pas de problème, fait Michaël. Tu me laisses
dix minutes ? Un paragraphe que je veux finir…

Alexandra s'appuie sur les épaules de son conjoint
et se penche, déclenchant une cascade de cheveux
bruns bouclés sur la poitrine de Michaël, et lit les
dernières lignes sur l'écran.

— Pas mal, le sourire dédaigneux de Normand
juste avant d'être poignardé… Bon effet.

— C'est pas un effet, rétorque-t-il avec une pointe d'irritation. C'est le personnage qui agit comme ça.

Elle a un discret sourire ironique, mais ne commente pas. Michaël sait qu'elle n'a jamais tellement pris au sérieux ces considérations sur la création. Au début, cela embêtait l'écrivain en herbe, mais plus maintenant. Après tout, elle n'écrit pas elle-même et ignore ce que c'est, alors il ne peut pas lui en tenir rigueur.

— C'est très bien écrit. Le meurtre est un peu straight, mais c'est peut-être voulu.

— Comment, un peu straight?

— Je veux dire: il reçoit un coup de couteau et il meurt, point. Simple de même, ça nous touche pas beaucoup. Mais tu t'intéresses sûrement plus au lyrisme de l'écriture qu'à la mort elle-même, et dans ce sens-là, c'est très beau.

— Je veux pas que ce soit beau, je veux… Enfin, oui, je veux que ce soit bien écrit, mais c'est un meurtre, faut que ce soit terrible pour le lecteur.

— Ben… Ce l'est pas tant.

Michaël soupire en regardant l'écran. Les mains de sa blonde sur ses épaules l'indisposent tout à coup.

— J'ai écrit qu'il tombait dans son sang, c'est quand même horrible, non?

— Ouais, mais on a vu ça souvent, Michaël… En plus…

Elle penche la tête vers l'écran.

— … au moment où il tombe, il s'étend déjà dans plein de sang? Ç'a coulé vite. C'est pas très crédible.

— Je veux dire que… Une fois qu'il est au sol, le sang coule, et…

— Et puis, c'est beau quand tu dis qu'il regarde le ciel pour la dernière fois, mais je suis pas sûre que c'est très réaliste de réagir comme ça quand on meurt d'un coup de couteau.

Il a maintenant du mal à contenir son agacement.

— Qu'est-ce que t'en sais? T'en as aucune idée, moi non plus, d'ailleurs!

— Ben, demande à ton personnage, il va te le dire.

Et elle rit pour alléger l'atmosphère, mais son chum demeure bourru. Même si elle se moque, Alexandra l'a toujours encouragé à écrire. Il l'a rencontrée il y a trois ans et demi, au cours d'un party d'Halloween dans un bar où il ne connaissait personne (il habitait Joliette depuis deux mois seulement). Elle était déguisée en dentiste sanglante (Michaël avait bien rigolé en apprenant qu'elle était réellement orthodontiste dans la vie) et s'était montrée impressionnée que son futur amoureux ait publié six mois plus tôt une nouvelle dans un magazine littéraire. Depuis, il lui demandait souvent de lire son manuscrit et l'exhortait à lui livrer son opinion sans contrainte, en toute honnêteté, ce dont elle s'acquittait avec ferveur. Alors, pourquoi éprouve-t-il du ressentiment chaque fois qu'elle le critique? S'attend-il, puisqu'elle n'est pas une grande lectrice, qu'elle démontre un enthousiasme aveugle? S'étonne-t-il, au fond, qu'elle possède un œil si avisé?

— C'est pas une version définitive, se sent-il obligé de justifier avec un geste négligent.

Elle lui caresse à nouveau les épaules.

— Je le sais bien, mon loup. De toute façon, tu écris très bien, c'est ça le plus important.

Elle l'embrasse sur la tête, lui murmure qu'elle l'attend dans la chambre puis sort de la pièce. Il relit la scène d'un air boudeur. Ce qu'il veut, c'est que ce soit bien écrit ET terrible ET crédible. C'est possible, non? Dennis Lehane et Stephen King y arrivent bien. Il fixe son texte d'un regard tourmenté. Est-ce une si bonne idée d'écrire un roman de genre? Il a toujours apprécié les histoires policières, bien sûr, mais il admire beaucoup les auteurs plus littéraires. Il a fait sa maîtrise sur Romain Gary, adore les classiques du XIXᵉ siècle… De fait, la nouvelle qu'il a publiée il y a quatre ans, alors qu'il avait trente ans, représente bien la diversité de ses passions : il s'agissait d'un polar avec des questionnements métaphysiques sur la réalité et le rêve, un peu à la Cortazar, un écrivain qu'il vénère. Mais il faut bien avouer que les quelques critiques dans les blogues ont davantage relevé l'habileté de la trame narrative et l'efficacité du suspense plutôt que le caractère philosophique des thèmes. Cela l'a donc encouragé à entreprendre un vrai thriller noir : aussi bien exploiter ses forces. Sauf qu'il n'y avait pas de meurtre ni de véritable noirceur dans sa nouvelle, et maintenant qu'il s'attaque à un vrai polar, sa principale lacune lui saute au visage : son incapacité à aborder la violence de manière crue, de rendre la noirceur palpable, de créer une tension réaliste par des détails horribles qu'il n'arrive pas à imaginer. Pour un thriller qui se veut glauque, c'est tout de même un problème majeur. Peut-être devrait-il laisser tomber les grandes scènes violentes et se contenter de les suggérer. Mais l'histoire a besoin de ces passages, ils en sont le moteur.

Peut-être alors devrait-il tout simplement oublier le roman de genre et se concentrer sur l'aspect social et intellectuel du livre, ce qui le rendrait plus personnel. Il se souvient tout à coup de la question que Wanda lui a posée cet après-midi.

Donc, si on se fie à ce que tu viens de dire, toi aussi, quand tu écris, tu parles de toi ?

De quelle manière parle-t-il donc de lui dans ce roman d'un homme qui élimine un à un les gens qui l'empêchent de grimper les échelons de la compagnie où il travaille ? Michaël y dresse bien, en toile de fond, le portrait dévastateur d'une société névrosée et ultra-consommatrice axée sur la compétition, mais rien dans cette histoire n'est près de lui, ni dans le quotidien ni dans l'émotion.

Mais on parle toujours un peu de soi quand on écrit, directement ou non, consciemment ou pas. C'est bien ce qu'il affirme à ses élèves, et il y croit.

Il soupire, sauvegarde son manuscrit, puis se dirige vers l'arrière de leur appartement cinq pièces jusqu'à la chambre à coucher. Quelques minutes après, ses tourments artistiques ont totalement disparu, annihilés par le plaisir concret et réel du sexe.

◆

— Alors, qui a écrit une nouvelle ? demande Michaël en tout début de cours.

Sur les quatorze femmes, quatre lèvent la main en ricanant, un peu gênées, y compris Wanda Moreau qui, elle, demeure de marbre, sa main sagement dressée. Michaël ramasse leurs copies en expliquant :

— Bon. J'aurai pas le temps de lire ça d'ici le cours de demain. En fait, je me donne une semaine. Jeudi prochain, après le cours, donc à partir de trois heures, je vais vous rencontrer toutes les quatre, individuel-lement, pour vous donner mon avis. J'ai un arrangement avec la direction, je fais ça trois fois par année. C'est clair ?

— Tu vas voir que dans la mienne y a pas mal d'action ! lance Maryse avec fierté.

Puis, le cours commence et les détenues plongent dans leur livre. Pendant trois heures, Michaël reçoit à son bureau les élèves qui ont besoin d'aide dans leur cahier (le tout à voix basse pour ne pas déranger les autres filles). à midi, elles quittent la classe pour la pause du dîner, sous la supervision d'un gardien. Michaël remarque que Wanda prend son temps pour ranger ses affaires, glisser son iPod dans sa poche de pantalon et installer ses écouteurs autour de son cou. Une fois le local vide, elle s'approche du bureau où Michaël, debout, consulte un dossier. Il l'encourage d'un sourire : les détenues ont le droit de rester en classe pour parler à leur professeur, mais pas trop longtemps. D'ailleurs, dans le couloir près de la porte, un second gardien est en poste au cas où cela s'éterniserait. Par contre, c'est la première fois que la discrète élève use de ce privilège.

— Je peux t'aider, Wanda ?

Elle hésite, lisse sa queue-de-cheval blonde puis, en évitant son regard, lâche enfin :

— Je voulais te remercier.

— Ah, bon ? Et pourquoi ?

— J'avais jamais écrit une histoire pis… ça m'a… C'est ben spécial, ce que ça m'a fait.

Michaël croise les bras en hochant le chef. D'avoir réussi à toucher cette femme qui ne démontre à peu près jamais d'émotion le ravit.

— Je vous l'avais dit.

— En tout cas, j'ai hâte que tu me dises ce que t'en penses…

Elle regarde enfin le professeur droit dans les yeux un bref moment, détourne la tête puis enfonce les écouteurs dans ses oreilles avant de quitter le local. Amusé, Michaël attrape sa serviette, enfile son manteau et traverse l'aile en saluant quelques agents.

Au poste de sécurité, il récupère son cellulaire et ses clés, envoie la main au surveillant qui lui déverrouille la porte, puis marche vers sa voiture dans le stationnement, en jurant contre la gadoue qui s'écrase sous les semelles de ses vieilles bottes. Tandis qu'il s'installe derrière son volant, il observe les bâtiments du centre de détention qui se découpent sous le lourd ciel de mars. Quand il a commencé l'enseignement il y a huit ans et qu'il réussissait tant bien que mal à dégotter des charges de cours dans les cégeps, s'attendait-il à se retrouver prof dans une prison? Il a beau apprécier l'expérience, trouver ses élèves vivantes et surprenantes, combien de temps pourra-t-il encore venir ici sans se lasser? Il continue d'acheminer ses CV dans les établissements scolaires, mais jusqu'à maintenant, les appels ne s'accumulent pas dans sa boîte vocale. Ses anciens étudiants au collégial étaient blasés et éteints, mais au moins il enseignait la littérature. Alors qu'ici, il se contente de les guider dans des cahiers d'apprentissage, cinq heures par jour, quatre jours par semaine.

En moins de quinze minutes, il rejoint le centreville de Joliette et gare sa voiture près du bar L'Albion. À quinze heures quarante, seulement deux clients sont assis au zinc. Thierry, le barman, envoie la main à Michaël, qui va s'installer au « coin salon » dans un des fauteuils en cuir noir. Tandis qu'il extirpe la petite pile de feuilles de sa serviette ainsi qu'un stylo rouge qu'il dépose sur la table basse devant lui, Thierry lui apporte une pinte de bière rousse.

— Ils t'ont encore laissé sortir? T'es chanceux, Michaël, ils vont finir par te garder...

— C'est une prison pour *femmes*, Thierry. L'alzheimer débute tôt chez les barmen, on dirait...

Le jeune s'éloigne en gloussant. Comme toujours, Michaël lira les nouvelles de ses élèves une première fois sans rien inscrire sur les pages. Les commentaires ne viendront qu'à la seconde lecture, dans quelques jours. Il avale une gorgée de bière, puis plonge dans l'univers de Nathalie qui porte le titre de « Tu ma brisée le cœur », titre prometteur autant du point de vue de l'intrigue que de l'orthographe.

C'est la huitième fois en trois ans que Michaël offre ce projet d'écriture au pénitencier et la lecture des trois premières copies lui permet de retrouver des thèmes récurrents, pour ne pas dire des clichés : une très triste histoire de séparation, une voleuse qui se fait tuer par la méchante police à la fin (les flics sont toujours des salauds dans le monde des détenues) et une fille qui se venge à la suite du viol qu'elle a subi. Tout y est convenu (l'aventure de la voleuse est un peu plus imaginative, mais à peine), tout est rédigé de manière approximative, la narration est défaillante, mais on sent l'enthousiasme et la volonté d'en mettre plein la vue. Michaël est une fois de plus fasciné par le constat qu'on peut posséder des outils tout en étant incapable de produire un résultat cohérent avec. Il est normal que la plupart des individus ne puissent pratiquer une chirurgie, monter les croquis d'un gratte-ciel ou réparer une voiture : ils ne savent rien du fonctionnement du corps humain, ne peuvent élaborer un plan et ne maîtrisent aucune compétence mécanique. Mais parmi les gens qui connaissent les mots de la langue française et qui peuvent former des phrases (mal foutues ou non), peu d'entre eux parviennent à écrire une histoire qui tient debout. Pour Michaël, il s'agit là d'un grand mystère. Cependant, le but de l'exercice n'est pas de noter le talent brut, mais d'encourager les détenues à écrire.

La quatrième et dernière copie est celle de Wanda Moreau. Le titre est énigmatique : « Essayer d'être ». Michaël subodore déjà un récit à saveur poétique, sur la découverte de soi et les tourments intérieurs. Il commence donc la lecture.

Cinq minutes plus tard, les yeux rivés sur le texte, ses traits expriment la plus grande des incrédulités.

◆

Enthousiaste, Alexandra explique que la clinique d'orthodontie qu'elle et sa collègue Geneviève viennent d'ouvrir démarre plutôt bien. Laurence lève son verre de vin avec une moue admirative.

— À ta clinique, alors !

Autour de la table dont les reliefs indiquent un repas en fin de parcours, les quatre convives trinquent à ce succès.

— T'as l'air ailleurs, Mike, fait remarquer Pierre-Mathieu. T'en arraches avec tes prisonnières ?

— Non, non, désolé, je suis juste un peu fatigué… Encore un peu de vin devrait me remettre d'aplomb.

Pierre-Mathieu remplit le verre de son invité. En fait, l'enseignant n'est pas fatigué. Il est tout simplement incapable de s'enlever de l'esprit la nouvelle de Wanda Moreau. Depuis hier, il l'a relue cinq fois, et l'effet est systématiquement le même. Non pas qu'elle soit parfaite, tant s'en faut : la narration se révèle boiteuse, le vocabulaire parfois déficient, les personnages pas clairement présentés…

En fait, un passage en particulier. Une scène violente, terrible.

— Lucas s'endort toujours aussi facilement ? s'enquiert Alexandra. On l'entend pas pantoute, et pourtant on parle fort.

— Depuis une couple de mois, c'est comme ça, répond Pierre-Mathieu. On peut enfin dormir, nous autres aussi.

— Pis baiser tranquille, ajoute Laurence.

Tout le monde rit, y compris Michaël, même s'il n'a pas entendu la blague. Il se demande comment cette fille qui n'a jamais écrit a pu rendre une scène de meurtre à la fois si crue et si percutante… Et bien sûr, la réponse la plus évidente est celle-ci : parce qu'elle n'a pas inventé cette histoire de femme qui tue son conjoint à coups de couteau.

Wanda Moreau a sans doute raconté sa propre expérience.

— D'ailleurs, vous deux, le bébé ? Vous travaillez toujours là-dessus ?

— Ah, pour travailler, on travaille, hein, mon loup ? approuve Alexandra en se tournant vers son amoureux.

Pourtant, Michaël est convaincu qu'au cours des dernières années, plusieurs de ses élèves se sont inspirées de leur vie pour rédiger leur nouvelle, et jamais aucune n'a pondu de pages aussi glauques. La manière dont la meurtrière poignarde sa victime, les réactions de celle-ci…

— Hein, mon loup ?

Une telle scène mieux écrite serait d'une force remarquable…

— Michaël, t'es où, là ?

— Hein ? Ah, oui, on travaille fort… Mais c'est du travail pas mal agréable, faut le dire…

— En tout cas, commente Laurence, profites-en pour écrire avant que le bébé arrive, parce qu'après… D'ailleurs, est-ce que ça avance, ton bouquin ?

L'enseignant fixe son assiette vide avec une moue ambiguë. Il n'aime pas trop parler de son manuscrit parce qu'il a l'impression de répéter chaque fois la même chose. Néanmoins, il ne peut vraiment en vouloir à ses hôtes de s'intéresser à ce qu'il écrit. C'est ce que font les copains, non ? Quoique Laurence et Pierre-Mathieu sont davantage les amis de sa blonde que les siens. Depuis son arrivée à Joliette, à part Alexandra, il n'a pas fait de vraies rencontres, mais s'est contenté de tisser des liens plus ou moins solides avec l'entourage de sa conjointe. Pourtant, en trois ans et demi, il aurait eu amplement le temps de développer son propre réseau. Il y a bien Conrad et Laurent, deux professeurs au pénitencier qui enseignent d'autres matières, qu'il estime bien, mais il n'a jamais ressenti le besoin de les fréquenter à l'extérieur du milieu de travail. Il voit ses amis de Drummondville de temps à autre, comme Denis, mais la distance ne facilite pas les réunions.

En mâchant un bout de pain qui traînait dans son assiette, il répète donc la réponse qu'il a donnée au couple un mois plus tôt lors d'un semblable repas :

— Ça avance... Je l'ai terminé, mais je le révise beaucoup...

— Ça fait trois ans que tu pioches là-dessus, non ?

C'est sans doute involontaire de sa part, mais en prononçant ces mots, Pierre-Mathieu a un imperceptible rictus ironique qui n'échappe pas à Michaël. Dans la bouche de ce dernier, le morceau de pain s'assèche. Alexandra précise avec enthousiasme :

— Il croit pouvoir l'envoyer à des éditeurs d'ici trois mois.

Il approuve de la tête mais avec prudence. Trois mois... Rêve-t-il en couleurs ? Il y a encore tant de passages dont il n'est pas satisfait. Chaque fois qu'il est convaincu d'avoir pondu quelque chose de bon, il remet tout en question peu de temps après. Comme l'autre soir, avec ces quelques pages qu'il a partagées avec sa blonde...

— Je suis sûre qu'un éditeur va aimer ça, l'encourage Laurence, même si elle n'a jamais lu une ligne écrite par son invité.

— J'espère bien, dit Michaël en ricanant. Avec toutes les merdes qui sont publiées, je peux pas croire que mon livre le sera pas.

Et juste avant de terminer son verre de vin (son cinquième ou son sixième ?), il marmonne :

— À condition que je le finisse…

Au bord de la coupe près de ses yeux, il voit le rictus ironique de Pierre-Mathieu s'accentuer. Alexandra gronde gentiment son amoureux : mais bien sûr qu'il va le finir !

— Peu importe le temps que ça prend ! ajoute Laurence. Il y a une écrivaine très connue, Donna Tartt, qui sort un bouquin aux dix ans.

— Mais moi, j'ai pas envie d'écrire uniquement quatre romans dans ma vie.

— C'est pas le nombre qui compte, mais la qualité.

— Je voudrais bien avoir la quantité et la qualité, précise Michaël avec un clin d'œil.

Les autres rient tandis que Michaël allonge la main vers la bouteille.

— De toute façon, quand ton livre va être publié, tu vas sûrement arrêter d'enseigner, présume Laurence. Et là, tu pourras écrire à temps plein.

— Du calme, rétorque le professeur en emplissant son verre. Très peu d'auteurs vivent de leur plume.

— C'est vrai ?

Michaël se sent las. Discuter littérature avec des gens qui n'y connaissent rien peut être si harassant. Pierre-Mathieu glisse avec bonhomie :

— C'est vrai. Et il faudrait pas que Mike tienne pour acquis qu'il sera un de ceux-là.

Michaël le dévisage en plissant les yeux. Il voit la main de Pierre-Mathieu posée sur la table et il s'imagine la transpercer violemment de sa fourchette. Cela ferait une bonne scène de roman. Classique mais efficace. Il se demande comment Wanda Moreau l'écrirait. Avec plein de fautes, un style maladroit… et certainement des détails d'une précision troublante.

— Si t'as du succès, j'espère que tu vas pas faire comme tous les artistes qui pognent et qui déménagent à Montréal, déclare Laurence.

— Ce serait une idée.

— Wooo! Et ma clinique que je viens d'ouvrir? objecte Alexandra en lui donnant un coup de coude.

— Sois gentil avec ta blonde, Mike, se moque Laurence. De tous les chums qu'Alex a eus, t'es celui qu'elle aime le plus, je te le garantis.

— C'est vrai, atteste Alexandra sur un ton amoureux.

— Même chose pour toi, Michaël? lance Pierre-Mathieu, goguenard.

L'enseignant sourit à sa conjointe. En une fraction de seconde, l'image d'une jeune femme apparaît, une image vieille de quinze ans, mais elle disparaît aussitôt.

— Évidemment, répond-il en prenant la main d'Alexandra.

Cette dernière sourit aussi, émue.

— De toute façon, je vise pas le succès, précise Michaël. Je veux juste faire un bon roman.

Allons, il a suffisamment été le centre d'attention.

— Et vous deux? demande-t-il à ses hôtes. Les affaires vont bien?

Pierre-Mathieu et Laurence expliquent que leur commerce d'aliments biologiques ne se porte pas trop mal. Et durant le reste de la soirée, Michaël ne songe plus à Wanda Moreau.

Du moins, presque plus.

2

Comme d'habitude, ses cheveux sont attachés en une longue queue-de-cheval. Et elle a vraiment de beaux yeux pers, il faut bien en convenir. Distants et peu empreints d'émotion, mais beaux. En ce moment, ils sont plutôt bleus. Quant à sa silhouette, elle est mince, mais difficile d'apprécier les formes puisqu'elle s'habille en pantalon mou et en large coton ouaté. Aujourd'hui, elle paraît un rien fébrile. Assise bien droite sur la chaise, elle a joint ses doigts sur le bureau qui la sépare de son professeur.

Wanda est la dernière des quatre rencontres individuelles de Michaël. Ils sont donc les deux seuls individus dans la salle de cours, mais l'enseignant sait qu'un gardien est planté dans le couloir, tout près de la porte ouverte.

— Alors, tu avances dans ton cahier? Ça doit bien aller: tu viens jamais me poser de questions…

— Oui, ça avance. Je pense ben avoir fini dans une couple de semaines.

— Tu dois avoir hâte d'avoir tes crédits de secondaire V?

— Oui, j'ai hâte.

Mais elle prononce ces mots avec une indifférence totale, qui lui donne un air étrangement candide. L'enseignant examine la nouvelle qu'il tient entre les mains.

— Tu m'as dit que c'était la première fois que tu écrivais...

— Oui...

— Tu lis beaucoup, alors.

— J'ai lu une couple de livres dans ma vie, pas plus.

Elle hausse une épaule.

— Ça paraît que j'ai jamais écrit, hein?

Michaël se gratte le coin de l'œil.

Il feuillette les six pages agrafées.

— Il y a des scènes qui sont d'une véracité étonnante.

— D'une quoi?

— Qui ont l'air vrai, qui dégagent un sentiment de réalité très fort. L'amour à la fois détaché et désincarné de ton personnage vis-à-vis de son chum est complexe. Il est décrit de façon parfois... heu... maladroite, mais on y croit vraiment. La jalousie qu'elle tente d'éprouver en découvrant qu'il la trompe, mais qu'elle arrive pas réellement à ressentir, c'est original et psychologiquement intéressant. Mais le passage le plus...

Il va à l'avant-dernière page et la parcourt rapidement des yeux tout en se massant le menton.

— ... le plus puissant, c'est sans contredit celui du meurtre.

Il reluque la femme devant lui, à l'affût d'une réaction de sa part.

— C'est bien écrit? se contente-t-elle de s'enquérir.

— En fait... heu... L'écriture est pas encore au point et ça manque de fluidité, ce qui est normal lorsqu'on a pas l'habitude, mais tu réussis néanmoins à nous troubler. J'avais l'impression d'assister à un assassinat atroce qui, mieux écrit, serait très crédible.

Elle hoche la tête en lissant sa queue-de-cheval et semble ravie. Michaël l'a rarement vue afficher une expression quelconque et, prudemment, il ajoute :

— Je me demande bien comment une fille qui a jamais écrit et qui lit presque pas peut pondre une telle scène.

— Parce que c'est arrivé pour vrai.

Elle prononce ces mots sans broncher, toujours en jouant avec ses cheveux. Michaël avale sa salive.

— Qu'est-ce que tu veux dire ?

— Ben... J'ai tué mon chum y a dix ans. C'est pour ça que je suis ici.

Évidemment, il s'en doutait bien, mais l'enseignant oublie tout de même de respirer quelques secondes. Il a beau savoir qu'en plus de trois ans quelques meurtrières ont sans doute suivi son cours, cela demeurait théorique et surtout anonyme. Certaines des détenues ont déjà glissé des allusions assez claires sur leurs antécédents, c'est néanmoins la première fois que l'une d'elles, seule avec lui, lui révèle sans détour qu'elle a assassiné quelqu'un. Surtout avec un tel détachement. Sur les feuilles de papier, les mains de Michaël se recroquevillent. Il jette un coup d'œil vers la porte ouverte et la vue de l'ombre du gardien en faction dans le couloir le rassure.

— Cette nouvelle, c'est... c'est donc ta vraie relation avec ton ex ?

— En gros, oui. Ben, en fait, c'est...

Elle réfléchit un moment en fronçant les sourcils et en gonflant les joues, ce qui lui donne un air enfantin tout à fait incongru.

— Écrire là-dessus, ça m'a permis de réaliser une couple d'affaires. Quand j'ai découvert que Yan m'avait trompée, je me suis pas sentie si jalouse que ça, j'étais même pas en maudit. Enfin, oui, un peu, mais pas tant que ça.

Jamais Michaël ne l'a entendue parler autant. Elle est calme et assez neutre, mais sa voix dénote l'effervescence de celle qui s'ouvre pour la première fois.

— Je me disais que je *devrais* être jalouse, que je *devrais* ressentir de la colère, que ce serait normal. À force de me répéter ça, j'ai fini par me convaincre que Yan était un trou de cul, pis...

Elle balance la main vers le haut, comme si elle lançait un objet quelconque derrière elle, et ce geste glace le sang de Michaël.

— ... j'ai agi en conséquence.

— Tu veux dire... tu l'as tué ?

— Ben oui.

— À coups de couteau ?

— Oui, oui. (Elle indique la nouvelle du menton.) Comme dans mon histoire.

Michaël baisse les yeux vers le mince paquet de feuilles, comme s'il voulait s'assurer qu'elles existaient vraiment, puis revient à son élève. Elle penche la tête sur le côté.

— T'es blême en câline.

— Et ça s'est passé exactement comme... tu l'as écrit ?

— Oui.

— Le premier coup de couteau à la poitrine, il a réellement glissé ?

Il n'arrive pas à croire qu'il a vraiment posé cette question. Mais loin de s'en offenser, Wanda approuve en mimant l'action, toujours en demeurant impassible.

— Oui, pis j'ai compris pourquoi après: en frappant de haut, comme ça, vers le bas, t'as moins de précision, moins de force aussi, parce que tu peux pas mettre

tout ton poids. La lame lui a juste fait une grande…
heu… pas une grafigne, je le sais que c'est ça que j'ai
écrit dans ma nouvelle, mais je connais pas le bon
mot pour…

— Une incision.

— Ouais, c'est ça. C'est pour ça que, tout de suite
après, je l'ai frappé par en avant, dans le ventre : là,
je pouvais pas manquer mon coup pis j'ai pu mettre
tout mon poids sur le couteau pour qu'il entre ben
profond.

Michaël, le coude sur le bureau, commence à se
triturer la lèvre inférieure. Il devrait conclure cette
conversation malsaine, et pourtant il demande d'une
voix blanche :

— Et il t'a vraiment poursuivie avec… avec la
lame dans son estomac ? Il est pas tombé ?

Merde, a-t-il *réellement* envie de savoir tout ça ?
Mais Wanda semble trouver cette curiosité naturelle.

— Pas sur le coup, non. Il criait, il avait mal, mais
il courait… Tout ce que j'ai écrit est vrai.

Et c'est donc vrai que le type a glissé dans son sang,
qu'il a finalement basculé sur le dos, que Wanda s'est
penchée, a arraché l'arme et l'a plantée à nouveau,
dans la cage thoracique cette fois, que celle-ci est si
dure que le couteau s'est d'abord à peine enfoncé d'un
centimètre et qu'elle a dû se lever et appuyer à deux
mains sur le manche pour qu'il finisse par tout transpercer d'un seul mouvement… Dieu du ciel, ça lui
semble à peine possible.

Il passe lentement ses deux mains sur la pile de
feuilles, comme s'il s'assurait de bien les aplanir.

— Et l'émotion de ton personnage ?

— Quoi, l'émotion ?

— Je veux dire : nous, comme lecteurs, on sent
beaucoup d'émotion en lisant ce… ce meurtre, mais

ton personnage principal donne l'impression de rien
ressentir... C'était aussi ton cas ?

Il lève les yeux vers elle.

Arrête ! Tu dépasses les limites de ton rôle de prof !

Wanda a une moue mélancolique.

— Je ressentais pas grand-chose, non. En fait, je
cherchais à ressentir quelque chose.

Elle relève la tête et sourit, tout à coup radieuse.

— Mais là, en écrivant, j'ai senti des affaires que
j'avais jamais senties. Câline ! Si tu nous avais pas
proposé ce projet, j'aurais jamais découvert ça !

Elle le contemple maintenant avec une reconnaissance intense, solennelle.

— Je vais continuer à écrire, c'est trop trippant.

— Excellente idée. Mais tu as quand même beaucoup de travail à faire. Tes tournures de phrases, ta
syntaxe, ton vocabulaire... Comme ici, par exemple...

Et, reprenant son rôle de prof, il lui montre des
exemples, commente, analyse. Pendant cinq minutes,
Wanda l'écoute avec attention, en bonne étudiante
sérieuse qui souhaite s'améliorer. À la fin, elle hoche
la tête.

— OK... OK... Y a-tu des exercices que tu me
conseilles de faire ?

— Tu pourrais rédiger ton journal personnel. C'est
un excellent moyen pour se pratiquer et pour explorer
ce que l'on vit, ce que l'on ressent. Comme toute forme
d'écriture, c'est souvent thérapeutique.

— Un journal personnel...

Elle semble d'abord dubitative, mais plisse les yeux,
comme si l'idée creusait son chemin.

— Et tu pourrais lire des romans, aussi.

— Oui. Oui... En tout cas, je vais lire le tien quand
il va sortir.

— Ça, c'est s'il sort un jour.

— Oh, j'en doute pas. T'as du talent, je suis sûre. Juste avec les commentaires que t'as faits sur ma nouvelle, ça paraît.

Elle le regarde toujours avec gratitude et il se sent confus : il est évidemment flatté du compliment... sauf qu'il provient d'une femme qui a poignardé son conjoint...

Elle se lève enfin et se dirige vers la porte. C'est tout ? Après ce qu'elle vient de lui avouer, ils vont se laisser comme ça ? Presque malgré lui, il lui lance :

— Et, Wanda...

Elle se retourne. Qu'est-il donc sur le point de lui dire ? « J'espère que tu t'en sortiras bien » ? Ou « Je ne te juge pas » ? Ridicule.

— J'apprécie la confiance que tu m'as témoignée en écrivant ce texte. Et en me parlant de... de tout ça.

Il n'arrive pas à décider si ces mots sont adéquats ou totalement idiots. La détenue fronce les sourcils, comme si ces paroles étaient pour elle une révélation, puis elle hoche la tête.

— C'est vrai... Je t'ai fait confiance...

— Et avec raison, insiste-t-il.

Bon, ça suffit, il ne faut pas pousser non plus. Il fouille dans ses papiers pour démontrer que la rencontre est terminée. Elle lui sourit, satisfaite et étonnée à la fois, puis sort enfin en enfilant les écouteurs de son iPod. Michaël cesse de farfouiller dans la paperasse et, troublé, fixe les chaises vides devant lui.

◆

Michaël ouvre un cinquième article qui apparaît sur son écran et le parcourt rapidement.

Il n'apprend rien de plus que ce qu'il a déjà lu plus tôt : en 1999, Wanda Moreau, une femme de

vingt-quatre ans employée dans une boutique d'électronique à Mont-Laurier, tue son amoureux, Yan
Bouchard, trente-trois ans, un technicien en informatique avec qui elle habite depuis deux ans. Elle
l'aurait assassiné par jalousie lorsqu'elle a découvert
qu'il la trompait avec une collègue de travail. Elle l'a
attendu à l'appartement et l'a poignardé à son retour.
Il semblerait que, durant le procès, Wanda a bien
affirmé qu'elle regrettait son geste et qu'elle était
rongée par le remords, mais le juge a relevé, en rendant
sa décision, que ces repentirs avaient été exprimés avec
très peu de conviction. Au final, en janvier 2000, elle a
été condamnée à vingt-cinq ans de prison pour meurtre
au deuxième degré.

L'enseignant recule sur sa chaise et se lisse les
cheveux en observant l'écran. Après neuf ans de
détention, elle écrit donc pour la première fois sur le
meurtre qu'elle a commis et, par la même occasion,
pond une scène mal écrite mais dotée d'une violence
et d'une précision que Michaël n'a retrouvées que
chez les plus grands auteurs du genre.

Il se sent tout à coup irrité. Et il ne sait pas trop
pourquoi. Ou alors, il le sait mais ne veut pas l'admettre.

Il entend la porte d'entrée s'ouvrir et se refermer :
Alexandra qui revient de la clinique.

— Oui, je sais qu'il est tard ! clame-t-elle. Mais j'ai
apporté de la pizza !

Le visage crispé de Michaël se détend : sa blonde
a toujours le don de le mettre de bonne humeur. Et
elle croit tellement en lui. Même si elle a parfois des
commentaires durs sur ce qu'il écrit, elle est convaincue qu'il a du talent et qu'il va publier son roman.

Et elle a raison.

Il quitte Internet et rejoint son amoureuse, qui
remplit déjà deux verres de vin.

◆

Michaël se rend au Salon du livre de Trois-Rivières depuis une douzaine d'années. Maintenant qu'il habite Joliette, il visite aussi celui de Montréal, mais il ne boude pas pour autant celui de la Mauricie pour lequel il éprouve une sorte de fidélité.

En ce début d'après-midi du samedi 14 mars, lui et Alexandra pénètrent donc dans le Centre des congrès de l'Hôtel Delta et déambulent entre les nombreux stands des différents éditeurs exposés et, à nouveau, l'enseignant ressent un bien-être presque sensuel à se retrouver ici. Comme dans tous les Salons du livre, l'éclairage est froid, l'air est trop sec, les stands, à l'exception de quelques-uns, sont dénués d'esthétisme et le brouhaha est décuplé par l'acoustique catastrophique, mais Michaël ne peut souhaiter environnement plus enivrant pour lui : des milliers de bouquins, des tables rondes sur la littérature et la présence de plusieurs auteurs. Un monde qu'il admire. Qu'il respecte.

Et que, depuis quelques années, il envie.

Une envie qui lui procure une drôle de sensation, qui s'intensifie à chacune de ses visites, alliage d'espoir et de frustration. Un jour, lui aussi portera autour du cou ce porte-nom qui attestera son appartenance à la confrérie et discutera avec d'autres écrivains et « gens du milieu », comme ce petit groupe de quatre personnes près du kiosque de Québec Amérique, parmi lesquelles se trouve l'auteur Stéphane Dompierre, et qui rigolent ensemble. Lui aussi régnera sur une des scènes du Salon et répondra aux questions intelligentes qu'on lui posera sur son œuvre. Lui aussi s'installera derrière une table dans le stand de son éditeur et signera son roman à des lecteurs fébriles. Comme si elle avait lu dans ses pensées, Alexandra lui touche le coude et lui désigne, plus loin, une longue file d'admirateurs qui s'étire devant l'écrivaine India Desjardins.

— T'as hâte que ça t'arrive ?

Il sourit, mais remarque aussitôt l'auteur esseulé assis à la table à côté de Desjardins et qui, les mains croisées devant lui, attend un éventuel fan d'un air absent. Michaël le pointe du menton.

— C'est plus ça qui risque de m'arriver.

— Pourquoi tu dis ça ?

— Parce que c'est le sort de la majorité des écrivains, tout simplement.

Alexandra promène son regard un peu désabusé autour d'elle, reluquant rapidement la dizaine d'auteurs qui s'offrent à son champ de vision et qui correspondent à la situation décrite par son chum. Michaël lui prend la main.

— Mais ça me dérange pas, tu sais. Ça fait partie de la game.

— Allez, un peu d'optimisme, rabat-joie !

Elle l'embrasse et ils se remettent en marche. Durant l'heure qui suit, Michaël s'achète trois livres, puis Alexandra annonce qu'elle va attendre son amoureux dans le café en bas. C'est comme ça chaque fois et Michaël ne s'en formalise pas : sa conjointe, qui lit quatre ou cinq romans par année, vient surtout au Salon pour l'accompagner. Elle lui répète de prendre son temps, puis se dirige vers la sortie de la salle. Michaël replonge dans la foule, heureux d'errer à sa guise.

Au kiosque des éditions Persona, il cherche un bouquin en particulier, sans le trouver. Il s'approche d'une Asiatique qui semble travailler au stand. Au moment de l'interroger, il la reconnaît et ouvre de grands yeux.

— Lee-Ann ? Ben voyons donc !

Elle-même pousse une exclamation de surprise (« Michaël ! Wow ! ») et, ravie, l'embrasse sur les deux joues. Lui, malgré son propre enthousiasme, se raidit de manière imperceptible. La dernière fois qu'il a parlé à Lee-Ann Muzhi, deux semaines après l'obtention de son bac en littérature, elle lui annonçait qu'elle mettait fin à leur couple après trois ans de passion dingue. Michaël avait pris le double de temps pour s'en remettre.

Ils discutent un peu, échangent des nouvelles l'un sur l'autre. Il lui dit qu'il enseigne dans un centre de détention ; il apprend qu'après son diplôme en marketing, Lee-Ann a travaillé dans quelques boîtes de Montréal, mais sans jamais demeurer longtemps au même endroit.

— Tu sais comment j'ai besoin de changement dans ma vie, dit-elle en riant.

Il affiche un sourire vaguement mélancolique. Oh oui, il le sait…

Et maintenant, elle est directrice commerciale chez Persona depuis un peu moins d'un an.

— Et toi ? Je me rappelle que tu écrivais, pendant qu'on sortait ensemble à l'université. C'était pas mal bon, d'ailleurs. Tu écris toujours ?

— Je travaille sur un manuscrit. J'aimerais ça le publier bientôt.

— Wow, génial ! Tu nous l'enverras !

— Pas sûr que c'est le genre de Persona. J'ai aussi une nouvelle qui a paru dans une revue, il y a quatre ans.

— C'est bien ! C'est un début !

Ils se sourient tandis qu'un ange passe. Un peu gêné, il revient au livre qu'il cherche :

— Il paraît que vous venez de publier une nouvelle édition des *Armes Secrètes* de Cortazar.

— Oui, attends-moi ici.

Elle s'éloigne et Michaël la suit des yeux. Comme à l'époque, elle s'habille d'amples jupes qui, il le sait, camouflent un fort joli corps. Et à première vue, rien ne semble indiquer que cela ait changé. Il regarde autour de lui et aperçoit, dans un stand en face, un auteur déguisé en chevalier du Moyen Âge. Le costume est plutôt ringard, manifestement trouvé dans une vente de garage. En fait, seuls les cheveux longs du type paraissent authentiques. Assis à sa table, les mains croisées, il attend un éventuel lecteur (ou une prochaine croisade) et lance des regards à la fois amicaux et insistants vers la foule qui passe devant lui. Michaël reluque l'affiche du livre collée derrière le pseudo-Lancelot : *Les Chroniques du Royaume Noir. Tome 1 : le Glaive des Braves*. S'il s'agissait de littérature jeunesse, Michaël pourrait montrer de l'indulgence, mais la couverture assez sanglante indique qu'on s'adresse à un public adulte.

— Voilà.

Lee-Ann tend le bouquin vers l'enseignant qui le prend, satisfait.

— Oui, c'est celui-là... De quoi ça parle ?

— Voyons, tu l'as déjà lu ! Je me souviens que t'étais un fan de Cortazar !

— Oui, mais je veux entendre ton pitch de vente.

Elle rit. Comme avant, chaque fois qu'elle s'esclaffe, ses yeux bridés deviennent si minces qu'ils paraissent fermés. Elle a coupé ses longs cheveux noirs, qui s'arrêtent maintenant aux épaules. La trentaine lui va à ravir, lui donne une assurance très sexy.

— OK, je me lance : c'est un recueil de nouvelles fantastiques qui traitent essentiellement de notre rapport au réel. Certaines s'intéressent au thème du double. L'une d'elles a inspiré le réalisateur Antonioni pour son film *Blow up*. Dans cette édition, il y a des analyses pour chacune des nouvelles. J'imagine que c'est pour cette raison que tu veux l'acheter, comme je te connais.

— Pas mal. Tu l'as lu ?

— Non, mais je me tiens au courant de ce que je vends.

Il opine du chef puis désigne du menton l'aspirant chevalier.

— Et chez Persona, vous avez des auteurs qui se déguisent pour leurs séances de signatures ?

La jeune femme secoue la tête, amusée.

— Évidemment, tu le juges...

— Pas toi ?

— Si ça l'aide à vendre, pourquoi pas ?

— Tu trouves qu'il a l'air de vendre beaucoup ?

— Tantôt, il a intéressé quelques curieux. Je te garantis que dans les prochaines années, le déguisement des auteurs en personnages va être une tendance qui va se développer.

— Misère...

— Bon, ça marche surtout pour la fantasy et le fantastique... De toute façon, le milieu littéraire a pas le choix d'être moins élitiste et de trouver des moyens d'attirer le monde. Un écrivain assis derrière une table et qui attend, c'est pas très excitant. L'industrie du livre va pas super bien, Michaël. Va falloir que ça change, qu'on dynamise ça un peu...

— Et toi, t'es là pour ça : faire la révolution.

— Mets-en !

Ils rient tous les deux. Michaël sent que leur vieille complicité reviendrait très rapidement, très facilement. Car ils étaient complices. Sur tout. Enfin... un seul point les empêchait de se rejoindre entièrement : il s'affichait comme un puriste et elle clamait que la culture était un produit de consommation comme un autre. Lorsqu'ils s'engueulaient, c'était toujours sur cette différence de conception. Mais était-ce vraiment la raison pour laquelle elle avait mis fin à leur couple ? Elle avait surtout allégué être trop jeune pour s'engager à long terme. Elle devait essayer autre chose. Qu'avait-elle donc essayé ?

— Et ta vie personnelle ? demande-t-il. T'as des enfants ? Un chum ?

— Pas d'enfant, mais un amoureux depuis deux ans. Ça va bien. Et de ton côté ?

— Une blonde depuis trois ans et demi. On essaie d'avoir un enfant.

Ils se sourient toujours.

— Le temps passe, hein, Michaël ?

— Ouais… C'est un peu fou…

Il annonce qu'il doit y aller. Ils s'embrassent et cette fois, il prend un moment pour sentir son parfum. Le même qu'il y a douze ans. Douze ans, bordel !

— Si tu publies, on va se revoir dans les Salons du livre !

Il dit que ce serait bien, tout en réalisant que cette idée lui procure un furtif frisson ambigu.

Il paie son achat et poursuit ses pérégrinations, sac en main, un peu secoué par cette rencontre. Il a certes quelques fois pensé à Lee-Ann au cours des dernières années, mais s'il avait cru la recroiser dans un Salon ! Il ricane. Les anciennes blondes, ça remue toujours un peu.

Il aperçoit au loin le stand des éditions Parallèle, une maison qui se spécialise dans la littérature de genre québécoise. Il s'approche et avise, derrière une petite table, un homme grassouillet, de trois ou quatre ans plus vieux que lui, penché sur un livre ouvert dans lequel il appose sa signature sous les yeux ravis d'une lectrice. Il s'agit bien de Hugo Vallières, non ? Michaël a lu ses trois romans, qu'il a beaucoup aimés. Même s'il n'en a pas l'habitude, il ressent une forte envie d'aller le féliciter. Peut-être parce que Vallières écrit aussi des thrillers noirs. Peut-être parce qu'il lui sert de modèle jusqu'à un certain point. Enfin, modèle… Le thriller sur lequel Michaël bûche se veut plus social, mais disons que l'enseignant serait bien heureux que son bouquin soit aussi bien torché que ceux de l'homme en train de signer à quelques mètres de lui.

Michaël remarque qu'à part la lectrice déjà présente, personne d'autre n'attend son tour. Hugo Vallières est apprécié de la critique et la couverture médiatique de son troisième opus a été plus importante que celle des précédents, mais les fans ne se bousculent pas devant lui. Michaël décide de s'approcher pour lui parler un peu. Après tout, c'est pour ça que les auteurs sont ici, non ?

La lectrice reprend son livre et remercie chaleureusement Vallières avant de s'éloigner. Michaël la suit un moment des yeux : quand il sera écrivain, il se moquera bien d'attirer peu d'admiratrices pourvu qu'elles soient aussi belles que celle-ci. Enfin, il tend la main vers Vallières, un brin intimidé.

— Bonjour. J'ai lu vos trois romans et je les ai vraiment beaucoup aimés.

L'homme écarte ses longs cheveux frisés de son visage et lui serre la main, amical.

— C'est très gentil, merci beaucoup. Vous avez un préféré ?

— Hmmm… Peut-être le dernier, *Le Crépuscule des âmes*.

— C'est bon signe : ça veut dire que je m'améliore.

— En tout cas, vous devriez avoir une file d'attente devant vous, vous le méritez.

Vallières hausse les épaules avec philosophie, pas du tout amer.

— Vous savez, si tout fonctionnait au mérite, plusieurs auteurs devraient avoir des files d'attente.

— Et ceux qui en ont aujourd'hui en auraient pas mal moins, dans un monde idéal.

Vallières effectue un geste prudent.

— Il faut pas généraliser non plus.

— Oui, vous avez raison.

Michaël examine l'homme avec admiration. Il serait facile pour Vallières de tomber dans la rancœur et la jalousie ; manifestement, il ne joue pas cette carte et c'est tout à son honneur. Encouragé par cette modestie et cette simplicité, l'enseignant s'appuie des deux mains sur la petite table en plissant les yeux.

— Comment vous y arrivez ?

— Comment j'arrive à quoi ?

— À écrire vos livres. Vos scènes de suspense, surtout, ou vos scènes très noires, très violentes…

Vallières ricane en rejetant sa tignasse sombre vers l'arrière, du rire de celui qui doit fréquemment répondre à cette question.

— L'auteur est sans doute le plus mal placé pour expliquer comment il crée…

— C'est vrai. Je comprends que l'écrivain est à l'écoute de ses personnages, mais la précision avec laquelle vous transmettez leurs actions et leurs émotions est remarquable.

Le sourire de Vallières se teinte d'ironie tandis qu'il masse sa nuque nonchalamment.

— Ah, vous embarquez là-dedans, vous aussi…

— Dans quoi ?

Vallières a un geste vague, comme pour signifier que ce n'est pas important, puis demande :

— Est-ce que vous vous intéressez à l'écriture ?

— Eh bien… Je bûche sur un premier roman.

C'est la première fois qu'il révèle cela à quelqu'un du milieu littéraire et il se trouve terriblement banal et prévisible. Vallières doit entendre ça à longueur de journée ! Ce dernier hausse un sourcil.

— C'est vrai ? C'est bien, ça !

Aucune moquerie dans son ton, ce qui rassure Michaël.

— Vous avez déjà publié quelque chose ?

— Une nouvelle il y a quatre ans…

— C'est un début. Et c'est quoi, votre histoire ?

Brève hésitation.

— Un thriller noir.

— De mieux en mieux !

Vallières prend alors un air entendu.

— Les gens pensent que c'est de la sous-littérature, mais c'est pas facile d'écrire un bon thriller, pas vrai ?

Et la complicité avec laquelle il prononce ces mots donne tout à coup l'impression à Michaël d'être invité dans un club sélect où l'on étudie en ce moment sa candidature. Le cœur battant à tout rompre, il articule :

— Non… non, c'est vraiment pas facile.

— Moi, à trente ans, quand j'ai commencé à rédiger mon premier manuscrit, j'ai souvent songé à abandonner. Et finalement, je me suis botté le cul et… huit ans plus tard, je suis rendu à trois romans. (petite pause) Vous savez, peut-être que ça marchera pas, votre bouquin, peut-être qu'il sera pas publié ; on est pas dans un film américain où les rêves de tout le monde se réalisent toujours. Mais ça vaut la peine d'essayer, non ?

Il parle sans fausse sollicitude ni condescendance. Sa voix est celle de l'honnêteté, à la fois lucide et empathique, et Michaël sent une boule de chaleur rouler dans son ventre.

— Oui, tout à fait.

— En tout cas, bonne chance… Votre nom ?

— Michaël Walec.

— Bonne chance, Michaël.

Et il tend la main, que l'apprenti auteur serre maladroitement, puis lui adresse un clin d'œil.

— Peut-être qu'un jour on signera ensemble dans un Salon…

La boule de chaleur monte jusque dans le plexus solaire de Michaël qui, involontairement, augmente la force de sa poigne autour des doigts de l'écrivain.

— Ce serait vraiment un honneur.

Vallières souhaite un bon week-end à l'enseignant. Celui-ci, tout fier, commence à s'éloigner, mais en apercevant le jeune homme, à l'écart, qui s'occupe du stand Parallèle, il ne peut s'empêcher de s'approcher, empli d'une audace inhabituelle.

— Comme je viens de le dire à monsieur Vallières, je suis en train d'écrire un roman noir. Je vais vous l'envoyer quand je l'aurai fini.

Lui qui s'attendait à ce qu'on lui demande des détails a la surprise de voir le jeune homme, les mains dans le dos, grimacer un sourire poli mais las, voire condescendant.

— Je suis exposant, c'est pas moi qui lis les manuscrits. Vous appellerez au bureau, ils vous diront quoi faire.

Et c'est tout. Il ne fournit pas le numéro de téléphone ni le nom de la personne responsable ; il n'ajoute rien, résolu à ne pas poursuivre cette discussion. Michaël comprend alors que le type doit le prendre pour un autre wannabe qui se croit artiste parce qu'il sait aligner deux phrases. D'ailleurs, n'est-ce pas pour cette raison que Michaël ne s'est jamais ainsi ouvert dans les Salons du livre ? Pour ne pas avoir l'air de *ça* ? Il se sent rougir, se tourne vers Hugo Vallières qui, heureusement, est trop occupé à échanger avec un collègue pour avoir assisté à la scène, puis, humilié, grimace un sourire au jeune homme.

— Merci... Bonne journée...

Et il s'éloigne rapidement, comme un élève du primaire fuyant une bande d'intimidateurs, son sac tout à coup aussi lourd que s'il était empli de pierres.

Eh ben, criss, non! *Lui*, il n'est pas un vulgaire prétendant sans talent! Hugo Vallières, lorsqu'il a envoyé son premier manuscrit aux éditeurs, devait également passer pour un poseur, et après trois romans seulement, il est respecté par la plus grande partie de la critique québécoise. Et ce sera aussi son cas!

Il croise le stand de l'écrivain déguisé en chevalier. Celui-ci lui lance d'une voix de fausset:

— Vous voulez découvrir un monde d'aventures, monseigneur?

Michaël lui décoche un regard méprisant et accélère le pas avant de répliquer une insulte qu'il regretterait. Tandis qu'il franchit la sortie, il se promet que l'année prochaine il reviendra non pas comme visiteur mais comme auteur. Ignorant délibérément qu'il s'est formulé la même promesse l'année dernière.

Lorsqu'il rejoint Alexandra, il lui résume sa vivifiante rencontre avec Hugo Vallières. Après réflexion, il ne parle pas de ses fugaces retrouvailles avec Lee-Ann Muzhi. De toute façon, elles ne se connaissent pas.

◆

Michaël cesse d'écrire puis, tout en se massant les doigts, se relit, son visage crispé éclairé par l'écran.

Ça va pas. Ça va pas du tout.

C'est la sixième fois en trois jours qu'il retravaille la scène du premier meurtre de Bruno. Pas besoin de montrer le résultat à Alexandra ou à qui que ce soit, il prévoit déjà le diagnostic: bien écrit, mais contenu

trop mou, peu convaincant et conventionnel… Bref,
l'action elle-même est banale, pas incarnée. Comme
toutes ses séquences noires, d'ailleurs. On est loin des
scènes explosives d'Hugo Vallières, par exemple.

Ou de la nouvelle de Wanda Moreau.

Il se frotte toujours les paumes. Il n'a plus l'histoire
de son élève sous la main, mais il se souvient très bien
du passage de l'assassinat. Il a même plusieurs détails
en tête, il *voit* clairement le meurtre dans son esprit.
D'ailleurs, cette scène comporte certaines ressem-
blances avec celle de son bouquin. Il est vrai que,
dans le cas de Wanda, il s'agit d'une femme qui tue
son conjoint, alors que, pour Michaël, un employé élimine son patron, mais ce sont deux meurtres à coups
de couteau.

Sauf que dans un des deux cas, l'auteur parle de
son vécu.

De son index droit, Michaël tambourine sur son
bureau en claquant la langue. Comment peut-il égaler
ça ? Comment peut-il simuler une réalité qu'il ne
connaît pas ? Merde, Hugo Vallières y arrive bien, alors
pourquoi pas lui ?

Il efface le passage au complet de son manuscrit,
toise le curseur qui clignote et, le visage grave, commence à écrire. Contrairement à son habitude, il ne
réfléchit pas trop : il se laisse guider par son instinct.
Du moins veut-il s'en convaincre. Pour quelle autre
raison ne réfléchirait-il pas ? Il rédige vite, ne s'attarde
sur aucun des mots qu'il grave à l'écran, telle une
fuite vers l'avant. Et lorsqu'il s'arrête au bout d'une
demi-heure, il prend une grande respiration en fixant
le point final pendant trente longues secondes.

Qu'est-ce qu'il attend pour vérifier le résultat ?

Il revient deux pages en arrière et se relit, sans rien
retoucher, sans analyser, absorbé par l'atmosphère.
Puis, il recule sur sa chaise en grimaçant.

C'est exactement comme la scène de Wanda Moreau.

Enfin, non, pas tout à fait : c'est mieux écrit, c'est plus clair, mieux structuré, mais la nature de l'événement, la mécanique des gestes, les réactions des personnages, et surtout *l'horreur* qui se dégage du texte, tout cela est à peu près identique. Michaël tique en se frictionnant les doigts. Tout de même, il y a des distinctions : son meurtre concerne deux hommes, pas un couple, ce qui crée une dynamique différente. De plus, son assassinat se déroule dans un bureau et non une cuisine, ce qui change la manière dont les protagonistes occupent l'espace. Et puis, bordel ! son vocabulaire est plus précis, plus riche, son rythme mieux contrôlé !

Mais le premier coup de couteau qui glisse et qui n'entame que la poitrine de Normand… La victime qui court après son agresseur alors que l'arme est plantée dans son ventre… Bruno qui transfère tout son poids sur le manche pour bien transpercer la cage thoracique… Tout cela se trouve dans la nouvelle de Wanda… dans le meurtre qu'elle a commis *réellement*…

Allons ! Est-ce qu'il croit que tous les écrivains de polar ont toujours inventé la façon de présenter leurs meurtres ? On est constamment inspiré par ce qu'on a lu. Tous les auteurs admettent avoir été influencés par tel individu au début de leur carrière.

Être influencé, c'est une chose… mais plagier…

Criss ! Il ne plagie pas ! Il n'a copié aucune phrase mot à mot ! Il n'a même pas le texte original en sa possession ! En fait, littérairement parlant, il l'a amélioré. Et d'ailleurs, tiens, il ne fera finalement pas glisser Normand dans le sang tandis qu'il court : il va plutôt trébucher sur une chaise. Voilà, c'est moins clownesque, même si Wanda prétend que sa victime a réellement dérapé dans sa propre hémoglobine. Oui, c'est beaucoup mieux qu'il trébuche.

Son regard tombe sur le caméléon en céramique dans sa bibliothèque. Pour la première fois, la vue de cet animal lui procure un malaise indéfinissable.

— Ouin, tu travailles tard ce soir !

Alexandra est entrée dans le bureau et vient masser les épaules de son amoureux. Ce dernier se mordille le pouce et pointe l'écran du menton.

— J'ai réécrit la scène du premier meurtre. Peux-tu me dire ce que t'en penses ?

Elle commence sa lecture. Au bout de quelques secondes, elle plisse les yeux et l'enseignant sent les doigts de sa blonde cesser de le masser pour s'enfoncer peu à peu dans ses épaules. Il se ronge toujours l'ongle du pouce en retenant sa respiration et, après quelques minutes, les mains de sa conjointe se détendent. Il tourne la tête vers elle et constate son air stupéfait.

— Wow ! C'est vraiment horrible.

Elle ricane.

— Horrible dans le bon sens ! Et c'est tellement bien écrit qu'on y croit vraiment !

Un long frisson de plaisir traverse la colonne vertébrale de Michaël, puis il réalise que le visage de sa femme n'est pas teinté que par l'étonnement, mais aussi par l'incrédulité.

— Comment t'es arrivé à ça ?

Il hésite, puis :

— Comme d'habitude : j'ai été à l'écoute de mes personnages.

Pourquoi ne pas lui dire qu'il s'est inspiré d'un texte écrit par une élève ? Il ne l'a pas plagiée, alors où est le malaise ? Alexandra revient à l'écran avec une moue admirative.

— Eh ben… Faut croire que ça fonctionne…

Elle l'embrasse sur la tête.

— Ça va être bon, ce roman-là !

Elle annonce qu'elle se couche et sort de la pièce. Michaël relit une dernière fois sa scène. Oui, ça marche. Ça marche très bien.

Il quitte le bureau à son tour, à la fois satisfait et préoccupé.

3

Michaël, assis derrière le bureau, les bras croisés, fixe d'un regard vide ses étudiantes plongées dans leur cahier, et une grande lassitude l'envahit.

Depuis cinq jours, tous les soirs, il révise son roman, convaincu que la délectation ressentie en retravaillant le premier meurtre lui procurera un souffle créatif pour le reste du manuscrit, mais à tort. Il a bien amélioré quelques trucs, le rythme général de l'histoire s'est bonifié, mais il est loin du compte. Surtout en ce qui a trait aux autres scènes de violence. Il a tenté de les réécrire avec la même ambiance et le même réalisme que la première… en vain. Il a dû admettre qu'il n'arrivait pas à retrouver cette charge, cette force émotive, cette fureur crue. Cela l'a frustré au point qu'Alexandra, remarquant son humeur morose, a senti le besoin d'intervenir :

— Souris un peu, Michaël. Après mes journées de fou à la clinique, j'ai pas envie d'endurer tes états d'âme d'écrivain tourmenté.

Alexandra la terre à terre. Que connaît-elle du tempérament des créateurs ? Une orthodontiste ne peut pas comprendre. Elle, après ses « journées de fou à la clinique », comme elle dit, elle peut au moins se libérer l'esprit, alors que lui est toujours poursuivi par son roman, sans cesse... Néanmoins, il a promis d'être moins grognon.

Ce constat d'impuissance l'exaspère. Signifie-t-il qu'il n'a pas la compétence nécessaire ? Merde ! Ce n'est pourtant pas le manque de compétence, le problème ! Les bras croisés, il jette un regard sombre vers Wanda qui travaille avec attention. Pourtant, c'est évident que ce qu'écrit cette prisonnière sans éducation ni culture serait parfaitement impubliable tel quel : structure déficiente, syntaxe aléatoire, vocabulaire pauvre, absence de style... Elle n'a donc pas *vraiment* de talent littéraire. Ce qu'elle a, c'est le vécu ! Et c'est bien ça qui est injuste ! Car lui, il a le talent.

Il regarde sa montre : presque quinze heures.

— OK, les filles, à demain.

Tandis que tout le monde sort, il ne bouge pas de sa chaise, perdu dans ses pensées, à tel point qu'il prend plusieurs secondes avant de remarquer la présence de Wanda devant son bureau, ses écouteurs autour du cou, quelques feuilles entre les mains. Dénote-t-il un tantinet d'excitation dans son expression ?

— Je peux te montrer quelque chose, Michaël ?

— Heu... Bien sûr.

Elle lui tend les feuilles de papier.

— Une autre nouvelle que j'ai écrite. Tu peux la lire ?

— Maintenant ?

— C'est pas très long.

Et elle recule de quelques pas, les mains croisées entre les cuisses. En temps normal, Michaël aurait répondu qu'il le ferait chez lui, mais il ne peut nier la curiosité qui le titille. Ne serait-ce que pour confirmer que la première incursion de Wanda dans la fiction n'est pas représentative de ce qu'elle produira par la suite, il commence donc à lire.

Ça raconte l'histoire d'une adolescente qui ne ressent pas vraiment d'émotions et qui se demande pourquoi. Pour susciter ses sens et éprouver enfin des sentiments, elle attache une de ses amies sur une chaise et la torture. Et encore une fois, Michaël est plongé dans une violence mal structurée et un style maladroit, mais d'une véracité et d'une intensité qui lui font tourner la tête. Ces claques au visage qui sonnent comme des ampoules qui éclatent... ce briquet qui brûle le menton et les oreilles de la victime, provoquant des odeurs de feu de camping... ces épingles qui traversent les joues et qui butent contre les dents... les cris de douleur qui deviennent de plus en plus gluants tandis que la bouche s'emplit de sang... et surtout, l'incompréhension et l'insatisfaction de la tortionnaire face à sa propre insensibilité... Puis la finale :

« Élise penche sa face proche de celle de Julie pendant que les larmes se mêlent au sang, puis, sa main posée sur la cuisse de Julie, elle marmonne très calme :

— Tu vas raconter ce que tu veux, trouver la raison que tu veux, mais si tu parles de moi, je te jure que je vais trouver le moyen de t'attraper. Et ce que je vais te faire sera l'équivalent de ce que tu viens de vivre, mais multiplié par dix. Tu cliques ça, hein ?

Julie bredouille "oui", mais comme elle pleure en même temps, c'est difficile de comprendre. Élise lui passe la main dans les cheveux, ça fait une longue traînée de sang qui teinte ses cheveux blonds de rouge, puis elle dit en même temps qu'elle fait ça :

— Désolé, Julie. Finalement, ç'a rien donné. »

Et ça se termine ainsi.

Michaël parcourt les dernières lignes une deuxième fois avant de lever la tête. Il n'arrive tout simplement pas à lier ce texte à la discrète femme devant lui, qui joue nerveusement avec sa queue-de-cheval.

— Pis ? C'est-tu bon ?

— Ça… ça finit un peu raide.

— Ouin… peut-être… Mais c'est ça, la révélation de la nouvelle : le personnage ressent finalement rien.

Il dépose les feuilles sur le bureau, avec des mouvements lents et calmes. Pourtant, elles tremblent légèrement entre ses doigts. Une impression, sans doute.

— Eh bien, c'est un peu comme je t'ai dit pour ta première histoire : il y a beaucoup de travail à faire sur la forme, mais encore une fois…

Et pendant quelques minutes, il lui indique des passages précis où l'écriture est déficiente, et elle écoute avec attention.

— Mais c'est vraiment très… très imagé, très précis, conclut-il.

Tout comme la fois précédente, ce qui devrait enrager Michaël au plus haut point. Sauf qu'en ce moment, c'est l'inquiétude qui le domine, car si l'émotion provoquée par cette nouvelle est aussi puissante que celle suscitée par l'autre, ça ne peut être que pour une seule raison…

Wanda fait un signe d'assentiment, le visage grave.

— Oui, faut vraiment que je travaille la structure, le vocabulaire pis toute… Merci pour les bons conseils. Mais, câline ! ça me fait tellement du bien de tout mettre ça sur papier !

Il doit le lui demander. Il doit savoir.

— Est-ce que tu…

Sa bouche est très sèche. Il joue de la langue pour retrouver un peu de salive.

— Est-ce que Élise, c'est… c'est toi ?

Elle est prise au dépourvu et feint d'être quelque peu choquée, mais son jeu d'actrice n'est pas très au point.

— Non ! Pourquoi tu penses ça ?

— Heu… C'est-à-dire que, la dernière fois, tu as écrit sur ton vécu et c'était très troublant, très vrai. Et comme cette nouvelle procure le même effet, je me suis dit que…

Wanda le considère comme si elle voulait lire en lui. Elle se gratte rapidement la joue gauche avant de regarder vers la porte ouverte pour s'assurer que le gardien en faction dans le couloir n'est pas dans l'encadrement en train d'écouter (ce qu'ils ne font jamais, d'ailleurs) puis revient au professeur.

— L'autre jour, tu m'as fait réaliser que je t'ai fait confiance. Pis tu m'as dit que j'avais raison de te démontrer cette confiance… Tu te rappelles ?

— Oui.

La voix de l'enseignant n'est qu'un souffle, comme s'il avait davantage expiré qu'articulé ce « oui ». Elle prend un air décidé.

— T'as raison. Élise, c'est moi.

Michaël hoche la tête très lentement. Ses mains posées sur le bureau lui donnent l'impression de peser une tonne. Wanda ajoute :

— Pis la fille que j'ai torturée m'a jamais *stoolée*. J'imagine qu'elle a raconté qu'un inconnu l'a agressée. Je le sais pas vraiment vu qu'elle m'a jamais reparlé. C'était pas personnel, ce que je lui ai fait, mais je peux comprendre qu'elle l'ait reçu comme ça.

— Pas personnel…

— T'as dit l'autre fois que quand on crée, c'est toujours un peu à partir de soi, même de manière inconsciente. Dans mon cas, c'est conscient en câline.

Mais je sais que c'est pas le cas de tous les écrivains. Par exemple, j'ai suivi tes conseils, pis j'ai lu deux thrillers cette semaine. Y en a un des deux qui était pas ben bon, on y croyait pas. Mais l'autre était génial. Pis même si l'auteur a sûrement révélé sans le vouloir des trucs sur lui, je suis sûre qu'il a pas vécu tout ça. C'est la preuve qu'on peut bien écrire sur des événements qu'on invente. Mais moi, je pourrais pas. Je peux juste écrire sur ce que j'ai vécu pour vrai. Parce que ça donne enfin un sens à certaines affaires que j'ai faites… un sens qu'elles avaient pas *pendant* que je les faisais… Je veux dire… En tout cas, c'est compliqué…

Elle se redresse et se gratte le crâne en fronçant les sourcils et gonflant les joues de manière enfantine. Les mains de Michaël ne sont plus seulement lourdes mais également froides, comme si elles étaient posées sur une surface de glace.

— Tu vas continuer à écrire sur ce que tu as vécu ?

— Oui. J'aimerais ça, oui.

— Donc, tu as… fait d'autres choses… de… violent ?

— Ben non ! Pas nécessairement !

Elle livre cette réponse trop rapidement, sur un ton trop agressif. Michaël garde le silence. La femme ramasse son sac en balbutiant :

— Bon, je dois y aller, moi. Merci pour tout.

Et elle se met en marche vers la sortie. Malgré son soulagement, Michaël ne peut s'empêcher de ressentir une légère pointe de déception. Il se traite d'idiot et commence lui aussi à rassembler les feuilles sur son bureau lorsqu'il remarque que Wanda s'est arrêtée en chemin, comme si elle hésitait à quitter les lieux, et Michaël fronce les sourcils. La détenue se rend alors à la porte, passe la tête à l'extérieur et demande au gardien que l'enseignant ne voit pas :

— Je peux rester encore un peu ? Michaël m'explique un truc vraiment compliqué.

— Dix minutes, max, répond une voix.

Elle revient vers Michaël. Ce dernier sent un long frisson le parcourir, puis il se raisonne : il n'a tout de même pas peur qu'une femme lui casse la gueule !

Une femme qui a tué son conjoint et qui a torturé son amie d'adolescence.

Du calme, il y a un gardien tout près.

Elle s'assoit sur une petite table près du bureau, examine ses cuisses d'un air incertain, puis fixe Michaël. Malgré son calme, elle paraît tout à coup plus intense.

— Tu m'as fait découvrir l'écriture, pis c'est en train de changer ma vie. En tout cas, ça change le regard que j'ai sur ma vie. Ça, c'est grâce à toi. Pis comme t'écris toi aussi, même si c'est sûr que t'es ben meilleur que moi, on a maintenant un lien tous les deux. J'ai raison, hein ?

Non. Non, pas du tout. T'es une meurtrière, une tortionnaire, t'as pas l'air d'aller très bien dans ta tête, alors pas question qu'il y ait entre nous quelque lien que ce soit.

— Oui, tout à fait…

Pourquoi répond-il ça ? Où veut-il en venir ?

Tu le sais, où tu veux en venir. Tu le sais parfaitement.

La détenue jette un œil vers la porte : le gardien est toujours invisible et ne peut donc entendre. Elle fixe alors son enseignant en silence. Tout à l'heure, ses yeux pers étaient plutôt bleus, mais maintenant ils tirent sur le vert, et Michaël remarque alors la noirceur abyssale de ses pupilles, tellement profonde qu'elle donne le vertige, deux trous d'un vide si absolu qu'on pourrait y tomber à l'infini et que les hurlements qu'on y pousserait seraient étouffés par les ténèbres. Et c'est sans doute cette noirceur qu'ont vue les deux victimes de Wanda tandis qu'elle s'acharnait sur elles.

— Ce que je vais te révéler ici, y a personne qui est au courant de ça. Si tu le répètes à la direction de la prison ou aux flics, je dirai qu'y a rien de vrai là-d'dans. Pis le jour où je sortirai d'ici, peu importe dans combien de temps, je vais te retrouver. Tu cliques ça, hein ?

Ces derniers mots sont les mêmes que ceux de la nouvelle que Michaël vient de lire et soudain, celui-ci veut revenir en arrière pour annoncer que finalement, ça ne l'intéresse pas, qu'il ne souhaite pas savoir. Mais Wanda, sans attendre sa réponse, articule d'une voix basse :

— J'ai tué d'autres personnes.

Michaël s'efforce de ne pas réagir, mais il sent tout l'intérieur de son corps se contracter, comme s'il s'emplissait d'eau. Wanda avance encore la tête. L'abîme de ses pupilles a disparu, remplacé par une expression de connivence, de celle qu'affichent deux collègues discutant boulot.

— Tu te doutes que ça va me faire de la bonne matière pour des histoires.

— Combien d'autres personnes tu…

Il n'arrive pas à compléter sa phrase.

Wanda jauge son enseignant du regard.

— Deux.

Deux. Ce chiffre impressionne Michaël avec autant de force que si elle avait répondu douze. Elle plisse les yeux.

— T'es blême en câline.

— Et t'as jamais été soupçonnée ?

— Non, jamais. Ben, un peu pour un des deux, mais pas plus que ça.

Cette fois, ce n'est plus de la glace que Michaël sent sous ses mains, mais un four en pleine activité. Cette femme est donc enfermée ici pour un unique meurtre alors qu'elle en a commis trois. Et il est le seul au monde à le savoir. Il avale sa salive et toise la porte, comme s'il s'attendait à voir les gardiens entrer en trombe. Mais évidemment, personne ne surgit et le gardien en faction est toujours aussi discret et invisible.

— Je te raconte tout ça à toi parce que tu me jugeras pas, poursuit Wanda. T'es un artiste, t'es en train d'écrire un roman, pis t'as dit l'autre jour qu'en littérature faut pas s'occuper de morale. J'imagine que tu voulais dire que pour les auteurs, la notion du bien pis du mal est différente de celle des gens ordinaires.

— Je... Oui, peut-être...

Il répond cela sans réfléchir, trop subjugué par ce qu'il entend. Elle approuve.

— Pis en plus, ces meurtres-là vont me servir à écrire, donc ils auront pas été inutiles, tu comprends ? S'il y en a un qui peut comprendre ça, c'est toi.

La complicité de son sourire se teinte maintenant d'espoir. Mais lui ne sourit pas. Il se contente de demander d'une voix étonnamment égale :

— Et tu as l'intention d'écrire sur ces... ces deux assassinats ?

Elle se redresse, étonnée.

— Pourquoi pas ? Je te l'ai dit, je pourrai pas faire autrement qu'écrire sur mon vécu.

— Oui, mais... on peut s'inspirer de toutes sortes d'événements de notre vie, pas juste de... de...

Comment pourrait-il bien terminer cette phrase ? Heureusement, son élève l'interrompt :

— Je l'sais, mais des meurtres, c'est quand même plus inspirant pour faire de bonnes histoires intenses, non ? Quoique, justement, dans un des deux cas, celui de la folle jalouse, je me demande si c'est si intéressant.

— La folle jalouse...

— Une méchante tarée. J'avais vingt et un ans, c'était en avril. J'étais sortie dans un bar toute seule pis j'ai jasé avec un gars assez cute plus vieux que moi. Je voyais bien qu'il avait une blonde qui rongeait son frein dans son coin, mais bon, il avait l'air content de discuter... J'ai su plus tard que la fille s'appelait Marie-Pier Groleau. Elle a fini par engueuler son chum parce qu'il me parlait trop longtemps pis j'en ai profité pour partir. Sauf que le lendemain, elle m'a retrouvée et menacée. Heille, pas question que je me laisse menacer comme ça. Ça m'a vraiment mise en colère, pis...

Elle claque la langue.

— En fait, je me suis dit que ça *devrait* me mettre en colère, ça fait que j'ai essayé de vivre cette colère-là, pour voir si...

À nouveau, elle ne complète pas, réalise quelque chose et rétrécit les yeux.

— C'est drôle... J'ai tué une jalouse qui capotait et, trois ans plus tard, c'est moi qui tuais mon conjoint par jalousie. Peut-être que j'ai voulu savoir ce qu'avait ressenti cette fille... Oui, peut-être...

Elle secoue la tête, déconcertée.

— C'est tellement difficile...

— Tu l'as... tuée ?

— Je travaillais au centre-ville de Mont-Laurier, mais j'habitais un appart un peu à l'extérieur de la ville. Comme on était fin avril pis qu'y avait presque plus de neige, je roulais en vélo dans une rue déserte, un raccourci que je prenais. Y avait pas de maison autour pis souvent, aucune voiture passait pendant dix ou quinze minutes. Marie-Pier Groleau a dû trouver où je travaillais, m'a suivie pis a fait exprès pour m'intimider dans ce coin tranquille, juste pour m'impressionner. C'est un peu pour ça que je suis pas sûre de vouloir m'inspirer de ce meurtre-là pour une nouvelle : le lecteur croira pas qu'il y avait aucun témoin, dans la rue, en plein jour. Alors que moi, je le sais que ça se peut.

Elle ricane.

— M'entends-tu parler ? « Le lecteur » ! Comme si, à part toi, j'allais avoir des lecteurs ! Quoique si je m'améliore, on sait jamais… De toute façon, quelqu'un a dû me voir rouler en vélo dans les parages parce que la police m'a quand même interrogée une couple de fois. C'est comme ça que j'ai su qu'elle s'appelait Marie-Pier, qu'elle avait vingt-huit ou vingt-neuf ans, qu'elle travaillait comme conseillère en ressources humaines… Anyway, ils avaient rien de concret parce que j'ai jamais été inculpée.

— Tu l'as tuée comment ?

Il s'était juré de ne pas poser cette question. Il s'était juré de ne pas céder à cette curiosité morbide. De nouveau, Wanda devient sérieuse et acquiesce d'un air entendu.

— Ouais, si je te raconte, tu pourrais me dire si ça ferait une bonne scène, t'es meilleur que moi pour juger ça… Écoute, elle a stoppé son char devant moi, en barrant la route, donc j'ai été obligée de m'arrêter. Elle est sortie, elle a marché vers moi pis, à deux pouces de ma face, elle m'a crié : « Laisse mon chum tranquille, maudite plote, sinon je te crève les yeux ! » Moi, j'étais sur mon vélo pis je disais rien. Câline ! je la connaissais pas ! Quand elle a eu fini de me garrocher ses niaiseries, elle m'a tourné le dos pour retourner dans son auto. Là, j'ai lâché mon bike, je l'ai rattrapée pis je lui ai allongé un bon coup de pied juste à la hauteur du coccyx.

Elle hoche la tête, les mains appuyées de chaque côté d'elle sur le bureau.

— Je me suis déjà blessée à cet endroit-là, pis ça fait mal en câline. Elle a poussé un cri aigu, pas long, pis elle est devenue comme ben molle. Elle est tombée sur le dos, pis là, elle bougeait pas. En fait, elle essayait de se retourner sur le ventre, mais elle souffrait trop, elle se tordait en sifflant entre ses lèvres, les dents serrées, tsé, quand on a vraiment mal ? Hhhhhhfffffffffffff… Tsé ?

Elle imite le son, la main droite sur le coccyx, sous le regard subjugué de Michaël.

— Ça, ce serait pas pire à écrire : un coup de pied de ce genre-là, ça sort de l'ordinaire. Mais le reste, je suis pas sûre… Pendant qu'elle gigotait, je me suis dirigée vers son char pis je suis montée. Comme on était en avril pis que je roulais en vélo, j'avais des gants, donc je savais que je laisserais pas d'empreintes. La folle avait pas arrêté le moteur, ça fait que j'ai commencé à reculer pas vite, la tête tournée vers l'arrière. Pendant une couple de secondes, je l'ai vue essayer de ramper sur le dos. Après deux secondes, elle a disparu de mon champ de vision, mais je l'entendais crier. Elle gueulait: « Fuck you, ostie de salope ! Fuck you ! » Peux-tu croire ça ? J'étais sur le point de lui passer dessus, pis elle continuait de m'insulter ! Faut le faire en câline !

Elle a un bref ricanement incrédule.

— Je reculais lentement, pis à un moment donné, j'ai senti que je montais sur elle. C'est pas pantoute comme lorsqu'un char roule sur un dos d'âne ou une bosse, parce que là, *ça* s'écrasait un peu, tu comprends ? Pis même si c'est l'auto qui touchait la fille, j'avais vraiment l'impression de *ressentir* le contact, comme si le pneu me communiquait la sensation à travers mon propre corps...

La bouche de Michaël s'est totalement asséchée. Sans quitter la détenue des yeux, il étire une main brûlante qui tâtonne sur le bureau un moment jusqu'à trouver sa bouteille d'eau. Il en prend une gorgée, mais l'avale si vite qu'une vive douleur lui noue l'œsophage. Wanda regarde devant elle, au-dessus du professeur, les paupières mi-closes, comme si elle cherchait à être le plus précise possible.

— Les insultes de Groleau se sont transformées en cris, mais ç'a duré juste une seconde, comme si on lui avait coupé le sifflet. Aussitôt que j'ai senti que je montais sur elle, j'ai immobilisé le char pis je me suis mis sur « Park ». Je pensais que le pneu retomberait d'un bord ou de l'autre, mais non, il restait en équilibre. Ça aussi, ça fait arrangé avec le gars des vues, je suis pas sûre non plus que le lecteur y croirait... Anyway, je suis sortie de l'auto pis je me suis approchée de Groleau. Elle était toujours sur le dos, la roue du char sur son ventre... Ben, pas tout à fait, juste un peu plus bas, entre le nombril pis la noune. Elle criait pas. Elle respirait ben vite, elle poussait des petits grognements, mais elle criait pas. Sauf que sa face montrait bien que ça lui faisait mal en câline, par exemple. C'était pas dans ses yeux que ça se voyait : ils étaient trop fous, trop mélangés pour qu'on y distingue de la souffrance. Non, c'était dans sa bouche. Y a juste la douleur qui peut tordre une bouche comme ça. Elle était presque oblique. Pis elle s'ouvrait et se fermait tout le temps. Elle s'occupait pas de moi, elle s'occupait juste du pneu. Elle le fixait, avec ses yeux fous, pis...

Elle lève alors les mains, comme si elle voulait attraper quelque chose.

— ... elle le griffait. Elle le poussait pas, elle le *griffait.*

Ses doigts se recroquevillent dans l'air et miment l'action décrite, et ces lacérations imaginaires représentent tout à coup pour Michaël la quintessence de la terreur. Wanda baisse ses mains.

— Moi, je la regardais en me disant que j'allais ben ressentir quelque chose. Mais finalement...

Elle a une moue agacée.

— Pour m'aider un peu, je lui ai lancé : « Ça t'apprendra à me menacer ! » ou quelque chose du genre. Je pensais que c'est ça qu'il fallait dire. Mais ça m'a pas aidée.

Elle observe enfin l'enseignant et se penche vers lui. Et même s'il est assis à deux mètres d'elle, il a l'impression que son visage est tout près du sien.

— En plus, c'est comme si j'étais pas là. Elle continuait à grafigner le pneu qui lui écrasait le corps, comme si elle espérait le déchiqueter au complet. Ses ongles se cassaient pis saignaient, mais elle arrêtait pas, pis elle poussait toujours ses petits grognements en crachant du sang. Je suis retournée dans l'auto : comme je ressentais pas grand-chose, ça donnait rien d'éterniser ça. Pis ç'a beau être un coin désert, un char pouvait passer n'importe quand. Fallait que j'en finisse au PC. J'ai reculé un peu, j'ai senti que je débarquais du corps, j'ai un peu tourné le volant pis je me suis remise à avancer lentement. J'ai compris que je montais encore sur elle avec un pneu arrière, mais selon l'angle, j'étais un peu plus haut que le bas-ventre. Sûrement pas sa face, parce que j'ai entendu un long râle rauque, comme si elle voulait dégager quelque chose dans sa gorge. Je devais être sur sa poitrine. Je me suis arrêtée, toujours en équilibre sur elle... le râle devenait de plus en plus faible... pis après une couple de secondes, j'ai senti que le char descendait de quelques centimètres d'un coup, avec un gros craquement... comme si la roue s'enfonçait dans un tas de branches mortes...

— OK, Wanda, c'est...

Michaël recule sur sa chaise en ramenant ses cheveux vers l'arrière.

— Ça va aller, j'en ai assez entendu.

Et il pousse un soupir, rassuré par sa propre volonté de mettre un terme à ce témoignage. Wanda penche la tête sur le côté, impassible.

— Je voulais pas... Je te racontais ça pour savoir si tu penses que ça peut faire une nouvelle intéressante... Écraser quelqu'un, c'est un peu banal, alors je suis pas sûre.

— C'est juste que...

Michaël se lève, des fourmis plein les jambes, contourne le bureau et marche dans la classe tandis que Wanda pivote le tronc pour le suivre des yeux. Seigneur! En ce moment, non seulement il se trouve dans la même pièce qu'une meurtrière extrêmement dangereuse, mais il discute avec elle! Il regarde vers la porte: pas de trace du gardien, sauf son ombre sur le mur du couloir. L'enseignant s'approche de son élève, malgré son envie de s'éloigner le plus possible, esquisse un sourire indécis et explique à voix basse:

— Je suis quand même dans une situation délicate, tu comprends? J'apprécie ta confiance, mais je suis pas... je devrais pas savoir tout ça, c'est très...

Il dresse deux bras impuissants et les laisse retomber. Wanda saute en bas de la table en approuvant de la tête.

— T'as raison, je m'excuse. T'es pas un psy ou un prêtre, t'es un prof.

— Je veux bien t'aider pour l'aspect littéraire, pour tes nouvelles et ton écriture, mais le reste...

— Je comprends. Je comprends très bien.

— Faut y aller.

Cette voix inattendue fait violemment sursauter Michaël : c'est le gardien, planté dans l'encadrement de la porte. Pendant une seconde, l'enseignant est pris de panique à l'idée qu'il a tout entendu, mais se raisonne : il vient tout juste d'apparaître, il est demeuré dans le couloir durant tout l'entretien. Wanda prend ses affaires, pas troublée le moins du monde.

— Je te remercie, Michaël. Les commentaires que t'as faits ont été ben utiles, encore une fois.

Son sourire s'accentue. En réalité, l'enseignant ne l'a jamais vue sourire avec autant de sincérité.

— T'as pas idée à quel point tu m'aides.

Il ne dit rien, désorienté. Elle marche vers la porte et il la rappelle :

— Attends ! (Il reprend sur le bureau la nouvelle de Wanda.) T'oublies ton histoire…

— Je te la laisse. T'as déjà dit qu'une fois écrit un roman appartient au lecteur. J'imagine que c'est la même chose avec une nouvelle. Si je veux un jour la publier, je la recommencerai pour la rendre meilleure.

Alors qu'il hésite à accepter, elle ajoute :

— En passant, j'ai suivi un autre de tes conseils pis j'ai commencé un journal personnel.

— C'est… une bonne idée.

— C'est intéressant, comme exercice. T'avais raison. Encore une fois.

Elle lui décoche un clin d'œil puis sort rapidement, la queue-de-cheval au vent, suivie par le gardien qui salue Michaël. Debout derrière le bureau, l'enseignant baisse les yeux vers les quelques feuilles entre ses mains.

Jette-les. Allez, jette-les.

Mais il les glisse dans sa serviette.

◆

Seize heures vingt : il est en avance. Mathis ne revient jamais de l'école avant seize heures trente et Michaël lui donne son cours de français privé vers seize heures quarante-cinq. L'enseignant se cale au fond de la banquette de sa voiture en soupirant et attend en observant les maisons identiques qui s'alignent de chaque côté de la rue. Et pour la vingtième fois depuis hier, il se questionne sur les divulgations de Wanda Moreau.

Cette femme est folle, aucun doute là-dessus. Il faut être totalement dingue pour révéler ce genre de trucs à un homme qu'on connaît à peine. Parce qu'il est écrivain, elle croit que cela fait de lui le confident parfait. Mais maintenant qu'il *sait*, qu'est-il censé faire de ces informations ? Son premier réflexe, tout à fait normal et digne de tout citoyen responsable, est de prévenir la direction. Wanda lui a assuré qu'elle nierait tout, mais une telle réaction démontre à la fois sa naïveté et son inconscience. Car évidemment, la police se demanderait bien quel est l'intérêt pour un respectable enseignant d'inventer pareilles histoires, histoires qui intrigueraient suffisamment les flics pour les amener à entreprendre quelques vérifications. On retrouverait facilement l'amie d'enfance en question qui, sachant sa tortionnaire en prison, trouverait enfin le courage de tout déballer. On retournerait dans de vieux dossiers judiciaires de Mont-Laurier pour constater que cette mystérieuse mort d'une femme écrasée par sa propre voiture n'a jamais été élucidée et que, quel hasard ! Wanda Moreau habitait dans cette ville au moment du décès et avait même été interrogée par les enquêteurs. Bref, on dénicherait assez d'éléments louches pour rouvrir une ou deux enquêtes… Donc, oui, la conduite normale de Michaël serait qu'il prévienne la direction du centre de détention.

Alors, pourquoi hésite-t-il ?

Wanda a été condamnée à vingt-cinq ans et elle n'en a qu'une dizaine de terminée, mais il n'est pas impossible qu'on lui accorde une libération conditionnelle. Admettons que l'enseignant la dénonce, puis qu'elle devienne libre dans quelques années. Que fera-t-elle ? Elle éliminera Michaël ? Dingue comme elle est, c'est une possibilité, surtout qu'elle lui a bien fait comprendre qu'elle le retrouverait s'il racontait tout. Sauf que ce raisonnement ne tient pas debout, car si Michaël révèle ce qu'il sait, il y a de fortes chances que Wanda subisse de nouveaux procès et qu'elle soit déclarée coupable ; sa peine sera donc augmentée et, ainsi, elle ne mettra pas les pieds hors du pénitencier avant un foutu paquet d'années, voire jamais… Mais ça, c'est en admettant qu'elle soit condamnée pour les autres crimes.

Il soupire et frotte sa lèvre inférieure avec son pouce tout en suivant distraitement des yeux deux gamins qui se poursuivent dans la rue tranquille. Est-ce pour cette raison qu'il hésite ? L'éventualité de représailles de Wanda, à court ou à long terme, le terrifie à ce point ? Ne voit-on cela que dans les films, les assassins qui se vengent une fois sortis de tôle ? Sûrement pas. Et comme cette fille est une meurtrière sans scrupule…

Il devrait peut-être en parler à Alexandra. Non, cela angoisserait sa blonde. Elle stresse déjà bien assez avec sa clinique et son désir de tomber enceinte, inutile d'en rajouter.

Et puis, merde, il n'aurait jamais dû apprendre tout ça ! Si Wanda ne s'était pas prise pour une écrivaine, elle aurait gardé ses secrets pour elle et le cours de français se serait déroulé normalement, sans vagues. Pourquoi tout bouleverser sans être assuré de résultats concluants ? Pourquoi courir un tel risque ? Il n'est ni flic ni gardien de prison. Il est enseignant, il n'a pas à se mêler de justice, surtout que la détenue en question est déjà incarcérée de toute façon. Bref, tout cela ne le regarde pas.

Donc, c'est le statu quo *? Et toutes ces images, ces sensations intenses que tu as encaissées… Tu en feras quoi ?*

Il appuie son front contre la vitre de la portière, morose. Les enfants ont disparu et ses yeux fixent bêtement un râteau oublié sur un terrain.

C'est ça la vraie raison, hein ? C'est pour ça, au fond, que tu ne veux rien dire à la direction de la prison…

Mais non, c'est pas pour ça ! Il croit vraiment que tout raconter est un risque superflu et potentiellement dangereux, il le croit sincèrement ! Mais aussi bien que ces révélations servent à *quelque chose*, non ?

Son cellulaire sonne : c'est Alexandra.

— Écoute, je vais arriver plus tard, ce soir : Geneviève et moi avons un rendez-vous à six heures avec un type en marketing ; il a une super campagne de pub à nous proposer pour la clinique, c'est très excitant.

— Génial, se contente-t-il de commenter.

— Ça va ? T'as une drôle de voix.

— Non, non, juste un peu fatigué.

Il coupe après quelques banales paroles de plus. Tandis qu'il suit des yeux Mathis qui débouche au bout de la rue, son sac d'école sur l'épaule, il songe à sa blonde : la clinique qu'elle a ouverte avec sa collègue va de mieux en mieux et l'année prochaine, elle aura sans doute doublé sa clientèle. Et de son côté à

lui, qu'est-ce qui aura changé dans un an ? Il ensei-
gnera encore à des prisonnières illettrées et à quelques
gamins qui ont de la difficulté à l'école ? Peut-être
aura-t-il une petite charge de cours dans un cégep
plein de jeunes blasés ? Et bûchera-t-il encore sur son
foutu roman, en tentant désespérément de le rendre
aussi solide que la seule scène forte qu'il contient
jusqu'à maintenant ? Et retournera-t-il au Salon du
livre en tant que visiteur pour se répéter derechef que
l'année suivante, il reviendra comme auteur ?

Qu'est-ce que tu vas faire pour que ça bouge ?
Qu'est-ce que tu vas faire concrètement ?

Il sort de la voiture et attend Mathis, en plaquant un
sourire convenu sur son visage à mesure que l'ado-
lescent approche.

◆

Il est minuit et vingt lorsque Michaël finit de relire
les deux passages qu'il a retravaillés.

Il est vrai qu'au départ ces derniers étaient fort
différents des meurtres de la prisonnière : l'un décrivait
une bagarre à mains nues entre Bruno et un autre
type, le second montrait Bruno tuer un type avec une
hache. Michaël a donc modifié un peu. Les poings
sont désormais des tessons de bouteille, afin que
Michaël puisse récupérer cette image forte des épingles
qui, en traversant les joues, butent contre les dents ;
en transformant les épingles en morceaux de vitre, il
a évité de plagier bêtement les textes de son élève. Il
a aussi conservé ces claques sonnant comme des
ampoules qui éclatent, mais il a rédigé le tout à sa
façon, de manière plus claire et plus stylisée que la
détenue. Ensuite, comme il ne s'agit pas d'une scène
de torture mais de meurtre, Bruno ne pouvait pas brûler

la peau de son adversaire avec un briquet, mais Michaël s'est arrangé pour que la rixe ait lieu près d'une fournaise, pour que la victime titube vers l'arrière et s'écrase la joue droite contre la fournaise ; il conserve ainsi l'horreur de la chair calcinée. Par contre, il a écarté l'étrange image de « l'odeur de feu de camping » dégagée par les brûlures, qu'il trouve peu convaincante et trop comique, preuve supplémentaire qu'il ne calque pas bêtement Wanda et qu'il use de son jugement. D'ailleurs, si c'était un simple copier-coller, il aurait carrément transformé cette bagarre en séance de torture, ce qui n'est pas le cas. Ça demeure *sa* scène à lui.

Quant au meurtre à la hache, il est vrai qu'il l'a modifié davantage. La hache de Bruno s'est métamorphosée en voiture. Et, oui, comme Wanda, son personnage immobilise le véhicule sur le bas-ventre de sa victime, celle-ci griffe le pneu en s'arrachant les ongles et finalement, Bruno passe sur le corps une seconde fois, sur la poitrine du type. Et il a aussi repris l'image des branches mortes écrasées lorsque la cage thoracique s'enfonce. Mais le style de son écriture rend la scène plus forte, plus réelle.

Tout de même, on ne parle que de trois scènes dans tout le manuscrit. Des scènes importantes, certes, qui marquent des retournements essentiels dans l'intrigue, mais le roman lui-même sort entièrement de la tête de Michaël. De plus, maintenant que ces passages sont bien foutus, ils vont influencer toute la réécriture, lui insuffler une énergie qui lui permettra d'accorder la totalité du livre au diapason de ces trois pivots. D'ailleurs, il lui reste deux scènes très violentes à retravailler. En ce moment, elles ne sont vraiment pas aussi puissantes que les trois autres, mais il sait qu'avec la vigueur qui l'habite désormais, il y arrivera.

Tu t'es dit la même chose après avoir modifié la première scène, la semaine dernière, et tu n'y es pas arrivé.

Cette fois, c'est différent. L'autre jour, il doutait encore, se sentait vaguement coupable d'avoir été inspiré par Wanda. Aujourd'hui, ce n'est plus le cas, il ne ressent aucun remords, car il n'a rien à se reprocher. Il a l'esprit tranquille.

Satisfait, il sauvegarde le tout et se dirige vers la chambre à coucher. Pour la première fois depuis longtemps, il n'a pas jeté un seul coup d'œil au caméléon sur son étagère.

4

Quinze heures. Debout près de son bureau, Michaël salue ses élèves qui sortent de la classe. Il n'éprouve aucune surprise à voir Wanda s'approcher, son cahier d'apprentissage dans une main, quelques feuilles de papier dans l'autre. Une sourde nervosité vibre en lui. Pour la première fois, elle s'est habillée de façon plus soignée : pantalon noir et blouse sport qui soulignent sa silhouette plutôt agréable. Elle a gardé sa queue-de-cheval, mais elle est un peu plus maquillée que d'habitude.

— Tu t'es mise chic, commente-t-il d'une voix qu'il veut dégagée.

— Ah, oui ? Tu trouves ?

Elle paraît vraiment étonnée, sans fausse modestie. Aurait-elle changé son look d'aujourd'hui de manière inconsciente ? Ou alors sans vraiment comprendre le message que cela envoyait ? Mais ces considérations effleurent à peine l'esprit de Michaël : son attention est trop sollicitée par les quelques feuilles de papier qu'elle tient entre ses mains. Sauf que c'est son cahier qu'elle tend à Michaël.

— J'ai fini mon cahier. Je suis prête pour l'examen.

Elle prononce ces mots avec sa neutralité bizarrement ingénue.

— Super. Le prochain examen ministériel est dans deux semaines. Tu te sens prête ? C'est dur à dire pour moi, puisque t'es jamais venue me...

— Oui, je suis prête. C'est toi qui vas donner l'examen ?

— Non, ce sont des gens de l'extérieur.

— Donc, on se reverra pas. C'est pour ça que...

Elle paraît un peu gênée tout à coup.

— Je voulais te remercier, Michaël. Pas pour le cours, mais pour le projet de nouvelles... pis... comme j'en ai écrit une autre en fin de semaine...

Évidemment. Ne s'y attendait-il pas ? Elle tortille les feuilles entre ses doigts.

— Je me suis dit que... tu pourrais-tu me donner ton opinion une dernière fois ?

Il garde le silence quelques secondes.

Qui veux-tu convaincre ? Tu crois vraiment que tu vas refuser ?

— Avec plaisir.

Elle effectue un petit bond, de manière maladroite, comme si l'excitation était une émotion qu'elle connaissait peu, puis tend son texte à Michaël.

— Je pense que je me suis améliorée. Vraiment.

— Mais cette fois, pas de discussion sur toi, sur ta vie, sur ce qui t'a inspirée... On parle uniquement des qualités et des défauts de ton histoire, ça te va ?

— Oui, oui, j'ai compris.

Michaël s'installe derrière le bureau. Malgré lui, il doit bien admettre qu'il a hâte de la lire. Wanda annonce qu'elle va prévenir le gardien dans le couloir de son intention de demeurer quelques minutes. Elle marche vers la porte tandis que Michaël fixe les pages.

Il se doute bien de quoi traitera la nouvelle : du troisième meurtre de son élève. Et malgré le réel malaise qui s'insinue en lui, il commence à lire avec avidité. Il découvre la brève histoire d'une jeune femme de dix-neuf ans, Mélissa, qui tue un camionneur, Bob Lacombe, qui l'a prise en stop. Tout d'abord, Lacombe lui parle gentiment pendant une quinzaine de minutes, lui expliquant entre autres qu'il transporte dans sa citerne de l'acide *chlyrodique* (l'enseignant comprend qu'elle veut dire chlorhydrique), puis il s'engage dans un chemin désert qui mène à un cul-de-sac, près d'un bois. Le camion-citerne s'avance même sur une vingtaine de mètres en terrain vague, puis le bonhomme propose à sa passagère de descendre pour s'amuser un peu, ce qu'elle refuse. Alors c'est l'altercation, l'intimidation, les premiers coups... Mélissa résiste, mais en demeurant calme. Par contre, au moment où Lacombe incline son visage vers la poitrine presque dénudée de la fille, celle-ci, qui a pu attraper la bouteille de cola qu'il buvait, la lui casse sur la tête. Le camionneur devient mou et, toujours penché vers sa proie, il oscille en grommelant des menaces. Alors Mélissa en profite : des deux mains, elle abaisse la tête de son agresseur brutalement et...

```
« ... le bras de vitesse rentre direct
dans la gueule du salaud et lui casse un
paquet de dents. »
```

Michaël grimace, incrédule, mais n'en poursuit pas moins sa lecture. Il a ainsi droit à une description aussi sanglante que baroque : Lacombe pousse des gargouillements, incapable de dégager le bras de vitesse bien enfoncé dans sa bouche, tandis que Mélissa, sortie du véhicule, tire sur ses jambes de toutes ses forces pour l'extirper de là. Plus la fille tire, plus le camionneur hurle. Enfin, à un moment, Mélissa redouble d'efforts et...

« … avec un déchirement gluant qui
arrache la mâchoire avec une giclée de
sang et d'autres cris, la tête se libère.
Alors le corps sort du camion et tombe
sur le sol en pelouse. »

Michaël secoue la tête. C'est insensé, totalement
insensé. Et pourtant il replonge dans l'histoire, qui
devient encore plus folle. Pendant que Lacombe
trépigne sur le sol en pleurant, la gueule disloquée,
Mélissa regarde autour d'elle, comme pour trouver
un moyen de l'achever. Elle avise alors les deux valves
derrière le camion, protégées par une sorte de clapet.
Elle agrippe Lacombe par les pieds, mais celui-ci, se
débattant de plus en plus, paraît sur le point de se
relever. Alors la fille lui balance un coup de pied au
visage, ce qui l'assomme à moitié. Elle le reprend par
les pieds et le traîne jusque sous les soupapes. Se
couvrant les mains d'un foulard en provenance de
son sac à dos (pour ne pas laisser d'empreintes), elle
attrape la première valve, qu'elle ouvre.

« Mais après qu'elle a ouvert la première valve, il n'y a rien qui coule.
Elle décide alors d'ouvrir l'autre, qui
ressemble à une sorte de jack qu'elle
doit pomper. Après plusieurs mouvements,
l'acide sort enfin et Mélissa doit se
tasser très vite pour ne pas en recevoir. »

Au moment où Lacombe retrouve ses esprits, le
liquide hautement corrosif se déverse directement
sur sa poitrine. Wanda décrit alors l'action de l'acide
qui brûle en trois secondes les vêtements du gars,
puis érode rapidement la chair…

« … et fait fondre la peau. Un trou se
creuse de plus en plus dans la poitrine.
Lacombe crie à pleins poumons, mais même
s'il se débat un peu, il en reçoit un peu
partout. Il y a même des gouttelettes

```
qui revolent dans sa face et qui créent
des petits trous, comme si une acné
apparaissait tout d'un coup. De toute
façon, il souffre trop pour s'écarter et
pendant ce temps-là, le trou sanglant
dans sa poitrine continue de se creuser.
ça donne l'effet d'un château de sable
sur lequel on verserait tranquillement
de l'eau, sauf que c'est pas du sable
qu'on voit, mais de la chair déchiquetée
et des os rongés, et la peau fondue
mêlée au sang qui coule, comme une
peinture qui déteint… »
```

Sans se rendre compte qu'il grince des dents, Michaël lit l'agonie du type qui rend l'âme au bout de deux interminables minutes. Tandis que la citerne « `continue de se vider sur le cadavre de plus en plus magané de Lacombe` », Mélissa essuie avec son foulard tous les endroits où elle a été susceptible de laisser des empreintes, puis elle s'en va, abandonnant derrière elle le camion dont la citerne « `émet des drôles de craquements en se ratatinant sur elle-même` », prend une bonne demi-heure pour regagner la route principale puis recommence à faire du stop, impassible.

— Pis ?

Michaël sursaute violemment : Wanda se tient devant lui, tendue.

— C'est-tu pas pire ?

Tandis qu'il dévisage cette femme à l'air inoffensif, avec ses jolis yeux pers, l'épouvante se saisit de lui, puis il se rappelle qu'il est dans une prison, que cette meurtrière est une détenue et qu'il ne court donc aucun risque. Néanmoins, il se lève et range ses affaires tout en commentant distraitement :

— Eh bien, comme toujours, l'horreur est au rendez-vous…

— Oui, je suis bonne là-dedans, hein ? J'ai eu envie de répéter que la peau qui fondait sentait le feu de camping, mais comme j'ai déjà utilisé l'idée dans mon autre nouvelle... J'imagine que c'est pas très bon quand un écrivain radote les mêmes images, hein ?

— C'est... heu... oui... c'est à éviter.

— Mais le style ? La structure ? L'écriture elle-même ? C'est un peu mieux, me semble, non ?

Pas vraiment, non. Mais comme l'enseignant souhaite écourter leur discussion, il répond :

— Oui, un peu...

— Cool. Il y a encore du chemin à faire, mais je suis sur la bonne voie, je vais y arriver. Je vais peut-être même pouvoir publier un jour, qui sait ?

Il la dévisage, déconcerté par son sourire. Souriait-elle ainsi tandis qu'elle observait la chair du camionneur couler comme une peinture ? Non... Sans doute pas, puisque le personnage, dans la nouvelle, n'éprouve rien pendant la mise à mort... Wanda prend alors une expression solennelle.

— En tout cas, je te remercierai jamais assez.

Michaël referme sa mallette avec des gestes trop rapides.

— Tu dois surtout te remercier toi-même. Et je te souhaite bonne chance pour ton examen.

— Pis j'ai hâte en câline de lire ton livre. Je suis sûre que ça va être excellent.

Il se tait, mal à l'aise. Elle se frotte la nuque.

— Mais maintenant que j'ai utilisé tous les événements violents de ma vie, il va falloir que je trouve autre chose pour m'inspirer...

Michaël s'humecte les lèvres. Depuis quelques jours, une idée le hante : si son bouquin est publié, Wanda le lira sûrement. Avec précaution, il explique :

— Tu sais, Wanda, pour créer, c'est pas nécessaire de se servir uniquement de situations qui se sont produites dans notre propre vie...

— Mais tu as dit qu'on écrit toujours un peu sur nous.

— Oui, mais on peut le faire à travers de la pure fiction… Ou on peut s'inspirer de l'actualité, de faits réels qui nous sont pas arrivés à nous, mais qui nous touchent…

Il humidifie ses lèvres à nouveau, plus prudent que jamais.

— Parfois même, on peut être influencé par d'autres nouvelles ou d'autres romans qu'on a lus… Il s'agit pas de plagiat, mais de se servir d'une idée pour la réinterpréter soi-même, dans un contexte différent, dans un imaginaire différent qui révèle quelque chose… Tu comprends ?

La femme fronce les sourcils et gonfle les joues, songeuse, puis fait un signe d'assentiment de la tête.

— Oui… Je pense que oui…

Il attend qu'elle parte, anxieux. Dans l'encadrement de la porte, le gardien apparaît enfin. Wanda sourit.

— Encore merci, Michaël. Pour tout.

Et, le regard admiratif, elle lui tend la main. Michaël, après une hésitation à peine perceptible, la lui serre à contrecœur. La main est tiède, normale, et pourtant il a l'impression de tenir un appendice inconnu et particulièrement menaçant qui risque de lui transmettre un microbe incurable. Elle pousse un petit ricanement.

— Câline que t'es blême. Tu couves quelque chose, toi.

Elle tourne enfin les talons et, remontant son sac sur son épaule, elle rejoint le gardien. Une fois seul, l'enseignant ne peut s'empêcher de soupirer de soulagement. Il aperçoit alors le iPhone de Wanda sur la table. Il s'en approche et le prend. Quelle musique peut bien aimer une cinglée pareille ? Curieux, il glisse les écouteurs dans ses oreilles. Il appuie sur la mise en marche et un air de rock'n'roll lui emplit la tête, chanté par une voix de femme légèrement nasillarde mais riche, à la fois crue et féminine. Il reconnaît une version de *Long Tall Sally* et l'enregistrement date manifestement des années cinquante ou soixante. Il appuie sur stop, retire les écouteurs et lit le nom de l'artiste sur l'écran : Wanda Jackson.

À ce moment, la détenue revient dans la classe en se frappant le front.

— J'ai oublié mon... Ah, tu t'en es rendu compte !

Empoté, il lui tend le iPhone et elle le prend en le remerciant.

— On va peut-être se recroiser dans les couloirs !

— Peut-être, oui...

Elle lui sourit, un peu embarrassée, comme une fille qui, après sa première sortie galante, hésite à embrasser son cavalier, puis elle quitte la pièce. Et voilà, *exit* Wanda. Michaël sait très bien que même s'il continue à enseigner ici pendant des années, il y a peu de chances qu'il la croise à nouveau.

Et c'est parfait ainsi.

Il retourne à son bureau où, sans surprise, il réalise que la détenue a laissé sa nouvelle. Ou alors c'est lui qui a oublié de la lui remettre. Mais est-ce vraiment un oubli ?

Il s'assoit et la relit. Plusieurs fois.

◆

Trois semaines plus tard, il donne le manuscrit de *Sous pression* à Alexandra qui, étonnée et ravie qu'il ait terminé plus rapidement que prévu la réécriture, l'assure qu'elle passera au travers en une dizaine de jours. Il l'envoie aussi à son ami Denis, qui demande le même délai.

Comme Michaël souhaite recueillir leurs commentaires à tous les deux en même temps, il propose comme lieu de réunion le Bistrot de la Gare, à Drummondville, pour éviter ainsi à Denis de se déplacer à Joliette. Le plus difficile est de ne pas harceler Alexandra de questions lorsqu'elle lui annonce qu'elle a terminé. Elle-même semble déployer de grands efforts pour ne pas se commettre. Sur la route menant à Drummondville, le couple parle de n'importe quoi, tous deux s'amusant à éluder le véritable but de cette rencontre.

Ils arrivent au bar vers dix-neuf heures trente. Denis est déjà sur place, affublé de son complet-cravate d'avocat (il explique qu'il n'a pas eu le temps de passer à la maison) et fait l'accolade à son vieux camarade qu'il ne voit plus que quatre ou cinq fois par année depuis le déménagement de Michaël. Pendant quelques minutes, on parle de choses et d'autres. Michaël prend des nouvelles du cabinet où travaille Denis ainsi que de sa femme et de sa fille ; de son côté, Alexandra raconte les beaux débuts de sa clinique. Lorsque l'avocat demande à son ami comment va l'enseignement en prison, Michaël répond qu'il a hâte aux vacances, soit en juillet et août.

Lorsque tout le monde a reçu sa consommation, on en vient enfin au nœud de la rencontre. Denis et Alexandra sortent le manuscrit de *Sous pression* de leur sac en se jetant des regards amusés.

— J'imagine que ta blonde t'a déjà livré son verdict...

— Eh non ! Je voulais rien entendre avant ce soir ! Alors allez-y, je suis capable d'en prendre.

Et il avale une gorgée de bière pour camoufler son anxiété. Il a une réelle confiance au jugement des deux individus devant lui. Alexandra, sans être une littéraire, a un œil avisé, et Denis, grand lecteur devant l'Éternel, ne se gênera pas pour lui révéler le fond de sa pensée. De plus, ce qu'il leur a remis représente ce qu'il peut pondre de meilleur. S'ils décrètent que c'est mauvais ou tout simplement moyen, cela reviendra à un définitif constat d'échec. Mais une petite voix intérieure lui marmonne depuis quelques jours qu'il a écrit une sacrée bonne histoire.

Alexandra propose que Denis commence puisqu'il n'a encore lu aucune version antérieure du roman. L'avocat frotte sa barbe en observant le manuscrit, puis lève les yeux vers son ami.

— Écoute, Michaël… C'est excellent. Vraiment, vraiment excellent.

Michaël s'était juré de demeurer impassible, mais le commentaire provoque malgré lui un arrêt de sa respiration.

— C'est vrai ? T'exagères pas ?

— Je l'ai lu d'une traite. L'intrigue est palpitante, le suspense haletant… C'est d'une efficacité diabolique et, en plus, c'est crissement bien torché, Mike, sérieux. Je te dis pas qu'on va étudier ça dans les universités dans cinquante ans, mais il y a un authentique style. C'est un grand thriller.

Le cœur de Michaël bat la chamade. Il tourne un regard anxieux vers sa conjointe qui, assise à la droite de Denis, roule son verre entre ses doigts. Et en apercevant son expression admirative et amoureuse, il comprend que c'est également gagné avec elle. Ce qu'elle confirme aussitôt :

— J'aurais pas pu dire mieux. J'ai rarement lu un thriller aussi intense. T'as réussi, mon loup. C'est une réussite totale.

Cette fois, l'enseignant pousse un soupir qui expulse de son âme l'angoisse qui le rongeait depuis un mois.

Il attrape son verre, en boit la moitié d'un coup et le dépose avec force sur la table.

— Ostie, ça fait longtemps qu'une bière a pas été aussi bonne !

Alexandra rit et feuillette le manuscrit.

— C'est d'autant plus impressionnant que cette version est vraiment différente des autres que tu m'as fait lire.

— À ce point ?

— Enfin, c'est la même histoire, évidemment, les mêmes personnages… Mais c'est tellement plus fort… En fait…

Elle feuillette toujours le roman, cherche ses mots.

— … ce sont tes scènes violentes qui ont vraiment changé…

Michaël devient grave.

— Tu te souviens lorsque tu m'avais relu le premier meurtre de Bruno et que je l'avais trouvé beaucoup mieux que dans les autres versions ? Eh bien, elles sont toutes aussi bonnes que celui-là, maintenant. Elles sont toutes aussi… criantes de vérité. Elles sont même insoutenables.

— C'est vrai que tes passages violents sont vraiment incroyables, vieux ! Franchement, ça m'a vraiment perturbé. Comme cette scène où Bruno arrose le comptable avec de l'acide… La chair qui se creuse comme un château de sable, qui coule comme une peinture qui déteint… *My God !* Ces pages sont pas juste très détaillées dans l'atrocité, elles sont aussi écrites avec un vrai style !

Denis réfléchit un moment et conclut avec une moue admirative :

— C'est horrible et littéraire à la fois. Faut le faire !

Cette dernière phrase provoque un frisson de fierté chez Michaël.

— T'as pas mal changé ces passages, non ? ajoute Alexandra.

Michaël hausse une épaule.

— Eh ben, j'ai… J'ai lu plusieurs romans policiers, dernièrement… J'imagine que ça m'a…

Il veut dire « inspiré », mais n'ose pas.

— … ça m'a donné une couple d'idées.

— Je sais pas à quoi ressemblait ton manuscrit avant, mais là, avec cette version, chapeau ! statue Denis. En fait…

Il tourne les pages et en montre une du doigt.

— … il y a juste un passage qui est moins fort que les autres : celui où Bruno étouffe la secrétaire avec un sac en plastique. Je sais pas trop pourquoi, mais je l'ai moins… (il cherche ses mots) c'est pas mauvais mais c'est moins « vrai », cette séquence-là.

— Je suis d'accord, approuve Alexandra. D'ailleurs, de toutes tes scènes noires, c'est celle que tu as le moins transformée. Je veux dire… j'ai bien vu que tu l'avais retravaillée, mais finalement, elle a pas beaucoup bougé et elle détonne un peu.

Michaël ressent une pointe métallique lui percer le ventre, mais s'efforce de demeurer neutre.

— D'accord… Je pourrais peut-être la revoir…

— Mais c'est un détail, précise Denis.

— Et le reste du roman ? C'est bon aussi, j'espère ? s'enquiert Michaël.

— Absolument ! s'empresse de le rassurer sa blonde. T'as pas amélioré juste tes meurtres, mais tout le manuscrit. Il était déjà bien écrit, mais c'est comme si la force de tes scènes violentes avait influencé tout le souffle de ton roman. Et ton personnage principal a aussi changé un peu : il est presque insensible à ce qu'il fait… Et cette expression qu'il utilise, maintenant, quand il tue quelqu'un : « Tu cliques ça, hein ? » C'est vraiment weird !

— Ah, il était pas comme ça avant ? s'étonne Denis. En tout cas, c'est une maudite bonne idée : il a toujours l'air déconnecté des horreurs qu'il commet, et ça le rend encore plus terrifiant. Tu réussis à nous transmettre des émotions intenses avec un protagoniste qui en ressent pas !

Michaël secoue la tête, ébahi de satisfaction. Alexandra propose un toast et tous les trois trinquent à *Sous pression*. Puis, profitant d'une courte absence de Denis qui se dirige vers les toilettes, l'orthodontiste avance le torse au-dessus de la table et embrasse tendrement son chum.

— Tu vas être publié, mon loup, tu peux être sûr.

— Tu y as toujours cru. Je t'aime tellement.

Ils s'embrassent une seconde fois. Elle prend une gorgée de son verre et, tout en fixant son amoureux, ajoute :

— Mais franchement, je suis… surprise. Je pensais pas… Je pensais pas que tu avais ça en toi…

— Quoi, ça ?

— Toute cette noirceur…

Avant que Michaël puisse réagir, Denis réapparaît et propose, tandis qu'il s'installe :

— Cela dit, tu permets que je te transmette quelques petits commentaires que j'ai relevés en cours de lecture ? Des détails…

— Oui, moi aussi, j'ai quelques notes…

— Mais oui, avec plaisir ! Il est quand même pas parfait, ce roman-là !

Ils rient tous trois et Michaël commande trois autres verres.

◆

Il glisse le manuscrit de quatre cent douze pages dans la boîte, la referme et inscrit, presque avec émotion, l'adresse des éditions Parallèle. Comme il a déjà lu quelque part que ce n'était pas une bonne idée d'envoyer son histoire chez plusieurs éditeurs à la fois, il en cible donc un qui se spécialise dans les romans de genre. De plus, il éprouverait une réelle fierté de publier aux côtés de Hugo Vallières.

Dans sa voiture, il dépose le colis sur le siège du passager et, tandis qu'il se met en route, il songe à nouveau à Wanda Moreau.

La nuit dernière, il a rêvé d'elle. Il entrait au centre de détention, comme s'il y enseignait toujours, mais une fois dans le local du cours, il comprenait qu'il se trouvait en réalité dans une cellule. Étonné d'une telle distraction, il se retournait, mais la porte était fermée. Et à travers les barreaux, Wanda le contemplait avec un regard de reproche.

— C'est toi qui es incarcéré, maintenant. C'est toi le criminel.

Rêve ridicule qui, il en est convaincu, n'est pas le fruit de sa culpabilité (pourquoi se sentirait-il coupable?), mais de sa crainte de Wanda elle-même. En effet, si *Sous pression* est publié, elle le lira, c'est certain, elle le lui a assez répété. Même si le bouquin ne se rend pas à la bibliothèque de la prison, elle trouvera moyen de le commander... Mais il s'inquiète sans doute pour rien. Elle reconnaîtra parmi les pages ses trois propres meurtres ainsi que sa séance de torture, mais elle constatera aussi que moult détails ont changé. Elle comprendra qu'il s'est inspiré d'elle et en sera probablement ravie. D'ailleurs, elle apparaît dans les remerciements inscrits en fin de roman. Il n'a écrit que « W. Moreau », pour éviter que certaines personnes établissent un rapprochement avec la femme qui a tué son conjoint il y a dix ans. Mais si le manuscrit est publié, Wanda éprouvera une grande fierté de voir son nom, même incomplet, dans les remerciements, et elle appréciera cette délicatesse. Au bout du compte, elle sera heureuse d'avoir aidé Michaël.

Du moins, il l'espère.

Et si ce n'était pas le cas ?

Il se gare devant le bureau de poste et hésite à nouveau. Si Wanda décidait à tort de considérer ça comme du plagiat ? Pourrait-elle le dénoncer ? prévenir les journaux ? Ce serait ridicule. Si elle désire que ses anciens meurtres demeurent secrets, elle n'a aucun intérêt à remuer la boue. Si elle voulait poser des problèmes à Michaël, celui-ci pourrait lui en causer encore davantage avec tout ce qu'il a appris.

Et puis, merde ! il n'a pas plagié ses histoires, il s'en est ins-pi-ré ! De toute façon, si Wanda croit publier un jour, elle rêve en couleurs. Elle ne sait pas écrire et ne le saura jamais. Voilà la différence entre elle et lui, voilà pourquoi lui deviendra un auteur et pas elle. En fait, il lui adresse un hommage : il donne une forme littéraire aux scènes de Wanda et les rend donc meilleures ! Et c'est exactement ce qu'elle comprendra ! Il lui a expliqué qu'il était normal que les écrivains s'inspirent d'autres créateurs qu'ils aiment ; comment ne pourrait-elle pas en être flattée ?

Rasséréné, il attrape sa boîte et sort de la voiture pour se diriger vers le bureau de poste.

◆

Michaël reçoit la réponse de Parallèle à la mi-mai. Il demeure de longues minutes devant sa boîte aux lettres, au second étage du duplex où il habite, à fixer l'enveloppe toujours cachetée entre ses mains, si tendu que s'il bouge, son corps se fissurera jusqu'à s'émietter. Il regarde autour de lui, comme s'il escomptait que tout

le voisinage en haleine attende le jugement avec lui.
Puis, il décide de l'ouvrir au souper, lorsque Alexandra
sera là. Il se sent tout simplement incapable d'affronter
seul le verdict de Parallèle. Subir un refus sans soutien
serait trop dur, trop cruel.

À vingt heures trente, lorsque lui et sa blonde s'installent pour manger (Alexandra termine ses journées
tard ces temps-ci), cette dernière paraît tout aussi impatiente que lui.

— J'ai une bonne nouvelle ! annonce-t-elle.

Michaël prend l'enveloppe et la dresse en l'air.

— J'ai une nouvelle aussi, mais j'ignore si elle est
bonne ou non.

Elle comprend aussitôt, écarquille les yeux et propose de commencer par la lettre.

Les doigts tremblants, il déchire l'enveloppe. Il ne
lit pas les phrases dans l'ordre, il cherche fébrilement
les mots les plus importants, du genre « *regret* » ou
« *désolé* ». Mais ce sont plutôt « *plaisir* » et « *accep-
tons* » qui lui sautent en pleine face. La chair de poule
lui parcourt tout le corps, par étapes, par sections.

— Alors ? s'impatiente Alexandra, les mains de
chaque côté de son assiette.

Il lève la tête.

— Ils acceptent mon roman.

Il prend son verre de vin, en boit calmement une
gorgée, puis répète d'un ton posé :

— Ils vont publier mon livre.

Et il éclate de rire en donnant une bonne claque
sur la table. Les traits d'Alexandra s'illuminent, mais
elle ne pousse aucune exclamation. Ses iris se brouillent
et elle marmonne, la voix tremblante d'émotion :

— Eh bien, on va avoir deux raisons de fêter ce
soir…

Elle dépose au milieu de la table un petit acces-
soire, entre elle et son conjoint. Celui-ci, encore étourdi

par la joie, prend le truc et reconnaît un test de gros-
sesse. Cette fois, la chair de poule le balaie avec une
telle force qu'il sent chacun de ses pores exploser. Il
lève un regard incrédule vers sa blonde et celle-ci
hoche la tête, les joues maintenant inondées de larmes.

Dix minutes plus tard, pendant qu'ils font l'amour
avec fougue dans le salon, laissant le souper refroidir
dans leurs assiettes, Alexandra, montée sur Michaël,
lui encadre le visage à deux mains et lui souffle:

— On va avoir une vie formidable, mon chéri! Ma
clinique, tes romans, notre enfant! On va avoir tout ce
qu'on veut!

— Oui, halète Michaël. Tout ce qu'on veut!

Ils s'embrassent et reprennent leur ascension vers
l'orgasme.

MW puis WM

5

Charles Tagliani, le directeur éditorial chez Parallèle, jeune quinquagénaire qui sent constamment la cigarette, a adoré *Sous pression*. Bien sûr, il fait travailler Michaël sur quelques détails, mais affirme qu'il s'agit « d'un roman puissant qui va ébranler la prochaine rentrée littéraire, je t'en passe un papier ! » Même si le délai est serré, Charles veut absolument le sortir au début de septembre. Durant tout l'été, Michaël enseigne au cégep de manière quelque peu brouillonne, trop excité par la parution prochaine de son roman. Alexandra, avec son associée Geneviève, continue de développer sa clinique au même rythme que son ventre grossit.

Vers le milieu du mois de juillet, Charles partage avec son nouvel auteur une préoccupation qui le turlupine : le prénom de Michaël. Celui-ci précise qu'il doit être prononcé à la française, mais l'éditeur estime que les journalistes et les lecteurs ne le sauront pas ; à la radio, on risque d'articuler autant le Michael anglophone que le Michaël francophone. Ce sera agaçant pour les auditeurs et, d'un point de vue marketing, ce n'est pas l'idéal. Assez rapidement, sans trop réfléchir,

Michaël propose Mike Walec, idée que Charles aime bien.

Mais un gros mois de septembre s'annonce : Charles a prévu une grosse tournée de promotion si les médias embarquent (et l'éditeur est convaincu qu'ils embarqueront !), promotion qui coïncidera avec le retour de Michaël au centre de détention. Alexandra, avec le plus grand sérieux et comme s'il s'agissait d'un ordre, lui dit de ne pas retourner enseigner, tout simplement.

— Demande un congé sans solde pour un mois ou deux de plus. C'est le temps de t'occuper de ta promotion, alors fonce. En plus, ton éditeur veut que tu fasses plusieurs Salons du livre cet automne, tu dois être disponible.

— Mais voyons, Alex, je serais pas le premier auteur à faire de la promo et à travailler en même temps.

— Je sais, mais comme je commence à gagner plus d'argent à la clinique, profites-en pendant une couple de mois !

Michaël la prend dans ses bras, bouleversé par une telle générosité et une telle confiance.

Le bouquin sort au début de septembre 2009. En quelques jours, on entend et lit le nom de Mike Walec à la radio et dans les journaux, et c'est l'unanimité : *Sous pression* est le thriller de la rentrée et on a affaire ici à un écrivain de la trempe des grands. On souligne la noirceur et la violence très troublantes, très vraies de l'œuvre, ainsi que la personnalité du protagoniste principal, un psychopathe dont l'apathie et l'insensibilité le rendent encore plus terrifiant. On ajoute que le tout est écrit dans un style soigné, littéraire, et que c'est justement cette adéquation entre l'horreur crue et la prose très travaillée qui fait de ce bouquin une œuvre unique. On propose à Michaël une foule d'entrevues dans les médias. Pendant un mois, il donne donc une multitude d'entretiens et on le couvre d'éloges. On lui demande souvent si écrire des passages si violents ne l'ébranle pas moralement, ce à quoi il répond invariablement :

— Un écrivain n'a pas à se poser de questions sur le bien et le mal quand il crée. L'art n'est pas moral.

Et comment s'y prend-il pour pondre ce genre de scènes ?

— Il faut juste se mettre à la place du personnage et écouter ce qu'il nous dit. L'écriture de fiction, c'est ça.

À la fin de septembre, il participe au Salon du livre du Saguenay, son premier Salon, où il se rend seul, accompagné par les encouragements d'Alexandra. Pour la première fois, il occupe une chambre d'hôtel payée par un éditeur. Mais ce n'est rien comparé à l'émotion qu'il ressent en entrant dans le Salon comme auteur. *Comme auteur !* Tandis qu'il se dirige vers son stand, il croise quelques écrivains, dont Élise Turcotte et Larry Tremblay, et il combat une forte envie de s'approcher d'eux pour leur annoncer qu'il est maintenant dans la gang. Évidemment, il s'en abstient. Il relève tout de même avec fierté que quelques-uns parmi eux, l'ayant sans doute reconnu, le suivent brièvement du regard. Peut-être que ce soir, au bar, auront lieu les premières rencontres.

Pendant sa première séance, Michaël signe une trentaine de copies, ce qui satisfait amplement Benoît, le jeune exposant qui s'occupe du stand de Parallèle dans les Salons. Un peu plus tard, il participe à une table ronde sur le polar et se sent quelque peu impressionné d'être en compagnie d'aussi grosses pointures que Chrystine Brouillet. Cette dernière, quelques minutes avant le début de l'entretien, se présente et affirme avoir beaucoup aimé *Sous pression*. Michaël balbutie un remerciement, puis découvre que Hugo Vallières prend aussi part à la table ronde. Celui-ci s'approche du *rookie* et lui donne la main avec chaleur.

— Ah, Mike Walec, le nouveau collègue de chez Parallèle ! Bienvenue dans la famille ! Il paraît que votre premier roman est formidable. Il est dans ma pile de lecture, d'ailleurs.

Même si Vallières est plus petit que Michaël de quelques centimètres, celui-ci se sent minuscule.

— Merci ! Je suis un très grand fan de vos livres, Hugo. Je sais pas si vous vous rappelez, mais il y a six mois, au Salon de Trois-Rivières, je vous avais confié que je travaillais sur un manuscrit…

— Hmmm… Oui, ça me dit quelque chose…

— En tout cas, vous aviez été très encourageant, très généreux…

— Maintenant qu'on est confrères, on va se tutoyer, hein ?

Tout se déroule très bien durant la table ronde. Brouillet, en habituée des entrevues, évolue comme un poisson dans l'eau ; Hugo Vallières est quelque peu timide devant une foule, mais ses réponses sont précises et brillantes ; quant à Michaël, il se débrouille très bien pour un « p'tit nouveau ». À un moment, lorsqu'il explique qu'il est à l'écoute de ses personnages, il remarque le petit sourire amusé de son collègue. Hugo considère-t-il ses propos comme ridicules ? Peut-être Michaël se fait-il des idées, il est si nerveux…

Le soir, Michaël, intimidé, descend au bar de l'hôtel qui est plein à craquer d'auteurs, d'éditeurs et autres professionnels du livre. Il avise un groupe de huit ou neuf individus installés autour de deux tables parmi lesquels il reconnaît les écrivains Jean-Jacques Pelletier et Marie-Hélène Poitras, le bédéiste Tristan Demers ainsi que Hugo Vallières. Ce dernier lui fait signe d'approcher et présente le nouveau à ses amis. Michaël a la surprise de retrouver son ex, Lee-Ann Muzhi, qui s'exclame de joie et l'embrasse.

— Vous vous connaissez? demande Poitras.

— On a sorti ensemble à l'université! répond l'Asiatique.

— Hmmm… Des ex qui reprennent contact loin de chez eux… commente un des hommes de la bande avec un sourire en coin. Ça va mal finir…

Tout le monde rit, y compris Lee-Ann. Michaël ricane, mais rougit.

La discussion se poursuit. Alors que Michaël s'attendait à tomber au milieu d'une causerie littéraire, il assiste à des propos d'un tout autre ordre, parfois liés à l'actualité, parfois d'un humour très cru. À plusieurs occasions, il reluque Lee-Ann, mais quand elle le regarde en souriant, il ne peut s'empêcher de détourner les yeux.

Quand il monte se coucher, trois heures plus tard, il se sent éméché mais ravi. Il fixe le plafond, sans cesser de se répéter mentalement ce constat incroyable : « Je suis un écrivain, je suis dans la gang. »

◆

Au cours des semaines qui suivent, non seulement la popularité de Michaël ne décline pas, mais on entend et on voit de plus en plus le nom de Mike Walec, auquel sont souvent associés les mots « surprise de la rentrée », « phénomène du thriller » et « succès de librairie. » Aux Salons de Rimouski et de Sherbrooke, il a même la fierté d'affronter ses premières files de lecteurs.

À la fin d'octobre, alors même qu'il n'a pas enseigné depuis juillet, il donne officiellement sa démission à l'Établissement Joliette pour femmes, même s'il est conscient qu'une telle confiance est sans doute un peu présomptueuse.

Durant toute cette période, on le déstabilise une unique fois. Un journaliste d'un hebdo de Longueuil, Laurent Dubuc, fin vingtaine, lui déballe la série de questions habituelles au cours d'une entrevue dans un café, manifestement admiratif du bouquin; à un moment, il relève un point qui prend Michaël au dépourvu.

— Dans vos remerciements à la fin du livre, il y a un certain W. Moreau…

L'écrivain, les mains posées sur les accoudoirs de sa chaise, ne trouve rien à répliquer. Il est le premier à lui parler des remerciements. Même son éditeur ne s'y était pas intéressé. En fait, seule Alexandra l'avait interrogé là-dessus et il lui avait répondu qu'il s'agissait de l'infirmière de la prison qui lui avait donné quelques précisions médicales pour le roman.

Le journaliste consulte ses notes, l'air détaché et pas du tout inquisiteur.

— Est-ce que c'est Wanda Moreau?

Michaël croise ses bras par contenance.

— Non. C'est qui?

— Vous ne le savez pas? Pourtant, vous avez souvent affirmé en entrevue que vous avez enseigné au pénitencier pour femmes de Joliette?

— C'est vrai. Cette Wanda Moreau y enseigne aussi?

Dubuc rit.

— Pas vraiment, non: elle y loge. C'est une fille qui a tué son conjoint il y a une dizaine d'années. Je m'en souviens parce que j'étudiais en journalisme dans ce temps-là et on s'était servi du papier couvrant ce meurtre dans un de nos cours.

Michaël se compose un sourire décontracté.

— Alors c'est tout à fait normal qu'elle se retrouve au centre de Joliette.

Dubuc lisse ses courts cheveux noirs.

— Donc, vous ne l'avez pas eue comme étudiante ?

— Possible. Je me rappelle pas toutes mes étudiantes, vous savez...

Une furtive moue de déception plisse les lèvres du journaliste : il voit se réduire en poussière son scoop d'un lien existant entre le nouveau roi du polar et une meurtrière à qui il aurait enseigné.

— Alors, qui est ce W. Moreau ?

— Une femme qui m'a donné des renseignements médicaux pour mon bouquin.

Il se rend compte qu'il a dit « une femme ». Bon, tant pis, c'est pas grave. Il poursuit :

— Mais comme elle est très réservée et humble, elle ne voulait absolument pas que je l'identifie. Finalement, j'ai pu négocier pour inscrire au moins la première lettre de son prénom.

Dubuc hoche sa tête, et pourtant, le léger froncement de ses yeux pourrait être un signe de scepticisme. Néanmoins, il abandonne la piste W. Moreau qui, apparemment, ne mène à rien et s'enquiert :

— Est-ce que c'est justement le fait de travailler dans une prison qui vous a donné envie d'écrire des thrillers ?

— Non, je me suis toujours intéressé à ce genre de littérature, répond Michaël en se détendant.

Et le reste de la rencontre suit la courbe normale des entrevues.

Ce soir-là, il se questionne à savoir pourquoi il n'a pas dit la vérité, du moins en partie. Il aurait pu au moins admettre que l'assassinat que Wanda Moreau a perpétré il y a dix ans l'a effectivement inspiré pour une scène, tout en gardant sous silence les autres meurtres. Aurait-il menti par orgueil ? Par peur que Dubuc pousse un peu plus loin dans cette direction ?

En se couchant, il se demande pour la première fois depuis la publication de son bouquin si Wanda l'a lu. Et si oui, comment elle a réagi.

◆

Au Salon du livre de Montréal, une imposante file d'admirateurs l'attend. Durant l'une de ses séances de signatures, Hugo Vallières, assis à ses côtés, reluque les nombreux fans de son nouveau collègue, à la fois impressionné et légèrement envieux. Mais cela ne l'empêche pas de féliciter Michaël et de lui glisser :

— En plus, c'est mérité : j'ai lu ton roman et c'est vraiment excellent.

C'est à cette époque que Michaël commence un second manuscrit.

Le 11 janvier 2010, Alexandra accouche d'un garçon en parfaite santé qu'on prénomme Hubert. L'orthodontiste décide de prendre six mois de semi-congé. Michaël écrit le jour, mais lorsque Alexandra doit se rendre à la clinique, à raison d'une douzaine d'heures par semaine, il s'accorde une pause et s'occupe du petit, heureux de ces moments intimes avec son enfant, qu'il aime encore plus qu'il ne s'en serait cru capable.

Michaël participe à cinq Salons du livre durant l'hiver 2010 : ceux de l'Outaouais, de Trois-Rivières, de Québec, de la Côte-Nord et de l'Abitibi-Témiscamingue, où son succès ne se dément pas. À Sept-Îles, au pub Saint-Marc où plusieurs auteurs se retrouvent à la fermeture du Salon, Michaël commande un verre au bar au moment où Lee-Ann s'approche de lui. Elle pose sa main sur son épaule et ce contact lui procure un frisson agréable.

— J'ai lu ton roman. Normalement, ce genre de bouquins est trop noir et trop violent pour moi, mais je voulais quand même me faire une idée. Et sincèrement, c'est super bon. Ça m'a vraiment traumatisée, je te jure! (Elle rit.) Bravo!

Michaël, tout en la remerciant, remarque l'admiration dans son regard et en ressent une fulgurante fierté. Elle est tout près de lui et son parfum l'étourdit quelque peu.

— Quand je pense à notre rencontre l'an dernier, à Trois-Rivières... évoque-t-elle. J'aurais jamais cru qu'on allait recommencer à se côtoyer un jour.

— C'est pas une déception, j'espère?

— Ben voyons!

Ils sont un peu soûls et s'observent un moment en silence. Il a soudain envie de lui demander pourquoi elle l'a laissé il y a treize ans. Ils divergeaient d'opinion sur le rôle de la culture, mais sinon, ils partageaient tant d'autres idées, ils riaient tellement et criss! qu'ils baisaient bien! Tout à coup, Lee-Ann se fait accoster assez cavalièrement par Marlène Boisjoli, une écrivaine de chez Persona, qui veut savoir si son entrevue de demain matin à la radio de Sept-Îles aura lieu durant une émission de grande écoute, sinon elle croit que ça ne vaut vraiment pas le coup. Michaël prend son verre et s'empresse de rejoindre le reste du groupe.

Début avril, lorsqu'il reçoit ses droits d'auteur, il a la surprise de constater qu'il a déjà vendu trente mille copies de son bouquin (alors qu'on lui a dit qu'au Québec, un best-seller représente cinq mille exemplaires) et le montant du chèque l'oblige à s'asseoir sur une chaise : c'est presque le double du salaire d'un jeune enseignant à temps plein qui commence une carrière au collégial. Et cela ne représente que six mois de vente, pour un seul roman ! Dans les jours qui suivent, lui et Alexandra décident non seulement de s'acheter une maison, mais de se marier dès l'été prochain. Le 30 juin, ils emménagent dans un cottage à Saint-Charles-Borromée, dans le domaine des Pionniers, quartier tranquille à dix minutes du centre-ville de Joliette. Les noces auront lieu au mois d'août.

◆

Michaël termine son second roman à la fin de juillet 2010, *Et tombent les ténèbres*, un autre thriller très noir. Il réalise que, même s'il n'est jamais facile d'écrire, la rédaction de celui-ci a été bien plus simple que le premier. Avec le succès de *Sous pression*, il se sentait en confiance. Il a trouvé de très bonnes idées pour ses scènes clés et y a vu la preuve que Wanda Moreau n'était pas indispensable. L'inspiration de la meurtrière a servi de stimulateur, certes, mais désormais il peut créer seul. Il donne donc une copie de son manuscrit à Alexandra et à son ami Denis, de même qu'à son éditeur.

Mais dix jours plus tard, le rapport d'Alexandra et de Denis le refroidit considérablement. Ils ont bien aimé, l'histoire est intéressante, c'est bien écrit… mais c'est moins original que *Sous pression* : les deux lecteurs relèvent que ça ressemble un peu trop à son premier roman, mais en moins puissant, surtout en ce qui concerne les passages violents, plus ternes et moins troublants. Mais ils insistent : c'est tout de même un thriller efficace.

Michaël est ébranlé. Surtout que son éditeur, après l'avoir lu et malgré le fait qu'il trouve le roman bon, lui demande un gros travail de réécriture. Résigné, Michaël se remet au travail pendant un mois. Wanda Moreau lui traverse l'esprit, mais il s'efforce aussitôt de l'oublier.

Alexandra et lui se marient en août, une cérémonie discrète qui est suivie d'un court voyage à Paris, sans Hubert qui passe la semaine chez ses grands-parents maternels.

Et tombent les ténèbres sort en librairie au début de novembre et se propulse rapidement au sommet des palmarès. Les critiques aiment bien, mais la plupart soulignent que l'auteur a un peu trop voulu reproduire l'effet de *Sous pression*, mais en moins percutant car moins original. Devant l'air morose de son mari, Alexandra, tout en nourrissant Hubert, nuance les choses :

— C'est un bon livre, voyons ! Et le fait que ça ressemble pas mal à ton premier livre est sans doute une erreur inconsciente d'écrivain qui a connu le succès dès le départ. Tu apprends. Tu te reprendras au prochain.

Michaël affirme qu'elle a raison, mais intérieurement sa frustration ne tarit pas. Avec ce second bouquin, il voulait se prouver qu'il pouvait accoucher d'une œuvre puissante sans coup de pouce de son ancienne élève meurtrière qui, après tout, ne l'a inspiré que pour quatre idées. Mais il semble qu'il n'a pas pu se détacher clairement de ses premières influences. C'est donc avec détermination qu'il se lance dans l'écriture d'un troisième opus.

Michaël entame la tournée des Salons du livre, où les lignes d'admirateurs devant sa table de signatures ne diminuent pas. En avril 2011, lorsqu'il reçoit son chèque de droits d'auteur, il constate qu'il a écoulé à peu près autant de copies de *Et tombent les ténèbres* que de *Sous pression* à pareille date l'an dernier, ce qui le rassure.

◆

Michaël est convaincu que son troisième livre, *Avec les Bêtes*, qui atterrit en librairie en septembre 2011, renferme toute la puissance de son premier bouquin. Mais les critiques rendent un verdict tiède. On reconnaît que cette fois, ce thriller, même s'il met encore en scène un tueur froid et apathique, raconte une histoire fort différente des deux autres, mais la qualité de l'écriture n'arrive pas à compenser la faiblesse et la mollesse de toutes les scènes qui traitent de noirceur ou de violence, ce qui est un grave problème pour un roman qui se prétend sombre et troublant. De plus, Michaël remarque avec stupeur que les files d'attente ont considérablement rapetissé, ce qui pourrait indiquer que plusieurs de ses fans ont été déçus par son second livre. D'ailleurs, *Avec les Bêtes*, même s'il apparaît dans le palmarès, ne réussit pas à se hisser au sommet. Au printemps 2012, ses droits d'auteur subissent une baisse significative. Charles veut rassurer son poulain : ça représente encore des ventes que la plupart des écrivains lui envieraient. Un soir, Michaël ose demander à Alexandra si elle trouve qu'il est moins bon qu'avant.

— C'est pas toi qui es moins bon, mon loup, c'est juste que ton meilleur bouquin, jusqu'à maintenant, c'est ton premier. Et alors ? T'en as juste trois à date ! Et l'important, c'est que tu puisses écrire les romans que toi tu aimes. C'est ce que t'as toujours soutenu, non ?

Elle l'embrasse et annonce qu'elle doit se rendre d'urgence à sa clinique. Il faut dire qu'elle et son associée Geneviève travaillent comme des dingues. Et comme Michaël et Alexandra consacrent tout leur rare temps libre à Hubert, c'est l'intimité du couple qui écope. Mais tout cela n'est sans doute que passager.

Michaël continue la tournée des Salons du livre, occasions où il voit et parle souvent avec Lee-Ann, même si parfois il sent en sa présence des chatouillements ambigus. Elle-même ne semble pas toujours indifférente à sa présence, mais peut-être se fait-il des idées.

Fin avril, Hugo Vallières sort son quatrième titre, *Le Maître rouge*, que Michaël trouve remarquable. Au Salon du livre de Québec, il note que son collègue, pour la première fois, signe une bonne trentaine de copies durant sa séance. Il le félicite et soutient que ce n'est que justice.

Michaël s'ennuie à Joliette et aimerait vivre à Montréal, plus près de la vie culturelle et des artistes qu'il fréquente de plus en plus. Mais pour Alexandra, déménager dans la métropole est impensable. Elle ne va quand même pas se taper une heure et demie de transport par jour ! Déjà qu'elle part tôt et revient tard... D'ailleurs, elle ne s'est jamais vraiment intéressée au nouveau milieu de son mari, qu'elle ne rencontre que rarement. Michaël propose de louer à Montréal un petit pied-à-terre où il pourra travailler. Écrire en ville le stimulera, il en est convaincu. De plus, s'il se rend à un cocktail, un lancement ou un événement artistique qui s'étire en soirée, il pourra aussi y dormir. Alexandra n'y voit aucun problème. Il s'étonne qu'elle accepte si vite. Lui-même s'interroge : le simple fait qu'il souhaite prendre de la distance avec la maison signifie-t-il quelque chose ? Pourtant, même s'ils ne font presque plus l'amour, même s'ils se sont éloignés, Michaël sent que sa femme l'aime encore et qu'elle croit en lui. Il loue donc un modeste deux et demi pas cher à Montréal, dans le quartier Hochelaga-Maisonneuve, où il écrit quelques jours par semaine. Il y couche à l'occasion, mais rarement.

En mai, Laurent Dubuc, le journaliste de Longueuil, contacte Michaël par courriel pour lui demander une entrevue. Ce dernier se souvient de lui : c'est le seul individu, à part Alexandra, qui a voulu savoir qui était cette W. Moreau dans les remerciements à la fin de son premier roman. Pendant une courte minute, l'auteur hésite à accepter puis s'étonne : pourquoi donc refuserait-il ? Il n'a rien à se reprocher !

La rencontre a lieu dans un café du quartier Villeray. Dubuc porte maintenant ses cheveux noirs un peu plus longs et il a toujours l'air aussi sympathique et avenant. Les vingt premières minutes ne sont qu'une suite de questions d'usage jusqu'à ce que Dubuc, en consultant ses notes, lance d'un ton négligent :

— J'ai remarqué que, dans vos deux derniers livres, vous remerciez à peu près les mêmes personnes que dans *Sous pression*, sauf cette W. Moreau qui n'y est plus.

Michaël cligne des yeux. Est-ce que ce clown revient vraiment là-dessus ? Après plus de deux ans ? Il prend le parti de ricaner et répond d'un ton condescendant :

— J'espère que vous lisez pas juste les remerciements, Laurent : les romans sont parfois intéressants, aussi.

Le journaliste glousse à son tour en croisant les jambes.

— Elle vous a aidé seulement pour votre premier bouquin ?

— Qui vous dit que c'est une femme ?

— Vous, la dernière fois qu'on s'est vus.

C'est vrai. Merde.

— Et je vous ai dit aussi que c'est quelqu'un qui souhaitait conserver l'anonymat. Donc, oui, elle m'a aidé seulement au début de ma carrière. Vous pouvez m'expliquer pourquoi cette personne vous intrigue tant ?

— Elle vous a donc donné un coup de main pour *Sous pression*, un livre que vous avez rédigé alors que vous travailliez en prison...

— Oui. Qu'est-ce que...

— Alors que Wanda Moreau est une détenue de cette prison.

Michaël soupire. Autour d'eux, les quelques clients discutent et la musique rock joue en sourdine. L'auteur songe à prendre une gorgée de son eau Perrier, renonce et répond calmement :

— Je vous ai dit que ce n'était pas elle.

— Je sais, mais des femmes qui s'appellent W. Moreau, ce n'est pas commun, surtout que vous avez enseigné à Wanda Moreau en même temps que vous écriviez *Sous pression*...

Cette fois, Michaël fronce les sourcils, et le sourire de Dubuc, tout aussi amical soit-il, se teinte des couleurs de l'orgueil.

— Oui, j'ai vérifié. J'ai appelé à l'Établissement Joliette pour expliquer que j'envisageais d'écrire un bouquin sur les femmes meurtrières du Québec, ce qui est évidemment faux, et que je voulais connaître la vie que menait Wanda Moreau en prison. On m'a dit que c'était le genre d'information qu'ils n'avaient pas le droit de dévoiler sans le consentement de la détenue. J'ai donc voulu rencontrer Moreau, mais elle a refusé, comme elle refuse toute visite depuis le début de son incarcération, semble-t-il. Mais, bon, on peut toujours trouver des gens qui travaillent sur place et qui, en échange d'un peu d'argent et d'une promesse d'anonymat, sont prêts à laisser filtrer quelques renseignements totalement inoffensifs. Par exemple, quels cours les prisonnières ont suivis et, surtout, qui les donnait…

Michaël le considère avec incrédulité, comme s'il avait devant lui un conspirationniste qui niait les attentats du 11 septembre 2001.

— Vous me faites peur, Laurent. Êtes-vous vraiment obsédé par cette idée fixe depuis deux ans ?

— Cibole, non ! Mais quand j'ai remarqué que vous ne la remerciiez pas dans les deux derniers romans… Et comme, même à l'époque, je trouvais le hasard très étonnant entre les deux noms, j'ai poussé un peu les recherches et…

— Vous voulez en venir où, là ?

— Pourquoi m'avez-vous dit que vous ne lui aviez pas enseigné ?

— Je vous ai dit que je m'en souvenais pas.

— C'est vrai, mais, bon, ça me chicotait quand même et je suis retourné dans *Sous pression*. Vous devez admettre que le premier meurtre de votre personnage principal ressemble pas mal à celui qu'a commis Wanda Moreau…

Michaël observe son interlocuteur souriant et décontracté, reluque sur la table le petit magnétophone qui enregistre leur conversation, puis croit comprendre qui est Laurent Dubuc : un modeste journaliste frustré d'un hebdo régional, qui couvre les arts, mais qui rêve d'un Watergate quelconque où il pourrait briller. Comme il cherche le scoop et le scandale minable où il peut, il risque de foutre le bordel dans des histoires qui n'en méritent pas tant. Michaël prend une gorgée de son verre.

— Je le répète : où vous allez, au juste, avec ça ?

Avec une frivolité qui dissimule mal une vague arrogance puérile, Dubuc répond :

— Je pense que lorsque vous avez réalisé que vous aviez Wanda Moreau comme étudiante, vous vous êtes rappelé le meurtre qu'elle avait commis et vous êtes sûrement retourné lire ça sur Internet. Bon, il y a des détails très précis dans votre roman que vous avez évidemment inventés, mais pour l'assassinat lui-même, vous vous êtes inspiré de celui perpétré par Moreau. Pourquoi ne pas l'admettre, ce n'est vraiment pas grave !

Ces mots rassurants devraient démontrer à Michaël que le journaliste ne représente pas une menace, qu'il n'est pas là pour lui causer des problèmes, qu'il trouve juste amusant de constater qu'un auteur est trop orgueilleux pour avouer s'être inspiré de l'actualité et qu'il ressent une certaine fierté à l'avoir découvert. Peut-être que l'écrivain a d'ailleurs été maladroit depuis le début dans cette histoire de cache-cache, mais maintenant il se sent trop enfoncé dans ses mensonges pour faire marche arrière, et, sur la défensive et tendu, il rétorque froidement :

— En effet, y a rien là, alors pourquoi cogner sur le clou ? Non, la W. Moreau de mes remerciements n'est pas Wanda Moreau. Non, je me souviens pas de l'avoir eue comme étudiante, même si c'est peut-être le cas. Mais oui, c'est possible – et je dis bien : c'est possible – qu'en écrivant mon roman, je me sois rappelé inconsciemment ce meurtre terrible dont j'avais *peut-être* entendu parler à l'époque. Mais justement, c'est banal, ça arrive à plein d'écrivains, alors, criss ! veux-tu bien me dire pourquoi tu cherches des scandales là où il y en a pas ? C'est du harcèlement, Dubuc, et si tu me laisses pas tranquille avec cette histoire ridicule, je vais me plaindre à ton journal !

Toute gaillardise s'évanouit du visage de Dubuc, qui ouvre de grands yeux ahuris.

— Mais… mais je ne cherche pas de scandale du tout, voyons, vous… Je n'avais même pas l'intention d'en parler dans l'article, c'était juste pour…

Michaël comprend enfin ce que sa paranoïa l'a empêché de saisir : Dubuc voulait mettre l'auteur en boîte, rien de plus. Il se calme aussitôt, embarrassé, et remarque que quelques clients le toisent avec curiosité. Il revient au journaliste.

— Excusez-moi, c'est… Je suis fatigué et…

Il se masse le front, prend une gorgée de son eau. Dubuc regarde son interlocuteur droit dans les yeux et cette fois, Michaël constate qu'il ne s'amuse plus, qu'il réfléchit et s'interroge réellement. Maladroit, Michaël se lève.

— Je vais y aller. Encore désolé.

Dubuc ne dit rien pendant que Michaël quitte le bistrot à toute vitesse.

Pourquoi cette panique ? Bordel, il n'a rien fait de mal, rien, alors qu'a-t-il à agir en coupable ? Il en a marre que Wanda revienne dans le décor, comme si elle en profitait pour lui rappeler qu'il n'arrive pas à produire un aussi bon roman sans son aide ! Mais il va y arriver, merde ! Il le sait ! C'est lui, l'écrivain, pas elle !

Cinq jours après, il dégotte une copie du journal où travaille Dubuc et y trouve son entrevue. Papier honnête, sans sous-entendus ni vacheries, fidèle aux réponses de Michaël. Et aucune allusion à Wanda Moreau. Michaël se sent rassuré.

◆

Avec la parution de son quatrième livre en septembre 2012, *Noir comme le sang*, la dégringolade se poursuit et les critiques relèvent les mêmes problèmes que ceux de son bouquin précédent. Michaël partage son aigreur avec son ami Denis, qu'il voit de moins en moins souvent (trois fois dans les deux dernières années), et l'avocat réplique :

— Tu m'as toujours dit qu'il fallait pas écrire pour la popularité…

— Évidemment, mais être conscient de son déclin, c'est difficile…

— Oui, mais, Michaël, la plupart des auteurs ont jamais connu la célébrité et ils écrivent quand même, parce qu'ils en ont besoin, parce qu'ils…

— Mais *moi*, j'ai connu la célébrité ! C'est pas normal, que je trouve ça tough ? C'est pas normal que ce soit dur à avaler ? J'ai été un des meilleurs et je redeviens comme tout le monde !

— T'étais un de ceux qui vendaient le plus, nuance l'avocat avec réprobation. C'est pas à toi de décider si t'étais un des meilleurs.

Michaël, gêné, se contente de boire une gorgée de bière en silence.

Parallèlement, il remarque que la popularité de Hugo Vallières et de son *Maître rouge* augmente de plus en plus. Pour la première fois, au Salon du livre de Montréal, Hugo signe beaucoup plus de romans que son collègue, et ce dernier ne peut s'empêcher de sentir la morsure de la jalousie, sentiment qu'il considère comme indigne. Un soir, il trinque avec Hugo et le félicite pour son succès grandissant. Avec un sourire amer, il lâche presque malgré lui :

— Chacun son tour, hein ?

Hugo prend un air sincèrement désolé. Il envoie ses longs cheveux derrière lui, se penche vers Michaël et murmure avec intensité :

— T'es un bon écrivain, Mike. Peu importe les ventes, doute pas de ça.

— Mais moins bon que quand j'ai publié *Sous pression*?

— C'est pas parce qu'un de nos livres vend plus que les autres qu'il est meilleur, tu le sais bien.

— Non, mais dans mon cas, c'est vrai en criss. Allez, avoue.

Hugo soupire, embarrassé, et ce soupir représente pour Michaël la plus éloquente des réponses. Mais Vallières ajoute aussitôt, en posant la main sur l'épaule de son confrère :

— Ça va revenir, Mike, crains pas. L'année prochaine, tu vas peut-être sortir ton chef-d'œuvre et moi mon pire. On peut jamais prévoir ça.

Michaël, touché, le remercie et trinque à nouveau avec lui.

Mais les encouragements de Hugo n'écartent pas l'inéluctable. En avril, Michaël reçoit comme un affront les droits d'auteur de *Noir comme le sang* : six mille copies. Avec de telles ventes, il devra retourner enseigner, ce qui le déprime au plus haut point. Mais Alexandra décrète qu'il n'en est pas question : elle gagne maintenant suffisamment d'argent pour qu'il puisse écrire à temps plein. Il rétorque que ça n'a pas de sens, mais elle insiste.

— T'es un écrivain dans l'âme, alors tu vas écrire. Si je peux t'aider à exercer ta passion, rien va m'empêcher de le faire.

Il en pleure presque de reconnaissance. Il réalise que, même si la routine du quotidien a pris le dessus dans leur couple, Alexandra l'aime toujours.

Est-ce aussi son cas ? Oui, bien sûr. Il sort à Montréal plus souvent qu'avant, y couche quatre ou cinq fois par mois dans son petit appartement, partage peu d'activités avec sa femme, mais, oui, il l'aime. Comment pourrait-il ne pas l'aimer ?

Au printemps, pendant le Salon de l'Abitibi-Témiscamingue, lui et Lee-Ann se retrouvent par hasard en tête-à-tête dans un restaurant. Il lui confie que sa fulgurante baisse de popularité en trois ans et demi est difficile à encaisser ; elle lui rappelle qu'il n'est pas le premier auteur à vivre ce genre de désillusion. Pour changer de sujet, il lui demande des nouvelles et elle lui annonce qu'elle a quitté son chum après cinq ans de vie de couple. Quand il s'enquiert des raisons, elle hausse les épaules : pas de vraies bonnes raisons. La lassitude, la répétition, la magie qui s'estompe…

— Un peu les mêmes raisons pour lesquelles tu m'as laissé, quoi, fait Michaël avec un sourire mi-figue, mi-raisin.

Elle hésite et, avec un sourire mélancolique, elle marmonne sans le regarder :

— Non… Dans ton cas, c'était bêtement la peur de l'engagement. On était si jeunes…

Elle lève la tête vers lui et il soutient son regard.

— Jeunes ou pas, tu m'avais brisé le cœur, Lee. Ça m'a pris des années à m'en remettre.

Elle opine du chef, ses yeux noirs se perdant un moment dans la brume. Elle semble sur le point de répliquer quelque chose, hésite, puis change de sujet :

— Et toi, ta vie sentimentale ? La famille ?

— Ça va. Mais la lassitude, la répétition, la magie qui s'estompe…

Il souhaitait être drôle en utilisant les mêmes termes que Lee-Ann, mais il s'en veut aussitôt d'être si dur vis-à-vis de son propre couple. La directrice commerciale approuve en silence, son regard à nouveau planté dans le sien. Mal à l'aise, Michaël annonce qu'il doit partir sinon il sera en retard à une séance de signatures. Tout en retournant au Salon, il songe qu'il devrait peut-être éviter les tête-à-tête avec Lee-Ann.

Un soir de mai, alors qu'il soupe seul à Montréal avant de se rendre à une petite fête chez un éditeur, il lit dans le journal une entrevue qu'il a accordée il y a quelques jours (cela devait bien faire six mois qu'aucun média ne s'était intéressé à lui !). Il a répondu aux questions avec assurance et autorité, comme s'il était encore le roi du thriller au Québec. Réponses que, ce soir, Michaël parcourt des yeux avec amertume, surtout lorsqu'il lit celle-ci :

« Il n'y a qu'une façon d'écrire : on crée les personnages les plus vrais possible et, ensuite, on leur obéit. »

Il froisse le journal entre ses doigts. Quand il rédigeait *Sous pression*, ce n'était pas ses personnages qu'il écoutait, mais Wanda Moreau !

Il laisse retomber ses mains sur ses cuisses et fixe son assiette à moitié pleine. Artistiquement, il doit aller ailleurs. Rester dans le roman noir, oui, car c'est un genre qu'il aime et auquel il croit, mais tenter autre chose, *vraiment* autre chose. Oublier son habituel tueur sans émotion. Arrêter de vouloir créer des scènes violentes et hyper tendues autour desquelles tout le récit s'articulera. Sortir de ce schéma qui, de toute façon, n'a jamais été totalement le sien. Et en trouver un qui lui ressemble plus. Se servir de son vécu à lui, même de manière métaphorique, au lieu d'en inventer qui sont à des années-lumière du sien... Lui qui a répété à ses élèves pendant des années qu'on écrit toujours un peu sur soi, il serait temps qu'il le démontre, non ? Même dans le roman noir, ça doit être possible.

Sans terminer son repas, il quitte le restaurant et, négligeant la fête, va s'enfermer dans son appartement montréalais.

◆

Il travaille désormais tous les jours dans son bureau de la métropole. Il ne se donne aucune pression : le livre sera prêt quand il sera prêt, point final. Il prévient Alexandra que ses redevances de droits d'auteur en avril prochain seront rachitiques puisqu'il ne publiera pas cet automne. Elle lui répète de ne pas s'en faire, qu'ils dépenseront un peu moins et que l'important, c'est qu'il puisse écrire l'esprit tranquille.

Durant l'été 2013, Michaël remarque que souvent, lorsqu'il revient à la maison, le tricycle du petit voisin traîne sur son terrain. Il en parle au père, Jean-Martin, type peu sympathique qui rétorque que c'est juste un vélo d'enfant et que c'est quand même pas si difficile à déplacer. L'écrivain insiste un peu, poli, mais Jean-Martin grogne « qu'il verra » avant de refermer sa porte. Au cours des semaines suivantes, Michaël ne constate aucun changement et chaque fois qu'il ramène le tricycle sur le terrain approprié, il s'imagine l'utiliser pour réduire en bouillie le visage de Jean-Martin. Michaël songe qu'il doit se rappeler cette rage pour la canaliser dans son roman qui se veut plus personnel. De plus, la violence y sera davantage émotive et psychologique que physique, donc tout sentiment de fureur et de haine peut être inspirant.

Le succès d'Hugo Vallières monte toujours en flèche. Son nouvel opus, *Zones troubles*, sorti il y a quelques semaines, se hisse pour la première fois à la tête des palmarès de vente. Michaël le félicite, se déclare réjoui pour lui, même si la morsure de la jalousie qui lui rongeait l'épiderme depuis quelque temps lui laboure maintenant la chair à pleines dents. Mais comme Hugo demeure modeste et sympathique, il continue d'apprécier sa présence et son amitié. Pourtant, en février 2014, Michaël est piqué par un événement plutôt anodin. Tout en roulant en voiture ce soir-là, il écoute l'émission radiophonique humoristique « La Soirée est encore jeune » à laquelle est invité Hugo Vallières. Comme toujours, l'ambiance est à la rigolade irrévérencieuse et à un moment, Fred Savard, l'un des coanimateurs, demande à l'écrivain sur un ton ironique :

— Il y a une couple d'années, le maître du roman noir, c'était Mike Walec, mais aujourd'hui, on peut clairement dire que c'est vous. Maintenant que vous avez pris sa place, allez-vous faire comme lui en devenant dans quelques années un has been ?

Tout le monde s'esclaffe dans le bar, tandis que l'animateur Jean-Philippe Wauthier lâche un « Franchement ! » faussement outré. Michaël, dans sa Spark, a un sourire forcé. Il n'est pas vraiment surpris de cette boutade, puisqu'il s'agit là du style de l'émission, mais la réaction de Hugo l'étonne :

— Vous savez, on peut jamais être sûr de rien en arts. Dans deux ans, c'est possible que plus personne parle de moi. Ça peut même vous arriver à vous aussi, messieurs.

Aucun mot pour défendre son collègue et ami, ne serait-ce que par élégance, et c'est cette indifférence qui heurte Michaël. Pour la première fois (et même si une petite voix dans sa tête lui suggère qu'il exagère un peu), le respect qu'il ressent pour Vallières est ébranlé. D'ailleurs, il en a marre de l'entendre partout, à toutes les tribunes. Une émission de radio invite même Hugo, l'été suivant, à donner son opinion sur des meurtres survenus à Kadpidi, où deux types ont été tués à coups de râteau. Michaël trouve son confrère quelque peu opportuniste de participer à des reportages si racoleurs, alors que lui-même a accepté ce genre d'invitation il y a quatre ans.

Il écrit infatigablement, améliorant son nouveau roman encore et encore, explorant des zones différentes : l'histoire d'un flic qui, tout en bossant sur une série d'assassinats, réalise qu'il a perdu son instinct d'enquêteur et tombe peu à peu dans la dépression.

◆

De l'intérieur sort en librairie début septembre 2014, quelques jours avant le quarantième anniversaire de Michaël. Alexandra, qui a lu le manuscrit, a décrété que c'était son meilleur depuis *Sous pression*. Mais il ignore si Denis l'a aimé : depuis deux ans, il a totalement perdu de vue l'avocat, ne l'a pas rappelé lorsque celui-ci laissait des messages sur son répondeur. Il ne sait pas trop comment cette séparation s'est produite. En fait, il ne fréquente plus que ses amis du milieu littéraire.

Les quelques critiques qui s'intéressent à *De l'intérieur* s'avèrent favorables : on salue l'audace d'un auteur qui tente « un autre genre de thriller que celui qu'il répétait avec plus ou moins de succès depuis quelques années ». Un roman avec moins d'action, moins de sang, un roman moins spectaculaire mais doté d'une psychologie et d'une intériorité profondes et crédibles, ce qui sied parfaitement à la belle plume littéraire de l'écrivain. Bref, il s'agit sans doute du meilleur livre de Mike Walec depuis *Sous pression*. Michaël reçoit tout cela avec une fierté qu'il ne croyait plus éprouver un jour. Hugo Vallières lui envoie un message pour le féliciter chaleureusement et Michaël, reconnaissant, en oublie l'indélicatesse de son collègue, l'hiver dernier à la radio. Alexandra, de son côté, plane de joie, même si elle est peu disponible pour le manifester.

Mais les ventes ne sont pas au rendez-vous. Le bouquin ne paraît dans aucun palmarès. Sur les blogues et les médias sociaux, les lecteurs écrivent que *De l'intérieur* est un thriller ennuyant et trop intello. Alexandra affirme que ce n'est pas grave puisque les critiques sont bonnes, mais Michaël se fâche, crie qu'elle ne sait pas de quoi elle parle et s'enferme dans son bureau, indifférent aux pleurs d'Hubert qui éclatent dans la chambre de l'enfant.

Fin septembre, par une belle journée ensoleillée, alors qu'il revient à la maison de très mauvaise humeur, il voit à nouveau le tricycle du garçon de son voisin gisant sur sa pelouse. Furieux, il attrape le vélo et le propulse à bout de bras sur l'autre terrain, où il rebondit plusieurs fois. Jean-Martin sort de chez lui, outré, et marche d'un air menaçant vers Michaël en lui demandant quelle mouche l'a piqué. Mais l'écrivain, loin d'être impressionné, effectue lui-même quelques pas vers son voisin, les poings serrés.

— Qu'est-ce qu'il y a ? T'as pas aimé que je le lance sur ton terrain ? T'aurais aimé mieux que je le garroche sur ton char ? Ou dans ta fenêtre de salon ? Hein ?

Pris de court par une telle audace, Jean-Martin s'arrête et bat des paupières. Michaël se plante devant lui, une lueur inquiétante dans l'œil.

— En fait, la prochaine fois que le tricycle de ton kid traîne chez nous, je le crisse au milieu de la rue, c'est-tu clair ?

Jean-Martin marmonne un « OK, OK, les nerfs… » et bat en retraite en affectant une attitude dédaigneuse. Michaël rentre aussi chez lui en claquant la porte.

Début octobre, Michaël entame la rédaction d'un nouveau manuscrit, mais presque par dépit. Un thriller très noir et très violent qui racontera l'histoire d'un flic fou qui oblige un petit criminel à tuer des gens sous peine de l'envoyer en prison. C'est bien beau de produire un bouquin plus personnel comme *De l'intérieur* qui plaît aux experts, mais s'il n'est pas lu, à quoi bon?

Donc tu reviens à ton bon vieux style? en espérant toujours renouer avec le succès de Sous pression*? Est-ce de la persévérance ou de l'obstination? Ou du déni?*

Il se répète que le roman qu'il commence en ce moment l'habite vraiment, que ses personnages lui *ordonnent* de l'écrire, et il réussit presque à se convaincre.

Au Salon du livre de Sherbrooke, dans un bar où il boit beaucoup d'alcool avec des collègues, il se retrouve seul à deux heures du matin avec Lee-Ann Muzhi, qui lui fait remarquer son air bourru. Pourtant, les critiques de son dernier titre sont positives, non? Tellement qu'elle a presque envie de le lire, ajoute-t-elle, moqueuse.

— Il est peut-être bon, mais au train où vont les choses, ça va sûrement être mon livre qui aura vendu le moins. Ou, au mieux, à peu près autant que *Noir comme le sang*.

— Le milieu littéraire va mal, Michaël, t'es pas le seul. J'ai proposé un projet de promo à mon boss, une sorte de showcase de nos publications de l'année que je présenterais dans chaque Salon... On commence ça au prochain, en Outaouais. Je sais pas si ça va aider, mais ça peut pas nuire...

Elle parle en rejetant vers l'arrière ses cheveux noirs dans lesquels Michaël aimait tant enfouir son visage. Le chatouillement qu'il ressent à l'estomac lui rappelle pourquoi il devait éviter de se retrouver

seul avec elle. Il lui demande si elle vit bien son cé-
libat. Elle répond que oui et que, au bout du compte,
cette situation lui convient parfaitement : être sans
attache à trente-neuf ans comporte des avantages.
Elle possède la maturité pour ne pas tomber amoureuse de n'importe qui et pour choisir des amants
sans nourrir de naïves attentes. Et comme la maternité
ne l'a jamais allumée, elle ne sent aucune pression.
À ce moment, le serveur lui apporte un martini et
elle examine le verre, surprise.

— C'est moi qui l'ai commandé pour toi, précise
Michaël en rigolant. Tu te souviens ? T'avais découvert
ce drink pendant qu'on sortait ensemble.

Tout en avalant une longue gorgée, elle considère
avec attention son ex, à la fois sérieuse et amusée.

— C'est pas dangereux, ce qu'on fait là ?

Il boit lui-même une lampée du martini.

— Tu te sens en danger ?

— Je pensais surtout à toi.

Le chatouillement dans son estomac s'accentue,
au point de descendre jusqu'à son bas-ventre.

— Inquiète-toi pas pour moi. Y a rien d'ambigu de
mon côté.

— Donc, c'est uniquement une petite parenthèse
pour se rappeler le bon vieux temps ?

— C'est ça. Parce que, justement, c'était du criss de
bon temps.

Une heure plus tard, dans la chambre d'hôtel de la
directrice commerciale, ils baisent avec une fougue
que Michaël n'a pas connue depuis longtemps. C'est
exactement comme s'ils reprenaient leur route là où
ils l'avaient quittée, sauf qu'il ne fait plus l'amour à
une jolie jeune fille de vingt ans délurée, mais à une
belle femme de presque quarante ans en parfaite
osmose avec son corps. À cinq heures du matin, alors

qu'il est sur le point de retourner dans sa chambre, il demande à Lee-Ann d'être discrète. Celle-ci, nue entre les draps, rigole en caressant doucement son ventre. Elle lui rappelle qu'il n'est pas le premier auteur à sauter la clôture et que le monde des Salons démontre beaucoup d'indulgence là-dessus. Néanmoins, elle l'assure de son silence.

La culpabilité que ressent Michaël, une fois dans son lit, est moins terrible qu'il ne l'aurait imaginé. Après tout, baiser une ex-blonde est un classique, presque un cliché. Comme si on souhaitait clore le dossier une fois pour toutes.

Sauf que tu as aimé cette ex comme un dingue.

Durant le reste du Salon, Lee-Ann agit avec lui de façon désinvolte, comme si rien ne s'était produit, ce qui le tranquillise tout à fait.

Au Salon du livre de Montréal, il signe quelques exemplaires alors qu'une file sans fin s'allonge devant la table d'Hugo, qui vient tout juste de sortir *Le Début de la fin*, un nouveau roman qui connaît un succès foudroyant. Durant ce même Salon, lui et Lee-Ann couchent à nouveau ensemble. Cette fois, Michaël éprouve une certaine crainte sur la nature de leur relation et il se sent obligé de la partager avec l'Asiatique. Elle rétorque que c'est à lui de voir. Elle ne se considère pas comme son amante : elle prend juste du bon temps quand il passe. Cette attitude lui convient et le choque en même temps : ils ont tout de même été amoureux pendant trois ans... Mais il se traite d'idiot : comme lui-même ne souhaite pas renouer avec elle, le détachement de Lee-Ann est plutôt commode. D'ailleurs, pendant les Fêtes, ils baisent dans sa garçonnière après un party littéraire auquel, comme toujours, Alexandra n'a pas participé.

Il continue d'écrire à Montréal, huit ou neuf heures par jour, mais le travail s'avère pénible. D'autant plus que le nouveau voisin d'à côté écoute du heavy métal à fond la caisse, mais comme il le fait en plein jour, Michaël hésite à appeler la police. De toute façon, la musique est un prétexte: l'écriture serait difficile même dans un silence désertique. Il complète néanmoins un premier jet en février 2015, en tire une version papier et relit le tout en deux soirées, seul dans son appartement montréalais. Quand il termine la dernière ligne de la dernière page, il lance le manuscrit à bout de bras sur le mur et se prend la tête à deux mains, les yeux brûlant de larmes corrosives qui refusent de sortir.

Il revient donc à ce tragique constat qu'il tente de nier depuis des années: Wanda n'a pas été qu'une inspiration; elle était l'un des deux ingrédients qui a fourni la puissance à son premier roman, le second étant sa plume à lui, son écriture. Il pousse un grand soupir en se passant les mains sur le visage. Qu'il a été naïf! Non, pas naïf: malhonnête! Car au fond, il le savait. Il a toujours su que le rôle de Wanda avait été essentiel. Seul, il ne pourra plus créer des livres comme *Sous pression*. Parce que… (et il gémit entre ses dents en forgeant cette pensée) parce que son talent, quoique réel, est *insuffisant* pour de tels romans noirs.

Mais il a le talent pour produire des œuvres comme *De l'intérieur*, des suspenses avec plus d'ambiance, plus lents, moins violents, plus psychologiques…

… mais qui vendent moins…

Dans le modeste salon de son appartement faiblement éclairé, le visage entre les mains, les larmes coulent enfin, mais il n'émet aucun son.

◆

Et voilà où en est Mike Walec, en ce samedi 28 février 2015, installé derrière sa petite table de signatures du Salon du livre de l'Outaouais : profondément résigné. Attitude qu'il n'arbore évidemment jamais en public. Par exemple, tout à l'heure, tandis qu'il participait à une table ronde sur « la violence en littérature » avec Hugo Vallières et un jeune auteur du nom de Damien Lafleur, il a affiché la même assurance qu'à son habitude, assurance qui frôlait par moments l'arrogance. Quand l'animateur a demandé aux trois invités s'il fallait être habité par une grande violence pour être capable de la décrire dans son œuvre, Hugo a répondu avec sa retenue coutumière :

— Peut-être, oui. Et peut-être qu'on se débarrasse de cette violence en l'écrivant.

— Pour ma part, ce n'est pas moi qui suis violent, a répliqué Michaël en croisant ses jambes avec affectation. Ce sont mes personnages.

Hugo, en observant ses doigts, a esquissé un sourire moqueur ; Michaël a même cru y déceler de l'agacement. Après la discussion, il a demandé à son collègue :

— J'ai l'impression que tu partages pas tellement ma vision des personnages...

— Bah, chaque auteur a sa conception de l'écriture, c'est pas important, a répondu Hugo sur un ton dégagé.

Et il a même appliqué une claque amicale dans le dos de Michaël, pour lui démontrer qu'il n'y avait pas de médisance, et ce dernier lui a souri.

Mais maintenant qu'il se retrouve seul derrière sa table de signatures, son expression est plus sombre, plus fermée, et il songe à la table ronde avec amertume : qui s'imagine-t-il donc berner en feignant une telle certitude, une telle fatuité ?

Il est en séance depuis quarante minutes et quatre lecteurs seulement sont venus le rencontrer. Il pense à la première version de son prochain roman (qu'il n'a fait lire à personne) et se demande avec désespoir comment il arrivera à l'améliorer, lui qui ne croit même plus à ses propres capacités. Les mains jointes sur sa table où trône un exemplaire de *De l'intérieur*, il observe d'un œil rancunier la foule qui défile devant lui sans lui prêter attention. Il voit au loin cette ridicule mascotte, Monsieur Propropre, un nouveau personnage d'albums pour enfants. La mascotte, habillée d'une salopette rouge, est affublée d'une énorme tête en plastique avec moustache et grand sourire hilare (à travers lequel on devine vaguement les yeux du pauvre type camouflé sous ce costume grotesque). Muni d'un vaporisateur et d'une guenille, Monsieur Propropre s'amuse à nettoyer tout ce qu'il croise sur son passage, y compris les gamins qui, en recevant une petite giclée d'eau, hurlent de rire avant de convaincre leurs parents d'acheter les aventures de ce monsieur si rigolo. Michaël, avec une sombre ironie, songe qu'il devrait peut-être se déguiser, lui aussi. En psychopathe ou en tueur en série, par exemple. Ce serait une première dans un Salon, non? Et ça ferait changement de tous ces clowns travestis en chevaliers ou en magiciens… Lee-Ann approuverait sans doute cette idée très marketing…

Il soupire, dégoûté par son propre cynisme, et regarde ailleurs. Au loin, une femme cherche quelque chose des yeux, puis marche vers lui. Plus elle approche, plus Michaël fronce les sourcils. Cette silhouette, cette queue-de-cheval qui bondit d'une épaule à l'autre, ce visage… L'écrivain ressent alors quelque chose qu'il ne croyait être qu'une figure de style littéraire: son sang se fige dans ses veines. Pendant une seconde, il songe à se lever et à s'éloigner rapidement, mais il est trop estomaqué pour bouger, paralysé de stupéfaction mais aussi de peur.

Je me trompe. Ce n'est pas elle. Il faut *que je me trompe.*

Mais quand elle s'arrête devant lui, il n'y a plus de doute possible. Quelques légères rides se sont dessinées sur son front et de chaque côté de sa bouche, mais Wanda Moreau a toujours le même air calme et les mêmes yeux pers qui, en ce moment, sont plutôt bleus. Elle remonte sa main droite qui tient un exemplaire de *Sous pression*, esquisse un sourire indéfinissable, et cette ambiguïté terrifie Michaël à un tel point qu'il ne peut que la fixer stupidement, les lèvres entrouvertes. L'ex-détenue le dévisage un instant puis articule d'une voix égale :

— T'es blême en câline.

Journal de Wanda

2009-2015

13 mai 2009 —   *J'ai décidé de retravailler les premières nouvelles que j'ai écrites. Je ne les ai plus, puisque je les ai laissées à Michaël, sauf la première, mais c'est pas grave : les recommencer va m'obliger à les améliorer. Dans le fond, c'est ça le but : écrire mieux. Ça ne donne rien de faire deux mille histoires si je n'apprends pas à m'améliorer.*

Je me rends compte que si quelqu'un tombait sur mon journal personnel, je serais dans le trouble en câline. J'ai donc décidé de détruire les pages au fur et à mesure. Mais peu importe : ce qui fait du bien, c'est de les écrire, pas de les lire. Ça m'aide à voir clair. C'est ça qui compte. Une fois qu'elles ont été écrits (écrits ? écrites ?), elles n'ont plus besoin d'exister.

8 juin 2009 —   *Voilà, j'ai terminé mes trois nouvelles basées sur les meurtres que j'ai faits, même si dans les histoires, je ne dis pas que c'est moi et que j'ai changé les noms, les lieux et aussi d'autres affaires pour pas qu'on fasse trop le lien. Je veux être prudente parce que j'ai l'intention de les envoyer dans des magazines. J'ai fouillé sur Internet (on n'a pas*

accès aux ordinateurs souvent et c'est hyper surveillé, mais faire des recherches sur des maisons d'édition, c'est correct) et j'ai noté une couple d'adresses. Parce que je pense que j'ai vraiment amélioré mon écriture et que mes nouvelles sont bien meilleures maintenant. C'est dommage que je n'aie pas vraiment d'amie ici à qui les faire lire. Il y a une couple de filles avec qui je m'entends pas pire, mais pas de « vraies amies ». Je n'en ai jamais eu, ni ici, ni quand j'étais libre. J'ai essayé d'en avoir au secondaire, sur la job plus tard, mais c'est pas facile. Une amie, t'es supposée la trouver intéressante. Il n'y a pas grand monde qui m'intéresse. Même les chums que j'ai eus ne m'allumaient pas vraiment. Mais il fallait bien que j'essaie.

Je me suis dit que je pourrais les faire lire à Michaël. Même s'il n'est plus mon prof, il voudrait peut-être quand même. J'ai demandé à la direction, mais on m'a dit qu'il n'enseigne plus au centre, en tout cas pour l'été. J'imagine qu'il travaille à temps plein sur son roman. J'aimais ça, lui parler. Il m'a aidée beaucoup. Et il était fin. En fait, il est à peu près la seule personne qui me procurait des émotions. Ça doit être en lien avec l'écriture.

On m'a expliqué que je pouvais envoyer mes histoires dans des magazines, mais si elles étaient publiées, je ne pourrais pas faire d'argent avec. Ça, je m'en fous en maudit. Juste être publiée, je serais super contente. La direction m'a aussi dit qu'ils les liraient avant de les poster. Hey! J'ai-tu bien fait de changer les noms et d'autres affaires du genre!

Ah, oui : j'ai eu mon équivalence de secondaire V. Tant mieux, une bonne affaire de faite.

2 août 2009 — Criss! C'est rare que je sacre, *mais là, j'ai une bonne raison! Mes nouvelles ont* été refusées dans les quatre magazines où je les ai envoyées. *Il y en a deux qui m'ont dit qu'ils ne publiaient pas de prisonniers, les deux autres m'ont dit que mes textes ne correspondaient pas aux critères de la revue. Il y en a une qui a été un peu plus précise : mes scènes de violence sont très troublantes, très vraies, mais il y a des problèmes d'écriture et de narration. La même chose que me disait Michaël. Ça veut dire que je ne me suis pas assez améliorée. J'étais vraiment déçue, ce qui m'est à peu près jamais arrivé. Tellement que hier, je me suis battue avec une fille à la cafétéria. J'étais allée m'asseoir à l'écart pour être toute seule et ravaler ma frustration toute seule, mais la grosse Boudreault s'est approchée en me disant avec son air bête habituel que j'étais assise à sa place. Je lui ai dit d'aller ailleurs et là, elle a voulu me pousser. Je lui ai cassé le nez avec mon bol de soupe. Pas parce que j'étais vraiment en maudit après elle, mais pour lui montrer qu'on ne dérangeait pas le monde quand le monde n'était pas en forme. Je ne me bats pas souvent, mais quand ça arrive, les filles comprennent qu'il faut me laisser tranquille. C'est ça l'idée.*

Mais, bon, je continue à travailler. Je vais y arriver. Mieux je vais écrire, plus que je vais sentir la vie. Et quand je vais sortir d'ici, je veux la sentir pour de vrai. Sinon, ça ne vaut pas la peine.

11 septembre 2009 — *Ça y est, Michaël a publié son roman, je l'ai vu dans le journal ! Ça s'appelle* Sous pression *et il a sorti ça sous le nom de Mike Walec. C'est sûr que c'est lui, j'ai reconnu la photo. Je me demande pourquoi il a modifié son prénom, mais c'est pas grave. Et les critiques sont super bonnes ! Je le savais, j'étais certaine que ce serait génial. Il*

faut absolument que je le lise. Je suis allée voir la bibliothécaire pour qu'elle le commande et elle a dit que ça devrait pouvoir se faire. Je suis tout énervée. C'est bizarre, comme sensation, ça ne m'arrive jamais, ou presque. Je me sentais un peu comme ça quand je tripotais des caméras ou des ordinateurs, dans mon ancienne job, mais jamais autant. Pendant une ou deux baises, aussi, j'ai trippé un peu, mais ça n'avait rien à voir avec le gars avec qui je couchais. Mon corps trippait, ma noune trippait, mais c'était juste physique. Là, c'est autre chose. Je trippe pour Michaël, parce qu'il doit tripper lui aussi.

28 septembre 2009 — *J'ai le livre ! Je l'ai pris à la bibliothèque ce matin ! J'ai tellement hâte de le lire ! En plus, il paraît qu'il en vend en masse, c'est vraiment cool !*

1er octobre 2009 — *J'ai fini* Sous pression. *Je me suis sentie bizarre. Je pense que le bon mot est « perplexe ». Depuis que je lis plus, c'est un mot que j'ai souvent vu et je pense que ça veut dire « mêlé », ou quelque chose du genre. Après la lecture, et même pendant, je me sentais de même.*

Michaël s'est inspiré de ce que je lui ai raconté, de ce que j'ai écrit. J'y ai retrouvé mes trois meurtres et la fois que (que ? où ?) j'ai torturé ma chum adolescente. Sur le coup, je n'étais pas contente et je me suis dit qu'il m'avait copiée. Mais c'est pas vraiment vrai. Je les ai relues hier, les scènes. Il a quand même changé des affaires. Et il faut bien avouer que c'est pas mal mieux écrit que moi. Donc il s'est juste inspiré, et ça, tous les auteurs le font, il l'a souvent dit. C'est comme s'il avait pris une partie de mon imaginaire, de mon vécu, mais qu'il l'avait améliorée avec son style, avec son talent. Finalement, c'est cool. Et la preuve de ça, c'est qu'à la fin, dans les remerciements, il est écrit : W. Moreau. Câline, c'est moi ! C'est certain que c'est moi ! Et j'imagine qu'il a mis juste un W. pour pas que certaines personnes fassent le lien avec moi. Ça pourrait paraître bizarre qu'un écrivain respecté remercie une tueuse, je peux comprendre ça. Mais il m'a quand même remerciée. Je suis sûre que c'est un clin d'œil qu'il m'a fait. Donc, je pense que c'est correct. Mais c'est plate que je ne sois pas là pour fêter ça avec lui.

Je me rends compte que je m'ennuie de Michaël. Jamais je me suis ennuyée de quelqu'un. Je pourrais lui écrire pour le féliciter. J'ai pas son adresse, mais je pourrais envoyer la lettre à sa maison d'édition. Mais je pense que ce serait une mauvaise idée. Sa maison d'édition trouverait bizarre qu'il reçoive une lettre d'une prisonnière incarcérée pour meurtre. Même si le monde sait qu'il a déjà travaillé ici, je ne veux pas faire exprès pour souligner le fait qu'on se connaît. Il n'aimerait peut-être pas ça. S'il n'a pas écrit mon nom au complet dans les remerciements, c'est pas pour rien. Le monde pourrait se faire toutes sortes d'idées. Je pourrais toujours écrire ma lettre comme si je ne le connaissais pas du tout et que j'avais juste aimé son livre en prison, mais je veux pas prendre de chance, ça vaut pas la peine. Quand je vais sortir, j'irai le voir dans un Salon du livre pour le féliciter et pour qu'on parle de littérature. Et ça va peut-être arriver bientôt : en janvier, ça fera dix ans que je suis ici et je vais pouvoir passer devant le conseil de libération conditionnelle.

10 octobre 2009 —   *J'ai lu plusieurs entrevues de Michaël dans les journaux. Il est partout. Il est tellement brillant dans ses réponses ! Par contre, je trouve bizarre quand il dit qu'il est à l'écoute de ses personnages. Dans ses scènes de meurtres, il a été inspiré par mes nouvelles, alors je ne vois pas en quoi il écoutait ses personnages... Mais peut-être qu'il veut dire qu'il les écoute pour le reste de l'histoire, pour la narration. Oui, c'est sûrement ça.*

Mais il a raison de dire qu'il n'a pas à se sentir coupable d'écrire des affaires si violentes et que les artistes sont au-dessus de la morale. Déjà, à l'époque où il m'enseignait, il pensait comme ça : je me rappelle que pendant que je lui racontais mes meurtres, je lui avais dit que je lui faisais confiance parce que les artistes ne jugent pas et ne voient pas le bien et le mal de la même manière que le monde ordinaire. Et il m'avait dit que c'était vrai. Avant même de publier, il était un véritable auteur. Et déjà, moi, je le comprenais.

22 octobre 2009 —   *J'ai retravaillé mes nouvelles. Je ne vois pas comment je pourrais faire mieux. J'ai relu le roman de Michaël pour bien assimiler (c'est-tu le bon mot ?) son style et sa narration. Je pense que ça va marcher, cette fois. J'ai donc renvoyé tout ça à des revues, sauf aux deux qui m'ont dit qu'elles ne publiaient pas de prisonnières.*

J'attends...

24 novembre 2009 —   *Refusées. Toutes les quatre. Toujours pour les mêmes raisons.*

Je me sens bouleversée. Pas juste dans le sens de triste : depuis que je lis plus, je me suis rendu compte qu'on pouvait employer ce mot-là quand on est très fucké émotivement. C'est exactement de même que je feele. Parce que je suis en train de réaliser que je ne serai jamais une écrivain (écrivain ou écrivaine ? C'est fourrant, ça). Écrire pour moi-même, c'est génial, ça aide à vivre. Mais publier, je suis convaincue que c'est mieux. Publier, c'est la preuve que ce que tu vis est vrai. Je ne sais pas trop comment expliquer ça.

Mais comme Michaël me l'a déjà dit, on peut écrire sans publier. Je pourrais toujours faire des nouvelles juste pour moi, juste pour sentir la pulsion de la vie. En me basant sur d'autres événements qui me sont arrivés. Les meurtres que j'ai commis sont les plus spectaculaires, c'est sûr, mais je commence à être tannée de les réécrire. Je ne sens plus grand-chose à les retravailler. Je peux trouver d'autres sources d'inspiration. Oui, c'est ça que je vais faire.

23 janvier 2010 — *Le comité de libération conditionnelle a décidé que je n'étais pas prête à sortir. Pourtant, j'ai été calme, je leur ai dit que je regrettais d'avoir tué mon ex. C'est pas vrai, mais je l'ai dit quand même. En fait, ça ne me fait pas un pli. Mais peut-être que j'ai eu l'air trop indifférente, justement, même si je disais que je le regrettais. Peut-être que mes paroles et mon attitude ne matchaient pas. En plus, ils m'ont rappelé que je m'étais battue sept fois depuis mon incarcération, dont trois fois où j'ai envoyé la fille à l'infirmerie. Ça, c'est sûr que c'est vrai.*

Encore cinq ans ici avant d'avoir le droit de faire une autre demande de libération conditionnelle. C'est quand même poche. Quand je me suis fait prendre pour l'assassinat de mon ex (j'ai été moins prudente que mes deux autres meurtres et j'ai laissé une couple d'indices), l'idée d'aller en prison m'achalait pas trop : j'avais l'impression de ne pas vraiment faire partie de la vie normale de toute façon. Peut-être que la vie de détenue me toucherait un peu plus. Mais après dix ans, je me rends compte que ce n'est pas vraiment le cas. C'est même pire parce que le type d'expériences qu'on peut vivre en prison est pas mal limité.

Je vais donc continuer à écrire pendant cinq ans. Et j'imagine que Michaël va publier d'autres romans. J'ai hâte de les lire.

8 mars 2010 —   *J'ai essayé de me baser sur d'autres événements de ma vie, mais ça ne marche pas fort. Écrire sur mes ex, mes baises, mon premier joint, c'est un peu plate. J'ai même essayé d'écrire une nouvelle sur ma dernière job, quand je travaillais dans le magasin d'électronique, le seul emploi que j'ai un peu aimé. Mais ce n'est pas vraiment excitant. Je le sais que je pourrais écrire des histoires que j'inventerais complètement, mais ça m'inspire pas du tout.*

Pourquoi ce sont mes meurtres qui m'inspirent le plus ? Peut-être parce que l'extrême sensation que j'aurais dû sentir en les accomplissant, je la ressens finalement quand je les écris ? C'est compliqué, je ne suis pas sûre de bien comprendre. Mais juste écrire toutes mes pensées dans ce Journal, ça m'aide.

Mais ça ne règle pas mon problème que (que ? qui est que ?) plus rien ne m'inspire. Et ça, c'est vraiment poche.

24 novembre 2010 —   *Je viens de terminer le second roman de Michaël,* Et tombent les ténèbres. *Quelque chose ne marche pas dans ce livre. En plus, ça ressemble*

pas mal à son premier livre, mais en moins bon. Je pensais que c'était peut-être moi qui se (se? me?) trompais, je ne suis tellement pas une spécialiste. Mais j'ai lu des critiques qui disent la même affaire. En entrevue, Michaël répète toujours qu'il écoute ses personnages. Mais là, j'ai l'impression que ce que ses personnages lui ont dit n'était pas si bon que ça. En tout cas, pas aussi bon que ce que les miens lui racontaient.

Oui, je le sais, ç'a l'air prétentieux, mais les faits sont là : son livre est moins bon parce qu'il n'a pas trouvé d'inspiration aussi forte comme (comme? que?) que mes histoires. En fait, c'est pas tout à fait ça : comme personne d'autre lui a avoué de meurtres, il a fallu qu'il invente complètement ses scènes. Et ça marche moins bien.

Est-ce que ça veut dire que si on ne se base pas sur la réalité, ce qu'on écrit est automatiquement moins bon? Peut-être. Mais Michaël disait toujours qu'on parlait de nous dans tout ce qu'on écrivait, même inconsciemment. Je ne vois pas en quoi Et tombent les ténèbres *parle de lui. Ce n'était pas le cas pour son premier roman non plus, et pourtant c'était quand même super bon. En fait,* Sous pression *parlait de moi.*

Peut-être que le prochain livre de Michaël va être meilleur. Peut-être qu'il sera plus personnel. Je lui le (lui le? le lui?) souhaite.

12 février 2011 —   À midi, Sandra Nadeau m'a fait chier en passant devant moi dans la file de la cafétéria. J'ai failli la prendre par les cheveux pour lui casser les dents sur le plancher, mais je me suis retenue. Je veux être le plus sage possible jusqu'en

janvier 2015. Si j'ai un dossier parfait, j'ai plus de chances qu'on me laisse sortir. De toute façon, ce n'est pas bien dur de me retenir : quand je suis violente, d'habitude, c'est pour voir si je vais ressentir quelque chose. Maintenant, je le sais que je ne ressens presque rien quand je le suis.

Ça me donne une idée, ça... Je pourrais écrire sur les sept fois où je me suis battue depuis que je suis prisonnière ici. Pas bête. Je vais essayer ça.

6 octobre 2011 — *Je viens de finir le troisième roman de Michaël,* Avec les Bêtes. *Là, c'est une histoire vraiment différente de* Sous pression, *mais... Je sais pas, c'est bien écrit et tout, mais je n'ai pas senti grand-chose, l'horreur et la tension ne marchent pas vraiment, c'est pas mal straight. Est-ce que ça veut dire que tant qu'il inventera tout, sans se fier à sa réalité ou à celle de quelqu'un d'autre, il ne pourra pas redevenir aussi bon qu'au début ? Pourtant, il y a des auteurs de science-fiction qui sont excellents et ils inventent tout. Le gars qui a publié* La Planète des Singes, *je ne peux pas croire qu'il s'est basé sur sa vraie vie ! Mais peut-être de façon indirecte. Je le sais pas, en fait.*

Si je me fie aux critiques et à sa position dans les palmarès, je ne suis pas la seule à trouver ça moins bon. C'est triste en câline. Pauvre lui. J'espère qu'il est bien entouré. J'ai super envie de lui écrire, mais je me retiens. J'aimerais tellement ça l'aider.

3 janvier 2012 — *Bon, petit bilan. En un an, j'ai fait sept nouvelles inspirées de mes batailles en prison. J'avoue que c'était plus intéressant que d'écrire sur ma job, mes chums et mon quotidien ordinaire.*

Pas aussi vivifiant, pas aussi intense que quand je me servais de mes meurtres, mais quand même. Et écrire sur des événements que j'inventerais totalement ne m'inspire toujours pas, je ne sais pas pourquoi.

Sauf qu'après avoir travaillé, retravaillé et retravaillé encore mes nouvelles, je me rends encore plus compte que mon talent d'écrivain (écrivaine ? Câline, faudrait que je m'informe !) n'est vraiment pas fort. On dirait « limité », je pense. Ça me fait du bien à moi, mais si je pouvais partager ça avec d'autres lecteurs, ça augmenterait encore plus en moi la sensation que l'écriture me procure.

Je suis pas une auteure, faut que je l'admette une fois pour toutes. En fait, le plus proche que j'ai été de l'être, c'est quand mes histoires ont inspiré Michaël. C'est drôle, mais le fait que son premier roman ait atteint tant de lecteurs m'a remplie d'une satisfaction hyper intense. Comme si c'était aussi un peu moi qu'ils lisaient.

Un peu comme si on avait fait un travail d'équipe, Michaël et moi.

J'aime beaucoup cette idée-là. Mon vécu qui sert à quelqu'un d'autre. Ma vie qui sert à créer de la vie dans la fiction d'un autre.

Cette pensée-là me plaisait tellement que je suis devenue tout excitée. Je suis allée rechercher Sous pression *à la bibliothèque et je suis revenue avec dans ma cellule. Je me suis frotté la noune avec l'arrière du bouquin, là où il y a la photo de Michaël. Je me suis frottée jusqu'à ce que je vienne.*

Ça m'arrive de me masturber de temps en temps, pour combler une pulsion physique, mais jouir avec son collègue d'écriture, c'est vraiment plus fort.

27 avril 2012 —   *Hier, un journaliste a voulu me rencontrer. Pendant les premiers mois de mon incarcération, ça arrivait de temps en temps, mais j'ai toujours dit non. Je voyais pas l'intérêt de leur parler. La demande d'hier m'a surprise (surprise ? surpris ?) parce que ça faisait des années que personne de l'extérieur avait voulu me voir. Mais j'ai dit non quand même. Raconter le meurtre de mon ex, ça me tente pas pantoute. Surtout depuis que je l'ai écrit et que Michaël s'en est inspiré de manière si forte.*

12 octobre 2012 —   *J'ai fini de lire le quatrième livre de Michaël,* Noir comme le sang. *Il s'acharne et ça ne marche pas pantoute. Il essaie d'inventer des nouvelles histoires, de faire de la violence et de la tension de toutes sortes de manières, mais c'est juste… c'est quoi le mot, déjà ? Fade, je pense. C'est ça. Comme un beau gâteau bien fait mais qui ne goûte rien. Et son personnage de tueur est toujours identique, un homme pas d'émotion. Pareil comme moi, en fait. C'est weird. J'ai découvert les émotions en écrivant et Michaël persiste à écrire un personnage sans émotion.*

4 décembre 2013 —   *C'est la première fois depuis 2009 que Michaël ne sort rien. Peut-être qu'il va le publier cet hiver, qu'il est plus long à rédiger parce qu'il travaille hyper fort. Peut-être aussi qu'il a abandonné l'écriture. Il doit être tanné que ses livres marchent de moins en moins. Sauf qu'il n'est pas le genre à s'intéresser juste au succès. En tout cas, me semble. Peut-être qu'il a juste abandonné parce qu'il sent qu'il ne pourra jamais redevenir aussi bon qu'il l'était au début.*

Parce qu'au début, on était des partners! On était une équipe! Il doit s'en rendre compte, lui aussi. Je suis sûre qu'il souhaiterait qu'on travaille encore en équipe. Ah, Michaël, j'aimerais tellement ça, moi aussi! J'ai hâte dans un an! Je ne me suis pas battue une seule fois depuis quatre ans, j'ai rejoint le groupe poche de pastorale, je rends service à tout le monde, je suis même une thérapie totalement poche, je me force vraiment pour avoir l'air de la bonne fille repentante. Je pense que ça va marcher et que je vais pouvoir sortir au prochain comité de libération conditionnelle.

*

20 octobre 2014 — *J'ai fini le nouveau roman de Michaël,* De l'intérieur. *Ça m'a prise au dépourvu. C'est un thriller, mais l'histoire est spéciale, plus lente. Et il n'y a pas vraiment de violence. Je veux dire: il y a des meurtres, mais ils ne sont pas vraiment décrits, on en entend juste parler, c'est bizarre. Comme s'il avait décidé de ne plus écrire de scènes violentes parce que ça ne donnait rien, parce qu'il n'était pas assez bon et qu'il avait fini par l'accepter. Mais est-ce une bonne affaire? Est-ce qu'il a pris cette décision de façon positive ou par abandon?*

Dans les journaux, les critiques sont bonnes, mais le livre n'a pas l'air à vendre beaucoup. Sûrement parce que les lecteurs ne comprennent pas. Ils doivent se demander pourquoi il a abandonné.

Moi, je le sais, pourquoi. Et ça peut s'arranger. Il faut juste que je sorte d'ici.

Dans trois mois. Je croise les doigts.

*

26 janvier 2015 —   *Ça y est, je vais sortir. Le comité a approuvé ma libération conditionnelle, ils ont
cru que j'étais vraiment réhabilitée. Dans quatre jours,
je suis libre. Devant le comité, j'ai vraiment montré
que j'avais changé, que j'avais compris, j'ai même
pleuré! Ç'a été difficile de jouer l'émotive. Mais il
faut croire que ç'a marché. Ils ont dit que mon dossier
était implacable (ou impeccable?) depuis cinq ans et
mon comportement exemplaire.*

*Donc, libre dans quatre jours. Je vais devoir chercher
un logement. Et pas question de retourner à Mont-
Laurier. Ça va coûter cher, mais comme je ne dépensais
presque rien dans mon ancienne vie, j'ai un peu
d'économies. Je devrais donc m'en sortir le temps
qu'un boss accepte d'engager une ex-prisonnière.*

*Tout à l'heure, j'ai fouillé dans plusieurs journaux et
j'ai fini par trouver ce que je voulais: le prochain
Salon du livre est en Outaouais, à Gatineau, à la fin
de février. Comme Michaël a publié un nouveau
roman, il va sûrement être là.*

Je vais lui faire une grosse surprise.

MWWM

6

— T'es blême en câline.

Michaël s'humecte les lèvres, se demande pendant une affreuse seconde quelle serait la meilleure réaction à adopter.

— C'est parce que tu t'attendais pas à ça, hein ? observe l'ex-détenue.

— Wanda, c'est… T'es…

— Ça fait une heure que je veux venir te voir pis que j'hésite. J'étais tellement nerveuse !

— Mais qu'est-ce que… Tu n'es plus… ?

— J'ai eu ma liberté conditionnelle le mois passé. C'est cool, hein ?

Finalement, il opte pour un sourire ravi qu'il arbore avec un peu trop d'exagération.

— C'est génial ! Vraiment ! Félicitations !

Félicitations ! Il félicite cette femme pour sa sortie de prison alors qu'elle a commis deux meurtres pour lesquels elle n'a pas été inculpée ! Le visage normalement sobre de Wanda rougit de satisfaction. Michaël jette un œil vers Benoît, l'exposant qui s'occupe du stand de Parallèle. Les mains dans le dos, le jeune homme observe avec une discrète curiosité la nouvelle venue. Celle-ci montre à nouveau son exemplaire de *Sous pression*.

— Comme promis, je l'ai lu aussitôt qu'on l'a reçu au pénitencier.

Michaël retient son souffle. C'est le moment qu'il a toujours redouté, tout en se convainquant que ce face-à-face n'arriverait sans doute jamais et qu'au pire, s'il se produisait, Wanda serait en colère ou déçue, sans plus, mais qu'elle n'allait tout de même pas le zigouiller pour ça ! Mais maintenant qu'elle se tient devant lui, il songe qu'il a peut-être sous-estimé le pire.

L'ex-détenue esquisse un sourire admiratif.

— C'est bon en câline. Vraiment, vraiment bon.

L'écrivain expire et cette fois, son sourire est sincère.

— Ah, ben… merci ! Merci beaucoup !

— Pis j'ai bien apprécié le clin d'œil à la fin.

Elle parle du remerciement, bien sûr. Manifestement, elle a réagi comme Michaël le souhaitait. De toute façon, elle aurait eu tort de se comporter autrement. Candide, Wanda poursuit :

— Parce qu'effectivement j'ai bien vu que tu…

L'auteur craint soudain qu'elle en révèle trop devant Benoît et il s'empresse de la couper :

— Écoute, je peux pas trop jaser en ce moment…

— C'est vrai, je comprends. Je veux pas te déranger.

Le déranger ! Alors qu'il a le temps de piquer un somme entre chaque signature ! Wanda tend son livre, un rien fébrile. Ses yeux pers tirent sur le bleu aujourd'hui.

— Évidemment, tu vas me le dédicacer, hein ?

Michaël fixe le bouquin de longues secondes sur sa table, pris au dépourvu. Il ne peut pas signer n'importe quoi, elle s'attend naturellement à quelque chose de particulier.

Fais-lui plaisir. Après, elle partira.

Il ouvre lentement le roman, approche la pointe du stylo de la page de garde… et enfin écrit :

Pour Wanda, à qui j'ai enseigné, mais qui,
elle aussi, m'a enseigné à sa manière.
Amicalement, Mike Walec.

Voilà, c'est parfait. Pour un quidam qui le lirait par hasard, ce petit mot peut signifier n'importe quoi (par exemple, que Wanda lui a enseigné qu'on doit se débarrasser de tous nos préjugés sur les prisonniers, ou un truc du genre), mais pour l'ex-détenue, il insinuera exactement ce qu'elle souhaite : qu'elle a été une inspiration pour lui. Il lui tend le livre avec un sourire qu'il veut reconnaissant. Elle prend connaissance de la dédicace, rougit à nouveau et contemple Michaël, émue.

— Merci, Michaël…

Il dit que ce n'est rien, fier de lui, convaincu qu'il s'en sort plutôt bien, qu'elle partira tout heureuse et qu'il n'aura plus de nouvelles d'elle. Il sent donc un souffle glacial le fouetter quand elle se penche et demande :

— On pourrait se voir après ta séance de signatures ? Qu'on se parle un peu ?

— Eh bien…

La cervelle lui tourne comme une toupie.

— Oui, bien sûr. Je finis dans une heure. Viens me rejoindre ici, d'accord ?

Elle lève le pouce. Comme lorsqu'elle était en prison, elle est habillée simplement : jeans et gilet ample. Mais elle est légèrement maquillée et elle dégage une énergie différente, elle qui avant ne dégageait à peu près rien, et cela la rend plus jolie même si elle a vieilli de six ans.

— OK, à plus !

Et elle s'éloigne d'un pas guilleret. Benoît, amusé, s'approche de Michaël.

— Tu veux te débarrasser d'elle, hein ?

— Pourquoi tu dis ça ?

— Tu finis dans quinze minutes, pas dans une heure.

Michaël hausse une épaule. Benoît reprend :

— C'est qui, cette femme ? Une ancienne prisonnière ? Elle a dit qu'elle avait eu sa liberté conditionnelle le mois passé…

— Ouais, je lui ai enseigné dans le temps que j'étais prof en prison.

— Et c'est quoi, le clin d'œil que tu lui fais à la fin du livre ?

Foutu Benoît qui écoute tout ! Michaël tricote une explication vague : il s'est inspiré d'elle pour un personnage qui a une courte apparition dans le bouquin.

— Benoît, rends-moi service. C'est le type de fille qui peut s'accrocher, tu vois le genre ? Quand elle reviendra dans une heure, tu lui raconteras qu'un journaliste est venu me chercher pour une entrevue de dernière minute ou…

Benoît lui dit de ne pas s'inquiéter, il a l'habitude.

Quinze minutes plus tard, Michaël quitte le stand et traverse le Salon, songeur. Une voix forte l'interpelle tout à coup :

— Eh, vous !

Il se retourne. Dans un tout petit stand, un homme maigre dans la cinquantaine avancée, aux cheveux blancs hirsutes, lui fait signe d'approcher. Michaël s'exécute, méfiant, et le gars prend un air grave.

— Vous visitez souvent des Salons du livre ?

L'écrivain émet un bref ricanement sec.

— Assez souvent, oui.

— Alors, vous avez dû remarquer qu'au cours des années les Salons se sont transformés en foires davantage préoccupées par l'argent et le spectacle que par la littérature.

Michaël reluque le mince bouquin sur la table : *Les Vendeurs du Temple*, par Jérémie Marineau. Michaël replace alors le type : c'est un ancien directeur littéraire qui, depuis six mois, loue un stand à lui tout seul dans les Salons afin de promouvoir un court essai qu'il a publié à compte d'auteur, un pamphlet dans lequel il dénonce ce qu'est devenue l'industrie du livre.

— C'est drôle, commente Michaël avec un sourire narquois. J'ai une amie qui travaille pour les éditions Persona et qui trouve que, au contraire, le milieu est pas encore assez commercial…

— Vraiment ? N'a-t-elle pas remarqué qu'on ne peut plus marcher dans les allées sans s'enfarger dans un auteur déguisé en personnage grotesque ? Et le fait que les éditeurs s'intéressent davantage aux vedettes de la télé qui se prennent pour des écrivains qu'aux vrais auteurs eux-mêmes, ce n'est pas bassement commercial, ça, peut-être ?

Là-dessus, il n'a pas tout à fait tort, mais la voix dramatique qu'il adopte, sa bouche grimaçante et ses yeux écarquillés comme s'il annonçait la fin du monde paraissent un peu trop intenses au goût de Michaël, qui se rappelle que ce Marineau, depuis son arrivée dans les Salons, jouit d'une réputation d'excentrique vaguement dingue.

— Oui, c'est vrai, mais il y a encore de bons écrivains, heureusement. Allez, au rev…

— Mais les bons écrivains sont noyés dans la masse des pharisiens qui promeuvent les messies-vedettes qui *prétendent* écrire ! Parce qu'on sait bien que ce sont

des *ghostwriters* qui les ont pondus ! Je n'exagère pas !
Si vous achetez mon livre, vous comprendrez comment
fonctionne le milieu littéraire. Moi, je suis là pour
éclairer les crédules.

— Je suis auteur, monsieur Marineau, alors je pense
connaître un peu le milieu. Au revo...

— Auteur ? Votre nom ?

Michaël soupire.

— Mike Walec.

Le regard fou de Marineau s'emplit d'un mépris
furieux et il pointe un doigt sentencieux vers son
interlocuteur.

— Ah, oui ! Un autre vendeur du temple qui écrit de
la paralittérature mercantile et qui chie un bouquin par
année comme on fabrique des plats Tupperware !

Michaël en demeure bouche bée, puis se fâche.

— Ben oui ! Tellement mercantile que je vends de
moins en moins de romans ! Je l'ai, le sens de la
business, hein ? Vous, évidemment, en harcelant les
gens pour les inciter à acheter votre pamphlet, vous
êtes pas mercantile du tout ! Vous êtes pur !

— Je répands la Vérité ! Je dissipe l'Obscurité !
Parce qu'il faut réagir avant que le milieu du livre
devienne la nouvelle Babylone !

Excédé, Michaël a un geste las de la main et
s'éloigne rapidement, poursuivi par les invectives du
prophète de malheur. Bon Dieu ! D'abord Wanda,
puis ce guignol ! Il a vraiment besoin d'un verre !

Il traverse l'interminable labyrinthe de passages
intérieurs vitrés qui enjambent les rues de Gatineau
sur près de quatre cents mètres avant d'atteindre le
Four Seasons, l'hôtel officiel du Salon. Là, il va directement au bar qui, à seize heures, est presque désert.
Au zinc, il commande une bière et prend une longue
gorgée. Jamais il n'aurait cru que Wanda jouirait d'une

libération conditionnelle si vite. Si la police savait tout ce qu'elle a fait...

Et si la police savait tout ce que tu sais...

Stéphane Dompierre, qui vient s'asseoir à ses côtés, le tire de ses pensées. Pendant une quinzaine de minutes, les deux collègues discutent de choses et d'autres jusqu'à ce que Dompierre demande à Michaël s'il a envie de se joindre au second collectif de nouvelles érotiques qu'il est en train de préparer.

— Une nouvelle érotique, moi? Je sais pas si j'y arriverais. Mais j'avoue que le défi est...

— You-hou!

Michaël tourne la tête et cesse de respirer: Wanda s'approche de lui, contente de le trouver.

— Je suis repassée devant ton stand plus tôt que prévu pis j'ai vu que t'étais plus là. Le responsable m'a dit que t'avais une entrevue de dernière minute. C'est-tu ça que t'es en train de faire en ce moment? Est-ce que je dérange?

— Pas du tout, fait Dompierre. Je suis pas journaliste, je suis écrivain. Stéphane.

— Ah, OK. Moi, c'est Wanda.

— Auteure aussi?

— Moi? Câline, non! Je suis...

Cherchant une réponse, elle fronce les sourcils et gonfle les joues et Michaël, en retrouvant cette expression étrangement enfantine qu'elle affectait déjà il y a six ans, est traversé d'un intense malaise.

— ... une amie de Michaël.

Celui-ci, en entendant le mot « amie », sent une crampe lui tordre le ventre.

— Ah, si tu connais son vrai prénom, tu dois être une amie pour vrai, commente Dompierre avec ironie, lui qui s'est toujours moqué du diminutif que son collègue s'entête à apposer sur ses livres.

— Comment t'as su que j'étais ici? demande enfin Michaël d'une voix un peu plus sèche qu'il ne l'aurait voulu.

— J'ai pris une chance. J'imagine que ça fait partie de la vie des Salons, ça: se rencontrer au bar de l'hôtel pis jaser littérature…

— Assis-toi avec nous et tu vas le découvrir, propose Dompierre en lui indiquant une chaise.

Michaël le dévisage, mais Wanda précise:

— En fait, j'aurais besoin de parler à Michaël en tête-à-tête…

— Pas de problème. De toute façon, je suis en signatures dans quinze minutes.

Juste avant de s'éloigner vers la sortie, Dompierre lance un regard entendu vers son confrère, qui se renfrogne: Stéphane est sans doute en train de se faire des idées. Enfin, Michaël se tourne vers l'ex-détenue, en éprouvant beaucoup de difficulté à camoufler son profond agacement.

— Écoute, Wanda, je veux pas être désagréable, mais ton intervention était pas mal intrusive…

— Pas mal quoi?

La barmaid s'approche et Wanda commande un Bloody Mary.

— T'as pas de restriction sur l'alcool? s'étonne Michaël. Par rapport à ta conditionnelle…

— Non, vu que j'ai jamais eu de problème avec l'alcool. Faut juste pas que je me soûle, ce qui m'arrive jamais anyway. Pis, ton entrevue, ça s'est bien passé?

Michaël s'oblige au calme et à la complaisance: elle a été son élève, il lui a fait découvrir l'écriture, elle est libérée depuis peu et elle est contente de lui dire bonjour en tête-à-tête. Pourquoi ne pas prendre quelques minutes pour discuter? Ensuite, elle partira, comblée, et sortira de sa vie.

— Oui, c'était une entrevue très rapide, genre cinq questions à différents auteurs du Salon... Et toi, tu... heu... tu es heureuse de réintégrer la société ?

— Oui, oui. Je me suis loué un petit appartement à Montréal...

Pourquoi Montréal ? Elle ne vient pas de Mont-Laurier, elle ? Elle ajoute :

— Avec les économies que j'avais avant d'entrer en prison, je me suis acheté une vieille minoune. Il a fallu que je repasse mes tests pratiques et théoriques pour renouveler mon permis. Mais j'ai tout réussi, juste à temps pour venir te voir ici.

Il s'efforce de sourire.

— Pis j'ai même trouvé une job la semaine dernière. Ç'a pas été facile, je pense que j'ai rempli soixante-dix demandes d'emploi ! Y a pas beaucoup de monde qui sont prêts à engager une ex-détenue.

— J'imagine. C'est quoi, ton travail ?

— Dans un magasin d'électronique, Électro Garnier. Ils vendent du stock usagé pis ils font de la réparation. Au début, quand monsieur Garnier a vu que je sortais de prison, il a hésité. Je lui ai dit que j'avais réussi mon équivalence de secondaire V pendant ma détention, mais il branlait quand même dans le manche. Je lui ai demandé de me montrer un des appareils en réparation qu'il avait. Il m'a montré une caméra vidéo, je l'ai examinée cinq minutes, j'ai trouvé le problème pis je lui ai dit c'était quoi la solution pour la remettre en état. Il a dit que c'était exactement ça, il avait l'air ben impressionné pis il m'a engagée. Il m'a même vendu un vieil ordinateur vraiment pas cher.

— T'as appris ça où, l'électronique ?

— Dans ma famille. C'est une des seules affaires qui me faisait tripper, d'ailleurs. Mon frère travaillait là-dedans. Là, on ne se parle plus, mais... Anyway, je le regardais faire pis j'apprenais toute seule, je suis une autocrate.

— Autodidacte.

— Oui, c'est ça. Avant d'être arrêtée, je travaillais aussi dans un magasin d'électronique. J'étais la meilleure de la place.

Elle affirme cela sans orgueil, le visage totalement neutre. Tandis que la serveuse lui donne sa consommation, Michaël hoche la tête, en songeant à une manière de mettre poliment fin à cette conversation.

— Eh bien, je suis vraiment content que tu t'en sortes bien.

— Ouais... Mais toi, ça va moins bien, hein?

Il demeure la bouche ouverte quelques secondes, sincèrement dérouté.

— Comment ça?

— J'ai hésité avant de venir t'en parler, ça peut avoir l'air effronté... Mais toi pis moi, on est assez proches pour se dire les vraies affaires...

— Proches? Voyons, Wanda...

Elle penche le torse vers lui.

— Ton premier roman était super bon, mais les autres, pas mal moins... Pis on sait tous les deux pourquoi.

Il ne réplique rien, soufflé par cette audace. Elle ajoute:

— Parce que j'étais pas là.

Et elle boit une gorgée de son Bloody Mary en hochant la tête de manière entendue et enfantine, tandis que Michaël sent une grande chaleur lui parcourir tout l'intérieur. Il examine rapidement les alentours: près d'eux, deux clients discutent au bar et la barmaid n'est jamais très loin. Il se lève en prenant son verre et, à contrecœur, lance:

— On va s'installer à une table.

Tous deux s'assoient plus loin ; Michaël croise les bras sur la table et se penche vers elle, l'air grave.

— Wanda, faut mettre les choses au clair : tu m'as pas aidé à écrire *Sous pression*. Tes histoires m'ont inspiré pour quelques scènes, c'est bien différent...

— Oui, évidemment, mais c'est une aide quand même. Pis j'étais bien contente de voir que j'avais été ta source d'inspiration, j'étais même fière. En plus, t'as mis mon nom dans les remerciements. Bon, t'as pas mis mon prénom, mais je comprends pourquoi : tu veux pas que les gens apprennent que t'as collaboré avec une criminelle...

Michaël commence à s'agiter et lève une main sévère.

— On a jamais collaboré, Wanda, attention, là !

— Pourquoi tes autres livres sont moins bons, d'abord ?

— Ils vendent moins ! Ça veut pas dire que...

— Ils sont moins bons, Michaël. Les lecteurs le disent, les critiques le disent, moi je le dis pis je suis sûre que tu le sais toi aussi.

Aucune agression ou mépris dans sa voix, ce qui rend sa franchise plus déroutante. Michaël serre les dents, cherche une réponse cinglante à lui lancer, mais elle ajoute :

— Bon, il y a *De l'intérieur* que les critiques ont ben aimé, mais le monde a pas suivi. Mais moi, je suis certaine que tu rêverais de faire un retour à un roman du genre de *Sous pression*. J'ai raison, hein ? D'ailleurs, tu travailles sur quoi en ce moment ?

Michaël opte pour un ricanement qu'il espère hautain, mais qui dissimule à moitié son malaise.

— Écoute, Wanda, je sais pas trop comment te dire ça... Tu m'as... Oui, tu m'as *aidé*, c'est vrai, mais je te trouve bien présomptueuse de...

— Bien quoi?

— Orgueilleuse… Je te trouve bien orgueilleuse de…

— Moi aussi, je me trouvais pas mal orgueilleuse, je t'avoue, pis en m'en venant te voir, tantôt, je me demandais si j'étais dans le champ… Mais avec ce que tu m'as écrit tout à l'heure dans ton roman…

Elle sort l'exemplaire de son sac à main et lit la dédicace:

— « Pour Wanda, à qui j'ai enseigné, mais qui, elle aussi, m'a enseigné à sa manière. Amicalement, Mike Walec »

Elle lève un regard dont le reflet pourrait indiquer qu'elle est émue. Il se mord les lèvres. Merde, il a écrit ça pour lui faire plaisir, ça ne va tout de même pas se retourner contre lui! L'inquiétude le rend moins poli et sa voix est maintenant plus froide:

— Tu veux quoi, au juste, Wanda? Pourquoi tu me balances tout ça? Tu…

Et tout à coup, il croit comprendre, et la panique dont il sentait la pointe tout à l'heure grimpe d'un cran.

— Tu veux… tu veux avoir la reconnaissance qui t'est due? Tu veux que je dise à tout le monde que tu m'as inspiré pour *Sous pression*? Ou de l'argent, c'est ça?

Elle a une moue dédaigneuse.

— Ben non, voyons, pas pantoute! Je le sais que c'est toi qui as écrit *Sous pression*, c'est pas moi pantoute!

Elle prend une gorgée de son verre.

— Je veux juste t'aider pour ton prochain roman.

Michaël fronce les sourcils, toujours suspicieux.

— Pourquoi? Pour avoir ton nom sur le livre, comme coauteure?

— Ben non! Je suis même pas obligée d'être dans les remerciements, si ça te rend mal à l'aise! C'est pas ça qui m'intéresse.

— Mais pourquoi vouloir m'aider, alors? Pourquoi pas rédiger toi-même tes histoires? Tu adorais écrire!

Une ombre voile un moment son visage et elle baisse la tête.

— J'ai compris que j'aurais jamais le talent pour publier.

Ça, il ne s'en étonne pas, mais évidemment il garde le silence. Elle relève les yeux, la voix plus basse.

— Si tu savais à quel point j'ai pensé à toi, au cours des six dernières années. À quel point, quand je lisais tes autres romans, je me sentais triste pour toi... En fait, t'es la seule personne qui me fait sentir vraiment des émotions, tu le savais, ça? C'est quelque chose, quand même...

— Mais comment tu pourrais m'aider? En me...

Il regarde autour de lui, puis termine dans un souffle incrédule:

— T'as commis dans le passé d'autres meurtres que tu m'as pas encore racontés?

Il réalise qu'il y a presque de la convoitise dans son ton et il s'en veut aussitôt.

— Non, j'ai pas commis d'au...

— Ça suffit, j'aurais jamais dû poser une telle question, c'est...

— Voyons, excuse-toi pas de ça! Tu l'as souvent dit, en entrevue, que la morale a pas rapport avec l'écriture! Même quand tu m'enseignais, en prison, t'étais d'accord avec ça. Pis tu l'as répété tantôt, à ta table ronde.

Elle se trouvait parmi l'assistance? Il ne l'a pas remarquée. C'était sans doute mieux ainsi, sinon il aurait paralysé sur scène.

— T'étais super bon. Tu dis les vraies affaires.

Elle rétrécit les yeux, complice.

— Non, j'ai pas d'autres meurtres à te raconter… Mais j'ai l'expérience de la violence. Je suis sûre que je pourrais avoir des idées de roman très heavy, très intenses, très précises, pis toi, avec ton talent, tu pourrais les écrire, comme tu l'as fait avec *Sous pression*… On serait collaborateurs, mais sans jamais que mon nom sorte nulle part.

Elle démontre une assurance presque risible, comme si elle lui présentait l'offre du siècle.

— Non, non, Wanda, c'est…

Il croise les mains. Contrarier cette meurtrière est la dernière chose qu'il souhaite.

— Les histoires que tu me racontais étaient fortes parce que tu les avais vécues, pas parce que tu les avais imaginées…

Elle paraît étonnée, réfléchit, puis a une moue ennuyée comme si elle réalisait qu'il n'avait pas tort. Michaël, encouragé par cette réaction, poursuit :

— Et moi, je ne veux plus me servir du vécu des autres, ni de leur imaginaire… Je veux… Je veux que tout vienne de moi, tu comprends ?

— Mais ça marche pas quand ça vient juste de toi.

Cette remarque le froisse au point qu'il en oublie la diplomatie et rétorque :

— Je vais très bien me débrouiller seul, c'est clair ? J'ai pas besoin de toi, Wanda, point final.

Le visage de Wanda, normalement peu mobile, se contracte en un masque qui ressemble à de l'incrédulité.

— T'es pas sérieux, voyons !

— Tout à fait.

Le regard de l'ex-détenue se perd dans le vague, comme pour encaisser cette réponse qui, manifestement, n'a jamais été envisageable pour elle. Puis, elle fronce les sourcils et gonfle les joues, embêtée. Du coin de l'œil, l'écrivain aperçoit l'auteure Geneviève Jannelle entrer dans le bar et chercher des yeux une connaissance. En découvrant Michaël, elle lui sourit et marche vers lui. Pendant une seconde, celui-ci sent son cœur s'emballer et se demande comment présenter Wanda à son amie qui approche, mais Geneviève semble remarquer l'intensité de leur discussion, s'arrête et fait signe qu'ils se verront plus tard. Elle s'en va, au grand soulagement de Michaël. Wanda, qui a repris contenance, propose :

— Tu pourrais peut-être prendre le temps d'y réfléchir un peu. Laisse-moi ton numéro de téléphone pis…

— Wanda !

Il a parlé un peu trop fort et il se frotte les lèvres en s'obligeant au calme.

— Je pense que le mieux… c'est d'en rester là.

Un embryon de panique prend forme sur le visage de l'ex-détenue.

— Voyons, Michaël, pourquoi tu réagis comme ça ? Ça fait six ans que j'attends ce moment ! Tu comprends pas !

Il se lève, se penche vers elle, songe à l'embrasser sur les joues, mais se dit que cette dingue interpréterait cela comme un encouragement. Il se contente donc de lui tendre la main.

— Bonne chance dans ta nouvelle vie. Je t'offre le drink.

Elle lui serre mollement la main, abasourdie. Le pas raide, il marche vers le zinc, informe la barmaid que les deux verres sont sur son compte, puis sort sans un regard vers Wanda.

Il s'empresse de monter à sa chambre au sixième étage, se plante devant la fenêtre et contemple d'un air sombre le Musée canadien de l'histoire de l'autre côté de la rue Laurier. Il avait redouté bien des choses à propos d'une éventuelle libération de Wanda. Mais ce qu'il n'avait jamais prévu, c'est qu'elle lui propose de l'aider pour ses futurs projets, qu'elle souhaite qu'ils soient… comment a-t-elle dit cela? des collaborateurs! Tout à fait incroyable!

Au moins, elle ne lui en veut pas, elle n'est pas en colère contre lui. Surtout qu'il s'est montré très clair et qu'elle a sans doute compris. Elle n'insistera pas.

Il demeure une dizaine de minutes devant la vitre, puis décide de descendre. Prudent, il s'approche de l'entrée du bar et jette discrètement un œil.

Wanda n'est plus là.

Satisfait, il commande une bière. Quelle audace, tout de même, de la part de l'ex-prisonnière: lui jeter de but en blanc que tous ses romans après *Sous pression* sont moins bons parce qu'elle n'était pas à ses côtés!

« Je suis sûre que je pourrais t'aider encore. »

Ah, oui? Et comment? Elle a raconté à Michaël tous les meurtres qu'elle avait commis.

Parce que si elle en avait eu d'autres à te relater, tu l'aurais écoutée?

Non. Non, il aurait refusé. Maintenant qu'elle est libre, ce serait trop… trop impliquant.

Au même moment, l'auteur Ghislain Taschereau entre dans le bar, s'approche de lui et, avec un faux air admirateur, lui tend la main:

— Félicitations, monsieur, j'ai beaucoup aimé *Fifty Shades of Grey*!

Michaël éclate de rire et lui offre un verre.

◆

À la fermeture du Salon, Michaël et une douzaine de collègues se retrouvent au *Piazza*, un restau près de l'hôtel. Lee-Ann Muzhi est parmi eux, mais tous deux s'assoient à une assez bonne distance l'un de l'autre, par prudence. Le vin se boit rapidement ; Tristan Demers raconte une de ses mille anecdotes avec une verve qui, comme toujours, étourdit ceux qui le rencontrent pour la première fois ; quelques convives ridiculisent certains auteurs qui ne font pas partie de la bande (dont ce Jérémie Marineau, vraiment illuminé) ; un ou deux écrivains méprisent les critiques qui n'ont pas aimé leur roman... À un moment, une cliente du restaurant s'approche de Hugo Vallières et lui demande timidement une signature sur un bout de papier. Bon joueur, il accepte, échange avec elle une petite minute puis elle retourne à sa table, frémissante. Michaël observe la scène avec nostalgie. Il y a quelques années, c'est lui que cette lectrice serait venue voir.

— Heille ! Ça va te prendre des gardes du corps ! commente India Desjardins avec un clin d'œil. En plus, j'ai lu dans le journal que ton film va être financé ? Félicitations !

Hugo hausse une épaule, gêné. En effet, le projet d'adaptation cinématographique de *Zones troubles* a été retenu par Téléfilm et SODEC, et le tournage doit commencer l'été prochain. Tout le monde s'enthousiasme.

— Wow ! Ça va marcher, c'est sûr ! se réjouit l'un des membres du groupe.

— Faut être prudent, tempère Hugo avec modestie.

Michaël l'étudie du regard, les mains croisées sous le menton. Le succès de Vallières lui a donné un certain panache, c'est indéniable. Il a encore une bonne quinzaine de kilos en trop, mais il a changé ses longs cheveux démodés, les portant désormais très courts, et il s'habille avec plus de goût qu'auparavant. Et puis, il a maintenant sa « Cour » qui, de Salon en Salon, le suit et l'admire, et qui compte quelques hypocrites qui, en l'absence du maître, lèvent le nez sur la littérature de genre. Hugo demeure gentil et discret, même si on sent que sa popularité lui plaît bien. Si Michaël lui envie une gloire qu'il a déjà lui-même connue, c'est sans doute parce que la sienne a été courte, alors que celle de Hugo se poursuit. De plus, un projet de film basé sur *Sous pression* a aussi vu le jour il y a quatre ans, mais il est tombé à l'eau à la suite de nombreuses complications. En clair, Michaël remarque parfaitement que sa carrière est une courbe descendante tandis que celle de son confrère monte sans cesse.

Il le mérite, pourtant. Toi-même, tu as toujours souhaité qu'il obtienne du succès.

Il boit une gorgée de son vin. Il se rend compte qu'il est le seul à ne pas avoir félicité Hugo pour son projet cinématographique. Il lève donc son verre en clamant, tout souriant :

— Bravo, vieux. Un autre film québécois qui restera trois semaines en salle et qui engrangera à peine trois cent mille au box-office, mais ça vaut la peine quand même.

On le dévisage, Hugo soulève un sourcil, désorienté. Réalisant qu'il a poussé un peu fort, Michaël ajuste le tir :

— Ben non, c'est une blague. À ta réussite, mon cher.

Vallières hoche la tête, mais toise son confrère avec une moue perplexe et Michaël évite son regard, embarrassé. Dans le brouhaha autour de la table, il croit percevoir ces mots de Gagnon, un éditeur parmi eux :

— … jaloux parce que son projet cinématographique est tombé à l'eau et…

Il fixe son verre de vin, maussade, sans remarquer l'air réprobateur de Lee-Ann.

Peu à peu, des membres du groupe quittent le restaurant et la plupart se donnent rendez-vous au bar de l'hôtel. Les derniers à partir ensemble, vers vingt-deux heures quarante-cinq, sont Michaël, Lee-Ann et l'auteur Normand Picard. Le froid mord plus que tout à l'heure, mais les rues sont bien dégagées et, tout en marchant, Normand, qui vend peu de copies, ne comprend pas que l'émission *Tout le monde en parle* ne l'ait pas encore invité. Devant l'entrée de l'hôtel, il sort une cigarette et Lee-Ann, fumeuse occasionnelle, lui en demande une. Michaël, malgré le froid, reste avec eux ; les récriminations incessantes de Picard l'ennuient, mais il attend d'être seul avec la directrice commerciale.

— Regarde Hugo, par exemple ! poursuit Picard. Il y est allé, lui, à *Tout le monde en parle*, ça l'a aidé pas à peu près !

— Dès le premier roman de Vallières, plusieurs médias se sont intéressés à lui, mais les gens le lisaient pas beaucoup, précise Lee-Ann. Il a commencé à être vraiment connu à son quatrième bouquin, je pense. Quand il a passé à *Tout le monde en parle*, il marchait déjà bien.

Picard, bougon, écrase son mégot dans la gadoue sous ses pieds. Michaël marmonne :

— Peut-être que Vallières écrit en pensant à ce qui marche…

Il regrette cette remarque mesquine, qui fait réagir Lee-Ann :

— Ben voyons donc ! Si Hugo accordait juste de l'importance aux ventes, il aurait changé de style après le peu de succès de ses trois premiers livres !

Michaël hausse les épaules, les mains dans les poches de son manteau, et observe distraitement une voiture qui se gare dans le stationnement un peu plus loin. Lee-Ann, qui n'a pas terminé sa cigarette, ajoute:

— Tu parles en frustré, là.

L'écrivain lui décoche un regard féroce. Normand les salue et entre dans l'hôtel. Michaël frotte ses mains pour les réchauffer tandis que l'Asiatique le considère avec reproche.

— C'est quoi, le commentaire cheap et gratuit que tu viens de faire sur Hugo? Et les félicitations ambiguës que tu lui as adressées, au restau? C'est pas ton genre. T'as l'air vraiment frustré.

Michaël, silencieux, joue de son pied avec un morceau de glace. Lee-Ann jette son mégot.

— Je me souviens, quand on sortait ensemble, à l'université, tu soutenais que l'écriture devait être personnelle, que l'écrivain devait faire aucune concession. Mais, en même temps, tu étais fasciné par les Stephen King, Robert Ludlum et Anne Rice qui vendaient des millions d'exemplaires…

— J'étais surtout fasciné par toi…

Elle sourit, s'approche et commence à l'enlacer.

— On manque de prudence, là, non? marmonnet-il mais sans résister.

— T'as raison…

Elle soupire.

— En plus, c'est dangereux.

— Personne le sait, je suis sûr de…

— C'est pas ça que je veux dire.

— Dangereux pour qui, alors?

— Pour…

Elle hésite.

— Pour toi. On devrait peut-être arrêter, non?

— Ben non, voyons!

Il a répliqué un peu trop vivement. Il l'étreint plus fort.

— Je veux juste qu'on se rappelle un peu du bon vieux temps.

Le bon vieux temps où j'ai jamais été aussi heureux de ma vie, songe-t-il malgré lui.

— Ta femme, tu l'aimes ? demande soudainement Lee-Ann.

Michaël ouvre la bouche, la referme, puis émet un ricanement ambigu.

— Tu veux vraiment qu'on parle de ça ?

— Non, souffle-t-elle en levant lentement son visage vers le sien. Pas vraiment, non…

Ils s'embrassent. Elle détache ses lèvres et marmonne :

— On monte dans ma chambre.

Tous deux entrent dans l'hôtel. Ils entendent leurs amis rigoler au bar, mais sans même aller leur dire bonsoir, ils s'engouffrent dans l'ascenseur. Aussitôt la porte fermée, Michaël plaque Lee-Ann contre le mur et l'embrasse furieusement en lui caressant les seins à travers sa blouse. Le gémissement de son amante a pour effet de le faire bander instantanément.

Et, surtout, d'éloigner de ses pensées la dernière question posée par l'Asiatique.

Journal de Wanda

1er MARS 2015

Il est deux heures et demie du matin, mais faut que j'écrive, je suis trop fuckée après ma rencontre avec Michaël. Câline! C'est vrai qu'il est la seule personne à me faire vivre des émotions, mais elles ne sont pas toujours le fun!

En fait, ça ne peut pas finir comme ça. Ça se peut juste pas. Si Michaël refuse mon aide, c'est parce qu'il n'a pas compris à quel point il se trouve dans un cul-de-sac, et il ne croit pas que je peux l'aider. Je dois lui parler encore.

J'ai recroisé l'ami de Michaël dans le couloir de l'hôtel, celui qui se nomme Stéphane. Je lui ai dit que je cherchais Michaël et que j'avais oublié son numéro de cellulaire. Il me l'a donné sans problème, il avait même un drôle de petit sourire, je sais pas trop pourquoi. Mais finalement, je ne l'ai pas appelé. Il faut que je le rencontre face à face. Au téléphone, il peut couper n'importe quand. Mais, bon, j'ai gardé le numéro, ça peut être utile plus tard.

J'ai donc attendu Michaël dans le stationnement de l'hôtel, dans ma vieille Honda Civic. Je me donnais jusqu'à dix heures ce soir; s'il ne sortait pas d'ici là, je retournerais à Montréal et je trouverais une autre occasion.

Pendant que j'attendais, je réfléchissais à notre discussion. Il y a des choses qu'il (qu'il? sur lesquelles il?) n'avait pas tort. Si j'aimais tant écrire mes histoires et si elles étaient si crédibles, c'est parce que je les avais vécues. Si je les inventais, pas sûre que je me sentirais aussi vivante. Je fais quoi, d'abord?

Il a fini par sortir de l'hôtel, mais accompagné d'une dizaine de collègues. Ça m'a gelée pas mal. C'était évident qu'il ne voudrait pas me parler s'il était avec des amis. Ils marchaient, donc ils ne devaient pas se rendre loin. Je les ai suivis en auto, j'ai tourné en rond trois ou quatre fois en passant près d'eux, mais après dix minutes ils sont entrés dans une pizzeria. J'ai hésité, mais je me suis stationnée et je suis entrée aussi, sans trop savoir ce que j'allais faire.

Ils étaient au fond, autour de trois tables collées. Je me suis assise à l'écart, où ils ne pouvaient pas me voir. Comme j'étais dans un restau, je n'ai pas eu le choix de commander quelque chose, même si ça ne faisait pas mon affaire. Je me demandais ce qui m'avait pris d'entrer là. Je n'allais pas lui parler de notre collaboration devant ses amis! Et avec les doutes que je nourrissais depuis tout à l'heure, je ne savais plus trop comment je pouvais l'aider… Je me suis quand même dit que s'il se levait pour aller aux toilettes, je l'accrocherais au passage pour lui parler. Pour lui donner rendez-vous à Montréal, tiens.

Mais il ne s'est pas levé une fois. Je pense qu'ils buvaient pas mal et j'entendais des fois des bouts de phrases. Ça doit être vraiment cool, de faire la tournée des Salons. Si j'avais eu assez de talent pour publier, j'aurais pu me joindre à eux… Me rapprocher de Michaël…

À un moment donné, j'ai cru comprendre qu'on félicitait l'auteur Hugo Vallières pour un film qui serait tiré d'un de ses livres. Je l'ai déjà lu, lui. C'est vrai que ses romans sont bien bons. Mais jamais autant que Sous pression, par exemple. Là, j'ai entendu Michaël qui félicitait aussi son collègue, mais il a ajouté une vacherie sur le cinéma québécois qui ne pogne pas beaucoup. J'ai trouvé ça bizarre de la part de Michaël. Peut-être qu'il n'aime pas Vallières.

Après une couple d'heures (j'avais fini de manger depuis un bout et je tétais mon verre de vin), ils ont commencé à quitter le restau par petits groupes. Je me demandais quoi faire exactement, mais là, ça faisait quinze minutes que je me retenais pour ne pas pisser alors j'y suis allée. J'ai fait ça vite, mais quand je suis sortie, Michaël était parti! Câline, faut-tu pas être chanceuse! J'ai payé, ç'a pris dix minutes (il y avait deux morons avant moi qui s'obstinaient avec la serveuse), je suis retournée dans mon auto et j'ai roulé vers l'hôtel. Je ne les voyais pas sur le trottoir, ils étaient sûrement déjà rentrés pour boire au bar. J'allais faire quoi, d'abord?

Mais au moment où (où? que?) je me disais que j'étais mieux de revenir à Montréal, j'ai vu, devant l'entrée de l'hôtel, Michaël qui jasait avec un gars et une fille, une Chinoise. Je me suis garée dans le stationnement, à l'écart, et je les ai regardés. J'espérais quoi, au juste? On dirait que je voulais juste savoir ce qu'il faisait, assister à son vécu d'écrivain. C'est con, je le sais, et je me sentais un peu tarte, mais je restais là et je les observais. Le gars que je ne connaissais pas a fini par rentrer, mais la Chinoise fumait toujours et Michaël a continué à (à? de?) lui parler. Là, tout à coup, elle a enlacé Michaël. J'étais mêlée. Si je me fie aux dernières entrevues qu'il a *données, il vit encore avec sa femme et son fils, non? Une minute après, ils s'embrassaient. Pas longtemps, mais quand même. Après, ils sont rentrés. Je suis sortie de l'auto et je me suis approchée de l'entrée pour voir dans l'hôtel. Ils ont marché directement vers les ascenseurs et sont disparus dedans.*

Ça ressemblait en câline à deux personnes qui s'en vont fourrer ensemble, ça.

Pendant que je roulais vers Montréal, je me posais plein de questions. Michaël trompe sa femme? À moins qu'ils soient séparés. Ça se peut. Mais ça se peut aussi qu'il la trompe. Ces auteurs-là, dans les Salons du livre, ça ne doit pas être des saints tout le temps.

Il paraît qu'il faut être fidèle dans un couple. Je l'ai longtemps cru, et c'est pour ça que j'ai tué mon ex quand j'ai découvert qu'il me jouait dans le dos. Mais je l'ai surtout fait pour me convaincre que j'étais en maudit. Je l'ai tué pour ressentir les émotions d'une femme trompée, de la même manière que j'ai sorti (j'ai sorti? je suis sortie?) avec lui en espérant ressentir l'amour. Mais dans les deux cas, ça n'a pas vraiment marché. Quand j'ai tué Yan, je me rendais compte qu'au fond je m'en foutais pas mal qu'il couche avec d'autres filles. C'est dix ans plus tard, en écrivant là-dessus, que j'ai enfin senti quelque chose.

Bref, je m'en tape pas mal que Michaël trompe sa conjointe. Mais l'idée qu'il fourre avec cette femme pas mal cute, ça me fait une drôle de sensation. C'est bizarre. Mais c'est intéressant.

Je me demandais quoi faire, par rapport à notre colla- boration à Michaël et moi, et là, il est arrivé quelque chose qui a tout éclairé, qui a tout clarifié dans ma tête.

Je roulais depuis vingt minutes quand je me suis aperçue que mon réservoir à gaz était presque à sec. Ma vieille minoune consommait pas mal plus que je pensais. Il me restait environ quatre piastres sur moi. J'avais dépensé mon argent au maudit restaurant, tantôt, en oubliant le gaz. Depuis une semaine, j'avais une carte de débit, mais j'avais vidé mon compte pour l'auto et l'appart, je n'avais même pas cinq piastres en banque. Évidemment, je n'avais aucune marge de crédit, ni carte de crédit. Bref, pas assez de cash pour me rendre jusqu'à Montréal. J'ai deux cents piastres cash chez nous, mais je les ai pas apportées pour ne pas les flauber : fallait que je les garde jusqu'à ma paie de jeudi. Si je n'avais pas dépensé mon fric au restaurant, aussi… Là, je fais quoi ? Je me traitais de niaiseuse d'avoir si mal calculé mes affaires. J'ai pris la première sortie et j'ai croisé deux stations-service fermées. J'étais dans un rang désert et je me disais que j'allais tomber à sec d'ici deux minutes. Ça ne me faisait pas peur, juste chier. Passer la nuit dans une auto en hiver, ce n'est pas l'idéal. Enfin, j'ai vu une station-service ouverte vingt-quatre heures, dans un coin désert.

J'ai pris le temps de fumer une couple de pofs de cigarette avant d'entrer dans la station-service. J'ai expliqué au caissier que je n'avais même pas dix piastres en tout et que je devais faire le plein. Je lui ai promis que je lui enverrais l'argent par la poste aussitôt que j'aurais ma paie. Il avait à peu près trente-cinq ans, il était très gentil et il trouvait ça très dommage pour moi, mais il m'a expliqué qu'il ne pouvait rien faire. J'ai insisté un peu, mais ça ne marchait pas. Il n'arrêtait pas de répéter qu'il était désolé et il avait l'air sincère.

Je me demandais quoi faire, puis j'ai aperçu les hockeys en vente près de la porte. J'ai été en attraper un et je suis revenue vers la caisse. *Quand le gars a vu le bâton dans mes mains, je pense qu'il a compris parce qu'il a commencé à reculer en balbutiant que c'était correct, que je pouvais prendre tout le gaz que je voulais, et même tout le cash de la caisse. Mais je lui ai dit que c'était trop tard, qu'il allait me dénoncer ensuite pour vol... Tout d'un coup, il a quitté son comptoir et il s'est mis à courir vers l'arrière du bâtiment. En même temps, il sortait un cellulaire de sa poche. Je l'ai poursuivi et j'ai balancé le hockey vers l'avant sans le lâcher. Il a été atteint derrière la tête, ç'a fait un « whap » presque comique et le gars s'est effondré dans le rack de chips. Étendu par terre, au milieu des sacs, il était étourdi, mais il me suppliait en répétant une drôle de phrase : « Pitié, faites rien à Sébastien ! Je vous en supplie ! Pas Sébastien ! » C'était lui, Sébastien ? Il parlait de lui à la troisième personne du singulier ? Il paraît que César faisait ça aussi, j'ai entendu ça quelque part. Je l'ai regardé quelques secondes, je lui ai dit que j'étais désolée, et c'est vrai que je l'étais. Pas triste, ni malheureuse, mais désolée, oui, un peu. Câline ! Si ç'avait pu se régler autrement, j'aurais aimé mieux ça. Ça fait que je l'ai frappé quatre ou cinq fois, surtout dans la gorge, pour être bien sûre qu'il soit mort.*

Pendant que je le tuais, je ne sentais à peu près rien, comme d'habitude, sauf une sorte de curiosité, celle de savoir si j'allais ressentir quelque chose, justement. Mais c'était pas mal vide. Je le sais que ce n'est pas normal. Mais là, en écrivant ce qui s'est passé dans mon journal, il y a un flux d'énergie incroyable qui me traverse, même si je ne m'applique pas autant que lorsque j'écrivais mes nouvelles, même si je mets moins de détails.

Bon, je continue. Là, je me suis dépêchée. Il était tard, les maisons les plus proches étaient à un demi-

kilomètre, mais quelqu'un pouvait quand même arrêter. J'ai enfilé mes gants d'hiver et je suis allée mettre
de l'essence. Ç'a été compliqué parce que les pompes
étaient barrées, mais j'ai fini par trouver, derrière le
comptoir, le moyen de les activer. Une fois que le char
a été plein, j'ai ouvert la caisse et j'ai pris tout l'argent. Tant qu'à y être. Presque trois cents piastres,
c'est pas pire. Ensuite, j'ai remarqué les deux caméras :
une qui filmait en dedans, l'autre dehors. La première
a été facile à enlever, mais il a fallu que j'approche
ma Honda sur le bord du mur et que je grimpe dessus
pour arracher la deuxième. Je craignais que quelqu'un arrive. Mais dans un coin perdu comme ici, à
cette heure-là... J'ai vu une auto passer, mais elle n'a
pas arrêté. Je m'attendais à ce que les enregistrements
vidéo soient dans un ordinateur, mais j'ai trouvé le
magnétoscope qui enregistrait tout ça. De la vieille
technologie. J'ai tout embarqué dans mon char. Je
suis allée essuyer la poignée de porte que j'avais
touchée sans gants. Quand je suis rentrée à l'intérieur
pour aller chercher le hockey, j'ai figé comme une
statue.

Il y avait un petit garçon. Il devait avoir cinq ans,
peut-être six. L'air endormi, il regardait le cadavre
au milieu des sacs de chips. Il bredouillait d'une voix
floue : « Qu'est-ce t'as, papa ? T'as bobo ? Papa ?
Qu'est-ce t'as, papa ? » Il m'a enfin vue. Il commençait
à y avoir (à avoir ? à y avoir ?) de la peur dans son
expression, mais pas trop. Il ne me parlait pas, il ne
savait pas s'il pouvait me faire confiance ou pas. On
était proches l'un de l'autre. Je me suis penchée et
j'ai ramassé le hockey. Je lui ai demandé si c'était lui,
Sébastien. Il a hoché la tête. J'ai compris. L'homme
devait être monoparental. Il n'avait trouvé personne
pour garder son fils cette nuit. Il l'avait couché dans
le backstore, sûrement dans un petit lit qu'il avait

monté pour lui. Câline. C'était pas cool, ça. Pas cool pantoute.

Sébastien a demandé ce qu'avait son papa. La peur grandissait dans ses yeux, ça paraissait. J'ai soupiré en me grattant la tête. Même à cinq ou six ans, il serait peut-être capable de faire une bonne description de ma face à la police. J'ai serré le hockey à deux mains et je lui ai dit : « Je m'excuse, mon petit bonhomme. » Ensuite, je lui ai balancé la palette du bâton en pleine face. Il a revolé pas à peu près, il est tombé sur le dos et je me suis dépêchée à (à ? de ?) lui donner un autre coup avant qu'il se mette à brailler. Ç'a été suffisant.

J'ai jamais tué d'enfants. On dit que c'est le meurtre le plus horrible qu'on peut faire. Mais j'avoue que pour moi, ça n'a pas fait de différence. Je trouve ça triste qu'il soit mort si jeune, mais ça ne me touche pas particulièrement. Ça non plus, ce n'est pas normal.

Dehors, je me suis allumé une cigarette, j'ai fixé le ciel noir un moment, puis je suis retournée dans mon auto, après avoir jeté le hockey sur la banquette arrière. J'ai démarré. La musique de Wanda Jackson a envahi l'auto. Avec Michaël, cette chanteuse est la seule personne qui me fait ressentir des émotions. Tiens, peut-être que j'aurais dû écouter une de ses tounes pendant que je tuais le père et le fils, tout à l'heure... Ou quand j'ai tué mon ex, il y a quinze ans... Mais je ne pouvais pas prévoir.

D'ailleurs, ce double meurtre que j'ai commis, ça pourrait me servir à écrire une nouvelle. Une nouvelle qui ne sera jamais publiée parce que je ne suis pas assez bonne, mais qui pourrait inspirer Michaël.

Sauf qu'il a bien dit, après-midi, qu'il ne veut plus s'inspirer des autres... Il a dit que...

Et c'est là que j'ai allumé.

J'étais tellement excitée qu'aussitôt que je suis arrivée chez nous, je suis allée sur mon ordinateur et j'ai trouvé le compte Facebook de Michaël. Inutile de lui faire une demande d'ami : j'ai essayé il y a deux semaines, quand je me suis ouvert un compte : le sien est plein, il n'accepte plus aucune demande. Ça fait que je lui ai envoyé un message dans Messenger.

Là, faut que je me couche, il est trois heures du matin et je travaille demain. C'est plate travailler le dimanche, mais quand t'es une nouvelle employée, c'est de même.

J'ai hâte de voir sa réponse.

*

Plus tard —   Il m'a répondu. Je l'ai lu en revenant de la job. Câline que je ne m'attendais pas à ça.

Il ne veut rien savoir. Il ne veut plus que je lui écrive. Il ne veut plus que je le contacte, peu importe comment. C'était un message court et frette. J'ai pris une couple d'heures pour digérer ça, ensuite j'ai essayé de lui répondre, mais il m'avait bloquée de son compte.

J'ai pas aimé ce que j'ai ressenti, comme si je capotais un peu. Je ne suis pas habituée à ça, moi. J'ai relu sa réponse plusieurs fois et j'ai réalisé qu'il y avait plus de crainte que de colère dans ses mots. C'est ça. Il a peur. Même s'il ignore ce que je veux lui proposer exactement, il a peur de ce que ça peut impliquer.

Je pourrais abandonner. Me dire : tant pis pour lui, qu'il se débrouille. Mais je ne peux pas. Parce que je le sais que, s'il comprenait, il pourrait écrire un grand livre, comme Sous pression. *Je le sais qu'on peut être un team encore meilleur que celui qu'on a été il* y a six ans. *Faut juste que je m'arrange pour qu'il comprenne. Autrement qu'en lui parlant.*

Premièrement, découvrir où il travaille. J'ai lu dans ses entrevues qu'il écrit dans un appartement à Montréal. Bon. Je sais qu'il vit à Joliette, mais je ne trouve pas son nom dans le bottin. J'ai fouillé dans des vieilles interviews sur le Net et dans l'une d'elles, il parle de sa femme qui a ouvert une clinique d'orthodontie à Joliette. Je suis retournée voir à la fin de ses romans : il remercie à chaque fois son « amoureuse et complice Alexandra Parent ». Des Alexandra Parent orthodontistes à Joliette, il ne doit pas y en avoir mille. OK. Je tiens le moyen de découvrir où Michaël habite.

Mais il faut quand même que je me protège. Au cas où je me tromperais et qu'il m'enverrait chez le diable. Je ne sais pas encore quel genre de précautions je pourrais prendre, mais je vais penser à quelque chose. J'ai consulté mon horaire à la job : j'ai quelques demi-journées libres, je travaille tout le week-end prochain et j'ai congé jeudi. Ça me laisse du temps pour l'observer. Je trouverai bien.

7

Michaël quitte le Salon de l'Outaouais le dimanche à dix-sept heures. Dans l'après-midi, il est allé écouter Lee-Ann qui, sur une petite scène, devant un modeste décor constitué de dizaines de livres et d'une multitude de pages accrochées à de grands draps blancs, présentait avec enthousiasme (malgré un auditoire d'une douzaine de personnes au maximum) les bouquins que publiait Persona durant l'année. Il lui a envoyé la main et l'Asiatique, sans cesser de s'adresser à l'assistance, lui a décoché un sourire discret, mais mâtiné d'une complicité lubrique qui l'a fort excité.

Dans la navette qui le ramène à Montréal, il consulte Messenger et remarque qu'il a un message de Wanda Moreau. Il jette des regards effrayés autour de lui, comme s'il craignait d'être pris à mater de la porn, mais les autres auteurs dans le véhicule lisent, consultent leurs cellulaires ou dorment, tous silencieux et fatigués de leur week-end. Michaël songe un moment à effacer le message sans en prendre connaissance, mais sait très bien qu'il en sera incapable. Il le lit donc.

Salut, Michaël. J'ai bien senti ton malaise cet après-midi, mais tu as tort. Je pense qu'il faut vraiment

qu'on se parle. Tu m'as dit tantôt que tu voyais pas vraiment comment je pouvais t'aider, mais là, je pense que j'ai trouvé une câline de bonne idée. Il faudrait pour ça que tu me fasses lire le manuscrit de ton prochain roman. De toute façon, le mieux est qu'on s'en parle en personne. J'attends de tes nouvelles. Tu vas voir, on va former un super team.
xxx

Elle est complètement tombée sur la tête ! Elle pense vraiment qu'il lui fera lire son manuscrit ? Et qu'est-ce que c'est que cette idée qu'elle a trouvée pour l'aider ? C'est vraiment n'importe quoi ! Puisque la politesse ne semble pas fonctionner, il lui écrit le message suivant :

Wanda, je croyais avoir été clair, mais ce n'est manifestement pas le cas. Tu m'obliges donc à être plus direct : je ne veux plus que tu me contactes. Si le petit coup de main que tu m'as donné il y a six ans te fait croire que nous sommes des collaborateurs, enlève-toi immédiatement cette idée de la tête. Fais ta vie, je vais faire la mienne. Si tu tentes encore de me contacter, je devrai faire appel à la police. Comme tu es en libération conditionnelle, je ne pense pas que ce serait très bon pour toi. Désolé d'être si dur, mais tu ne me laisses pas vraiment le choix.

Il relit son texte. N'est-il pas culotté d'évoquer la police ? Mais après tout, que peut-elle contre lui ? Si elle le met dans le pétrin, elle s'attirera elle-même des problèmes. Il envoie le message et la bloque de son compte. Puis il appuie sa tête sur la banquette et soupire.

Quelle idée a-t-elle bien pu trouver pour l'aider ? Est-ce que cela pourrait fonctionner ?

Bourru, il sort un roman de son sac et s'y plonge.

Lorsqu'il rentre chez lui, à vingt heures, son fils de cinq ans, sur le point de se coucher, court jusqu'à lui en hurlant de joie et lui saute dans les bras. Michaël, à genoux sur le sol, le serre de toutes ses forces, ému et heureux de le retrouver. Alexandra vient l'embrasser, sans effusion mais contente de son retour. Durant l'heure qui suit, il joue avec Hubert et lui lit l'album qu'il lui a rapporté de Gatineau (il lui rapporte un nouveau livre de chaque Salon). Un peu plus tard, après l'avoir mis au lit, Michaël défait sa valise et, embarrassé, marmonne :

— Mes droits d'auteur seront encore rachitiques en avril prochain…

Alex soupire de lassitude.

— On va pas reparler de ça, Michaël ? Tant que tu voudras écrire à temps plein, tu le feras, c'est clair ? On pourra pas dépenser comme des fous, mais on est pas dans le trouble, je te le répète. Et le succès va revenir, j'en doute pas. Alors, s'il te plaît, on n'en parle plus, OK ?

Normalement, elle le rassure avec douceur et tendresse, mais cette fois l'agacement perce. Il balbutie un remerciement maladroit. Tout à coup, elle lui offre de faire l'amour, comme si elle lui demandait d'aller voir un film. Il s'en étonne (elle lui fait rarement des avances), mais évidemment il accepte, même s'il n'en ressent pas une réelle envie. La baise est agréable mais plutôt banale ; à la fin, lorsqu'ils se retrouvent étendus côte à côte, elle propose sans transition :

— Il serait temps d'avoir un autre enfant, hein, mon loup ? La clinique va bien, Hubert a maintenant cinq ans… Le *timing* est bon…

Michaël conserve le silence un moment.

— Oui, c'est vrai, mais… Je sais pas, je suis tellement dans mon roman ces temps-ci…

— Mais tu veux un deuxième enfant, j'espère ?

— Oui, oui, c'est sûr, t'inquiète pas…

Elle n'insiste pas et se couche sur son torse. Il lui joue dans les cheveux en fixant le plafond d'un œil préoccupé.

◆

— *Come on*, monsieur Garnier, je suis une employée, vous pouvez me les louer à un prix moins cher, non ?

Gilbert Garnier, le vieux propriétaire de Électro Garnier, regarde l'appareil photo de luxe et le mini-enregistreur sonore sur son comptoir, frotte son lobe d'oreille démesuré, puis lève les bras en signe de reddition.

— OK, je te fais ça à moitié prix. Si tu les gardes plus qu'une semaine, on renégocie ça.

— Merci beaucoup.

Elle prononce ces mots d'une voix neutre, mais elle doit reconnaître que le bonhomme est gentil. Même s'il l'exaspère parfois avec ses allusions religieuses (« Tu sais, Wanda, pour avoir une totale réhabilitation dans ta vie, tu devrais aussi aller à la messe »), il se montre toujours aimable. Elle le remercie donc à nouveau en rangeant les accessoires loués dans son sac à main. Elle consulte l'horloge murale : treize heures cinq, elle peut partir, d'autant plus que Kevin est déjà sur le plancher. Elle traverse le magasin, vaste capharnaüm débordant d'ordinateurs, d'imprimantes, d'appareils photo, de chaînes stéréo et autres vieux trucs électroniques. Dans le bureau du fond, elle enfile son manteau et, sac à main en bandoulière, marche vers la sortie en saluant Kevin qui, comme toujours, braque sur elle un regard méprisant : contrairement au patron, l'employé de vingt-huit ans croit peu aux vertus de la rédemption, trouve totalement irresponsable d'engager une femme qui a tué son conjoint et ne démontre aucune empathie envers l'ex-détenue.

Dehors, Wanda fume une cigarette, puis se dirige automatiquement vers le café tout près. Elle commande une soupe et une salade César, puis s'installe à une table. Elle lit les gros titres du journal et tombe sur le double meurtre qu'elle a commis ce week-end. Elle lit l'article d'un air impassible, puis referme le journal. C'est fou à quel point ce genre de papier est écrit de manière drabe, sans style ni vraie émotion. Tout en mangeant, elle calcule son temps : elle a rendez-vous avec son agent de probation dans trois quarts d'heure, elle pourra donc quitter Montréal vers quinze heures trente, ce qui lui laisse amplement le…

— Wanda Moreau ?

Elle lève les yeux. Devant elle se tient un homme de trente-trois ou trente-quatre ans, mince, aux cheveux noirs attachés en queue-de-cheval et au sourire avenant.

— Vous êtes qui ?

— Laurent Dubuc, journaliste.

Elle fronce les sourcils et Dubuc a un petit ricanement tout à fait inoffensif, plutôt charmant.

— Je sais, on se méfie toujours de ma race. J'imagine que c'est pire quand on sort de prison.

Le visage de Wanda se durcit à tel point que le gloussement de Dubuc s'éteint instantanément.

— Comment vous m'avez trouvée ?

Le journaliste reprend rapidement contenance.

— Ça fait longtemps que je veux vous rencontrer. Il y a trois ans, on m'a dit au centre de détention de Joliette que vous auriez le droit de faire une seconde demande de libération conditionnelle en janvier 2015. J'ai su que vous l'aviez eue. Félicitations. Je peux m'asseoir ?

— Mais comment vous m'avez trouvée ici ?

— Bah, des recherches à gauche, à droite, ce n'est pas très difficile. C'est quand même bien que vous ayez pu obtenir une job. Je ne savais pas que vous étiez bonne en électronique. En fait, on ne sait pas grand-chose sur vous, hein ? Vous permettez que je m'assoie ?

Il s'exécute, alors que Wanda recommence à manger, indifférente.

— J'ai pas envie de parler de mon passé. J'ai payé pour mon crime, pis à c't'heure, je suis ailleurs.

— Oh, mais c'est pas ce qui m'intéresse. Je suis journaliste culturel, pas judiciaire. Je veux parler de Mike Walec.

— Michaël ?

Dubuc hausse les sourcils d'un air entendu.

— Ah, vous l'appelez par son vrai nom... Vous le connaissez, on dirait.

— Ben, c'est normal, il a...

Elle se tait, puis secoue la tête en grimaçant.

— Minute, là, pourquoi vous voulez que je vous parle de Michaël ? Qu'est-ce que vous...

Il rit et pose brièvement sa main sur l'avant-bras de Wanda. Celle-ci y jette un œil impassible.

— Désolé, je saute des étapes. En fait, je prépare un grand portrait sur Mike Walec, et je rencontre plusieurs personnes de son entourage. (Il sort un stylo et un calepin de la poche intérieure de son manteau.) Mais j'aimerais aussi me pencher sur des aspects qu'on connaît moins. Par exemple, sur l'ancienne vie de Michaël, quand il travaillait au centre de détention pour femmes de Joliette. Je suis allé poser des questions à la direction il y a trois ans, comme je vous ai dit, et...

— C'est vous qui vouliez me rencontrer en prison ?

— Oui, c'était moi. Pourquoi, d'ailleurs, avoir refusé ?

Elle hausse une épaule.

— J'en voyais pas l'intérêt.

— C'est votre droit. Mais ne vous inquiétez pas, je ne vous dérangerai pas longtemps. Donc, au pénitencier, on m'a dit que Walec vous avait enseigné. C'était comment ? Était-il un bon prof ?

Le regard bleu de Wanda s'illumine alors que le reste de son visage demeure vide d'émotion.

— Il était super bon. Il m'a fait découvrir toute l'importance des mots.

Elle songe alors qu'elle devrait être prudente : si elle veut convaincre Michaël de la revoir, aussi bien jouer profil bas. En même temps, l'idée d'aider ce journaliste à dresser un portrait avantageux de l'écrivain l'enchante vraiment. Elle réfléchit un moment, les sourcils froncés et les joues gonflées.

— Écoutez, j'aimerais mieux que vous me nommiez pas dans votre article. J'essaie d'être la plus discrète possible, fait que...

Crayon en main, Laurent esquisse un sourire amusé dans lequel Wanda, si elle était plus attentive, pourrait discerner de la duplicité.

— Pas de problème.

Elle commence alors à vanter Michaël, un véritable artiste qui lui a ouvert les yeux (à elle, simple fille sans éducation !) sur la force de l'écriture. Dubuc, étonné par le contraste entre ses paroles passionnées et la neutralité de son visage qui lui donne un air presque candide, l'écoute patiemment pendant trois minutes, sans jeter aucune note dans son calepin. Lorsque la femme fait une courte pause pour enfin avaler une bouchée de salade, il en profite pour glisser :

— Vous avez lu son premier roman ?

— J'ai lu tous ses livres, répond-elle en postillonnant des morceaux de laitue.

— Vous n'avez pas remarqué, dans *Sous pression*, que le premier meurtre ressemble beaucoup à celui que vous avez commis il y a quinze ans ?

Il pose la question directement, sans malaise, et l'ex-détenue en demeure subjuguée. Une part d'elle a envie de clamer fièrement que c'est vrai, qu'elle a carrément inspiré l'écrivain, mais elle sait que Michaël serait catastrophé qu'une telle nouvelle sorte. Laurent dénote son embarras.

— Vous l'avez remarqué, n'est-ce pas ?

— Pas… vraiment. Je me souviens plus trop de la scène, ça fait longtemps que je l'ai lue. Me semble qu'il y a aucune femme qui tue son conjoint par jalousie dans *Sous pression*…

— Non, c'est un employé qui tue son patron. Mais le déroulement du meurtre et certains aspects ressemblent franchement à ce que vous avez fait. Je suis retourné voir les détails du procès et…

— J'aime pas ben ça qu'on me rappelle le crime que j'ai commis. J'ai quarante ans pis j'ai changé, alors…

— Je n'en doute pas, et je suis désolé, mais votre avis là-dessus m'intéressait. En plus, à la fin du bouquin, il y a dans les remerciements une certaine W. Moreau, vous avez remarqué ?

— Je lis pas les remerciements. Écoutez, c'est pas impossible que Michaël se soit inspiré de mon histoire. Mais il me disait souvent que tous les grands écrivains s'inspirent fréquemment de la réalité ou d'événements, ou même d'autres auteurs, alors je comprends pas où…

— Ah, il vous disait *ça*… marmonne Laurent avec un sourire entendu.

Wanda serre les dents, puis pioche dans sa salade en soupirant.

— Bon, j'aimerais manger tranquille, s'il vous plaît…

Elle mâche d'un air bourru et sent une émotion monter en elle : la colère. Ce phénomène la déroute et elle tergiverse sur la réaction à adopter. Mais Dubuc, au lieu de partir, se penche vers elle.

— Écoutez, il y a une couple d'années, j'ai inter-viewé Walec et je lui ai fait remarquer qu'il s'était manifestement inspiré de votre histoire pour sa scène. Moi, je trouvais juste ça amusant, mais lui, il a pro-testé avec agressivité. Je me suis dit qu'il cachait peut-être quelque chose; c'est pour ça que je voulais vous en parler.

Wanda ne regarde pas l'homme, mais elle entend ce qu'il raconte et jongle de manière confuse avec ces informations. Si Michaël a nié, s'il s'est emporté contre ce journaliste, c'est parce qu'il ne souhaite vraiment pas que tout cela se sache. Elle s'entête donc dans son mutisme, mais Dubuc persiste, et la colère en Wanda gonfle toujours, ce qui la désarçonne et l'étourdit.

— Peut-être qu'au fond il est gêné d'avoir piqué votre histoire. Peut-être qu'il a l'impression d'avoir volé une partie de votre vie pour son livre et qu'il n'as-sume pas. Vous, vous voyez ça comment? Est-ce que…

— Michaël est pas comme ça! le coupe Wanda avec humeur. C'est un artiste! Il a pas volé mes histoires, il s'en est inspiré, pis c'est ben correct comme ça, OK?

— *Vos* histoires?

Wanda fronce les sourcils, comme si elle ne com-prenait pas. Laurent, incrédule, insiste:

— Il y en a donc plusieurs?

Wanda est prise au dépourvu et cligne plusieurs fois des yeux en se grattant la tête.

— Heu… Je me suis trompée, je voulais dire « mon » histoire…

— Vraiment?

— Bon, là, je suis tannée en câline, OK? Allez-vous-en, s'il vous plaît. Vous me mêlez toute, avec vos questions, pis j'aime pas ça. Pis je suis sûre que Michaël aimerait pas ça non plus.

— Michaël aimerait pas ça ?

— Non… Non, il aimerait pas ça, pis…

Câline, il commence vraiment à faire chier, ce journaliste, et elle déteste qu'on la fasse chier… Pendant une seconde, elle s'imagine en train de lui planter sa fourchette dans l'oreille jusqu'à lui percer la cervelle, mais en plein restaurant, ce n'est évidemment pas possible.

— Allez-vous-en, bon. J'ai plus rien à ajouter.

Et, avec l'air têtu d'un enfant boudeur, elle mange sa soupe de manière si raide qu'elle éclabousse le napperon sous le bol. Dubuc la considère un moment avec attention. Il ne sourit plus et on devine que mille pensées tourbillonnent dans son crâne.

— OK, Wanda… Merci de m'avoir accordé quelques minutes…

Elle ne redresse pas la tête, garde le silence. Elle l'entend se lever et, au bout de trente secondes, remonte le regard : il est parti. Les autres clients mangent et discutent tranquillement. Elle prend une gorgée de son café. Enfin, débarrassée de ce vautour. A-t-elle commis une gaffe ? A-t-elle nui à Michaël ? Non… Non, sans doute pas.

Tout en terminant son dîner, elle se concentre à nouveau sur l'horaire de sa journée.

◆

Michaël, dans son appartement à Montréal, relit la copie imprimée du premier jet de son nouveau roman, et, malgré le heavy métal tonitruant qui joue chez le voisin, barbouille sa version de notes diverses. Au milieu de l'après-midi, il dépose le manuscrit en soupirant. Bon Dieu ! Il y a tant de travail à effectuer, tant de trucs à améliorer… à *changer*, carrément ! Il jette un œil morne au caméléon en céramique sur l'étagère.

Le soir, dans son lit, il rêve qu'il écrit dans un endroit inconnu, où il ne distingue rien sauf l'ordinateur. Sur l'écran, les mots apparaissent, mais ils n'ont pas de sens, pas de vie, ce sont des mots vides. Mais il continue de pianoter sur le clavier malgré la conscience que tout cela est vain.

— T'as besoin d'aide.

Ces paroles proviennent de derrière lui. Il n'a pas à se retourner pour découvrir qui les a prononcées. Il a reconnu la voix.

— Pis je sais comment.

Deux mains, féminines, douces, mais maculées de sang, se posent sur les siennes et guident ses doigts sur le clavier. Une nouvelle énergie l'envahit et les phrases s'alignent maintenant aisément sur l'écran, racontent l'histoire d'un voisin qui met sa musique trop forte et d'un écrivain qui ne peut plus le supporter.

— Laisse-moi t'aider… Pis on va être une équipe à nouveau…

Michaël, accompagné des deux mains sanglantes, rédige à toute vitesse. À l'écran, le voisin se fait tabasser, poignarder, réduire en bouillie… Et plus les mots sont violents, plus l'auteur sent son sexe se dresser entre ses cuisses.

— Une équipe qui écrira de grandes choses…

Michaël se réveille en sursaut, sa femme endormie à ses côtés.

Troublé, il se tourne sur le ventre et envoie ses malédictions à Wanda. Jamais il n'aurait cru qu'elle sortirait si vite de prison ! Elle n'a pas commis qu'un meurtre mais trois !

Ça, il n'y a que toi qui le sais.

Il prend une bonne heure à sombrer de nouveau dans le sommeil.

◆

Quelques heures plus tôt, à dix-huit heures vingt-sept exactement, alors qu'elle sort de sa clinique, Alexandra ne prête aucune attention à la vieille Honda Civic garée de l'autre côté de la rue, pas plus qu'elle ne remarque que ce même véhicule la suit discrètement jusque dans son quartier. Lorsque l'orthodontiste entre dans son cottage, Wanda effectue un demi-tour et la Honda retourne à Montréal.

Le lendemain, mardi, à six heures trente du matin, l'ex-détenue revient dans le quartier et se stationne à quelques maisons de celle d'Alexandra. Sur le siège du passager se trouvent l'appareil photo et le mini-enregistreur qu'elle a loués à sa boutique. À huit heures, la femme de Michaël quitte les lieux dans son automobile. Wanda ne bouge pas et continue de boire son café et de manger son muffin derrière son volant, ses écouteurs plaqués sur ses oreilles, la tête envahie par la musique de Wanda Jackson. À huit heures vingt, l'écrivain sort de chez lui, accompagné d'un petit garçon de cinq ou six ans. Ils montent dans la voiture de Michaël, une Chevrolet Spark grise, et s'éloignent. Wanda retire ses écouteurs, jette par la fenêtre son gobelet presque vide et le papier gras de son muffin, puis suit la Spark à bonne distance. Après avoir déposé son fils à la garderie, Michaël roule vers Montréal, toujours filé par la Honda Civic.

Lorsqu'au bout d'une quarantaine de minutes la Spark se gare dans une rue du quartier Hochelaga-Maisonneuve, Wanda stoppe un coin plus loin. Dans le rétroviseur, elle observe Michaël marcher vers la rue Hochelaga, tout près. Elle sort et lui file le train. Il pénètre dans un vieil immeuble à trois étages. Elle attend un instant, s'approche et entre à son tour. Elle tend l'oreille tout en reluquant vers le haut dans la cage d'escalier. Elle devine que Michaël s'arrête au premier niveau et qu'il ouvre une porte. Elle sort, va dans un café en face et commande un café. Elle le boit près de la grande fenêtre en fixant l'édifice.

À midi, alors qu'elle en est à son troisième café, Michaël sort. Wanda commence à se lever, mais en le voyant entrer dans le restau italien juste au coin de la rue, elle se rassoit. L'auteur termine son dîner trente minutes plus tard et retourne dans son appartement. À treize heures, Wanda doit se rendre au boulot.

À dix-huit heures, elle retourne dans la rue Hoche-laga et constate que la Spark de Michaël n'a pas bougé. Elle attend donc derrière le volant et, une demi-heure plus tard, l'écrivain quitte l'immeuble et monte dans sa voiture. Lorsqu'il se met en route, il tourne cependant à droite pour se diriger vers l'ouest, curieuse idée pour quelqu'un qui voudrait rejoindre l'auto-route 40. Wanda décide de le suivre.

Après quelques minutes, Michaël roule vers le nord, atteint le quartier du Plateau-Mont-Royal et s'engage dans la rue De Brébeuf. Quand la Spark se gare, Wanda la dépasse et s'immobilise une trentaine de mètres plus loin. Elle voit Michaël marcher vers la porte du rez-de-chaussée d'un duplex et sonner. Quelques secondes après, la porte s'ouvre et l'ex-détenue reconnaît la jolie Asiatique, celle que Michaël a embrassée devant l'hôtel et avec qui il est monté dans l'ascenseur. Wanda plisse les yeux. Elle s'empresse de prendre l'appareil photo, mais trop tard, l'écrivain est entré rapidement et la porte se referme déjà. Wanda note l'adresse de l'appartement dans son cellulaire, puis retourne vers le quartier Hochelaga-Maisonneuve.

Dix minutes plus tard, elle pénètre dans l'immeuble de la rue Hochelaga. Elle monte au premier étage et constate qu'il y a deux logements. Comme une musique rock très forte provient de celui de droite, elle en conclut que l'appartement de Michaël est celui de gauche. Elle tente d'ouvrir : verrouillé, bien sûr. Elle sort son permis de conduire et le glisse dans la fente de la porte, en espérant déplacer le pêne de la serrure. Rien à faire. Elle quitte l'édifice.

Pendant la soirée, elle passe un long moment sur YouTube à chercher des méthodes pour déverrouiller une porte et tombe sur une technique qui s'appelle « bump key », truc dont elle a entendu parler en prison. En gros, il faut prendre une clé quelconque et, avec une lime, creuser entre chacune des dents pour multiplier leur nombre et les rendre identiques.

Le lendemain, mercredi, elle travaille toute la journée, mais pendant l'heure du dîner, elle se rend dans une quincaillerie pour acheter une lime. Le soir, dans son modeste appartement du quartier Parc-Extension, elle transforme une vieille clé avec son outil. Puis, en étudiant attentivement la vidéo sur YouTube, elle effectue un test sur sa propre serrure verrouillée : elle enfonce la clé modifiée, la ressort de trois dents puis, à l'aide du manche d'un tournevis, frappe sur la clé qui pénètre jusqu'au fond. Elle répète cette action à quelques reprises, jusqu'à ce que la clé tourne et déverrouille la porte sans problème. Wanda, impressionnée, tente de verrouiller la porte avec la même technique et cela fonctionne. Ravie, elle range la clé et le tournevis dans son sac à main, ainsi que son appareil photo et le mini-enregistreur.

Jeudi, elle a congé et, dès dix heures, retourne dans la rue Hochelaga. En reconnaissant la Spark dans une rue parallèle, Wanda se gare et surveille le vieil immeuble toute la journée, passant de sa Honda au café tout près. Les écouteurs sur la tête, elle lit un roman policier, qu'elle trouve peu captivant. À dix-sept heures, alors qu'elle en est aux deux tiers du bouquin, elle voit l'auteur quitter l'édifice. Elle remarque qu'il porte un manteau plus chic que celui d'avant-hier. De plus, il est mieux coiffé. Prise d'un doute, elle le suit en voiture. Peu après, il se stationne sur l'avenue du Mont-Royal et se dirige vers un bar, le Fitzroy. Au moment où il s'apprête à entrer, trois personnes s'approchent de lui et tous se donnent la main et s'embrassent. Wanda, garée illégalement de l'autre côté de la rue, reconnaît parmi eux un des écrivains avec qui Michaël est allé au restaurant à Gatineau. Ils disparaissent tous les quatre dans l'établissement et l'ex-détenue comprend qu'il s'agit sans doute d'un lancement de livre ou d'un événement littéraire quelconque. Elle réfléchit. Retourne-t-elle à l'appartement de Michaël pour y faire ce qu'elle avait prévu ou elle attend ici un peu ? Elle jongle pendant une dizaine de minutes en fumant une cigarette, temps durant lequel elle voit une douzaine d'individus entrer dans le bar. Parmi le dernier trio à franchir le seuil, elle voit la belle Asiatique affublée d'un long manteau rouge. La présence de cette femme la convainc qu'elle doit découvrir comment cette soirée se terminera pour Michaël. Elle décide donc de se dépêcher.

Elle retourne à l'immeuble de la rue Hochelaga et monte au premier. De la musique traverse toujours la porte de droite : ce tintamarre providentiel va couvrir le bruit de son action. Elle enfile des gants, sort la bump key et son tournevis puis se met au travail. Moins de deux minutes plus tard, la porte est déverrouillée. Wanda entre.

Un modeste deux et demi aux murs propres mais fades. La première pièce, qui tient lieu de salon-cuisine, renferme un vieux four, un fauteuil, un divan-lit et une petite bibliothèque. La seconde pièce, moins grande, contient une autre bibliothèque et un bureau à tiroirs sur lequel trône un iMac de vingt-quatre pouces. Elle braque un regard meurtrier sur la paroi d'où provient le rock assourdi. Comment Michaël s'y prend-il pour créer dans une telle ambiance ? Elle jette un œil curieux vers le caméléon en céramique sur une étagère, puis elle allume l'ordinateur. Un mot de passe est évidemment demandé. Elle pense à prendre l'appareil chez elle pour le pirater et le rapporter plus tard dans la nuit, mais Michaël pourrait revenir coucher ici ce soir. Avant d'en arriver à cette solution, elle va tout de même fouiller un peu, au cas où…

Elle ouvre le premier tiroir du bureau : crayons, notes diverses. Elle tire le second tiroir : une pile de trois ou quatre cents pages s'y trouve. Elle la prend et lit les deux seules lignes sur la première page :

NOUVEAU ROMAN
par Mike Walec

Ce que ressent Wanda n'est peut-être pas encore de l'excitation ou une émotion du même genre, mais c'est ce qui s'en approche le plus. Elle feuillette rapidement : plusieurs notes au stylo éclaboussent les marges, avec beaucoup de points d'exclamation et d'interrogation.

Manuscrit en main, elle s'en va sans verrouiller. Quinze minutes plus tard, elle entre dans un Copie Express et demande au commis de photocopier la pile de pages (en se gardant bien de lui donner la page de titre, afin que l'employé ne voie pas le nom de Mike Walec). Elle ressort au bout de quinze minutes et retourne au logement de Michaël, où la musique du voisin ne se fait plus entendre. Wanda dépose le manuscrit original dans le tiroir puis elle quitte l'appartement. Avec sa *bump key*, elle verrouille la serrure, en craignant que les trois coups de tournevis n'attirent l'attention de l'autre locataire, mais aucune porte ne s'ouvre, et elle descend l'escalier l'esprit tranquille.

Sur Mont-Royal, elle constate que la voiture de Michaël est toujours à la même place. Elle gare sa Honda près du Fitzroy et marche vers le bar, en demeurant de l'autre côté de la rue. Il est presque dix-neuf heures. Elle fait les cent pas pour empêcher ses pieds de geler, fumant cigarette sur cigarette, louvoyant entre les nombreux piétons de ce jeudi soir. Vers vingt heures, alors qu'elle est sur le point d'abandonner, un groupe sort de l'établissement. Parmi eux, elle reconnaît l'Asiatique, mais pas de Michaël. Tout le monde se parle, certains semblent vouloir convaincre l'Asiatique de quelque chose, mais elle refuse et se dirige vers l'est, alors que la bande s'ébranle vers l'ouest. Wanda observe la femme, prise d'un pressentiment. Elle attend encore cinq ou six minutes et, comme elle l'espérait, voit Michaël sortir enfin à son tour. Il marche dans la même direction que celle empruntée par l'Asiatique.

L'ex-détenue le suit à bonne distance. Après trois coins de rue, il entre dans un restaurant. Wanda passe plusieurs fois devant une grande vitrine et finit par apercevoir Michaël qui s'assoit à une table où l'Asiatique est déjà installée, seule.

Wanda retourne rapidement à sa voiture, y monte et démarre. La rue De Brébeuf est tout près, elle y sera en moins de trois minutes. Elle retrouve l'adresse de l'Asiatique et se gare pas très loin. Mains gantées, sac en bandoulière, elle marche jusqu'à l'appartement dont le seuil est éclairé par une ampoule. Elle s'immobilise, le temps qu'un piéton sur le trottoir disparaisse, puis dévisse l'ampoule jusqu'à ce qu'elle s'éteigne.

Dans le noir, elle utilise à nouveau sa clé magique puis entre dans le logement. Si un système d'alarme se déclenche, elle se sauvera, tout simplement. Mais aucune sonnerie ne retentit.

Moins de cinq minutes plus tard, elle ressort, verrouille la porte, revisse l'ampoule jusqu'à ce qu'elle s'allume, puis retourne dans sa Honda à une trentaine de mètres de là. Elle attend, malgré le froid. En quatre-vingt-dix minutes, elle voit trois individus s'approcher, mais il ne s'agit jamais d'eux. D'ailleurs, elle fait peut-être fausse route. Mais elle croit enfin reconnaître au loin le manteau rouge, accompagné d'une silhouette sombre. Elle s'extirpe de sa voiture, appareil photographique en main, camouflée par la distance et la noirceur. Elle utilise le zoom et cadre le couple. Pas de doute, ce sont eux. L'œil sur le viseur, elle soupire, tout de même fière d'avoir vu juste. Mais tout cela n'a pas comme but premier de nuire à Michaël. Ce ne sont que des précautions. Uniquement des précautions.

Elle attend que le couple passe près d'un lampadaire, prend la photo. Michaël et la femme s'approchent de la porte, éclairés par l'ampoule du seuil. Wanda appuie à nouveau sur le déclencheur. Puis les amants entrent.

Wanda réintègre sa Honda, mais ne démarre pas. Elle imagine Michaël qui baise cette Asiatique et éprouve un sentiment désagréable. Serait-ce de la jalousie ? Elle ne le sait pas, mais espère que oui, elle qui a recherché cette sensation avec son ex-conjoint, sans cependant y parvenir. Elle tente d'explorer cette émotion, mais c'est difficile et à force de rationaliser, elle finit par ne plus rien sentir du tout.

Au bout de deux heures, elle voit Michaël ressortir de l'appartement. Maintenant qu'elle a la confirmation que l'auteur ne passera pas la nuit là, elle retourne chez elle.

Le lendemain matin, vendredi, elle vient se garer près de l'appartement de l'Asiatique dès sept heures trente. À huit heures vingt-cinq, la femme sort de son domicile et se dirige à pied vers l'avenue du Mont-Royal, où elle s'engage et disparaît. Wanda, toujours avec sa *bump key*, entre dans le logement. Elle le quitte moins de trois minutes plus tard. Quand elle s'éloigne, un voisin la regarde d'un drôle d'air et elle s'empresse de monter dans sa voiture pour déguerpir.

Après sa journée de travail, elle s'enferme chez elle. Assise dans un vieux divan troué, elle commence enfin la lecture du manuscrit de Michaël, concentrée, les yeux rétrécis, en jouant avec sa queue-de-cheval.

Le lendemain soir, elle l'a terminé. Les traits tirés et les yeux rouges, elle dépose le roman sur sa table bancale, soupire puis gonfle ses joues. Exactement ce à quoi elle s'attendait. Ça ne sera pas simple. Mais elle est convaincue qu'elle trouvera un moyen. Elle se frappe dans les mains et les frotte de manière cari-caturale. Allez, au boulot !

Elle se lève et va chercher plusieurs feuilles de papier. Elle revient à sa table, tourne les pages du manuscrit de Michaël jusqu'à la première scène de violence, la relit, puis jette des notes sur ses propres feuilles, la langue pointant entre ses lèvres.

8

La librairie « Les p'tits lecteurs », qui ouvre ses portes aujourd'hui, grouille autant d'adultes que d'enfants. À l'avant, sur une estrade, la propriétaire livre avec fierté son discours d'un ton de voix démontrant qu'elle a plus l'habitude de s'adresser aux bouts de chou qu'aux grands.

— Une librairie qui se spécialise uniquement dans la littérature jeunesse est un acte d'espoir, un signe que nous croyons non seulement aux livres, mais à la relève des lecteurs. Et je tiens à remercier les auteurs présents qui, en participant à cette ouverture officielle avec leur progéniture, prouvent qu'ils y croient aussi.

On applaudit, tandis que la quinzaine d'écrivains dans l'assistance approuvent de la tête. Quand on a approché Michaël il y a deux mois, il a rappelé à l'organisatrice qu'il n'écrivait pas pour les jeunes, mais elle a répliqué que cela n'avait aucune importance, qu'on invitait des auteurs de tout horizon, tant qu'ils étaient parents d'enfants de trois à douze ans. Malgré son peu d'enthousiasme, il a accepté : au cours des dernières années, le nombre d'invitations à des

événements du genre a diminué comme peau de cha-
grin, alors il ne pouvait se permettre de faire la fine
bouche, même lorsqu'il s'agissait d'une modeste librairie dans un centre commercial de Laval. Hubert
qui, à cinq ans, lit beaucoup d'albums illustrés, a été
emballé par l'idée et toute la petite famille s'est donc
rendue sur place.

La propriétaire termine son laïus et les gens se
mettent en mouvement pour discuter et aller chercher
un verre de vin sur la grande table près de la caisse.
Tandis que plusieurs enfants courent un peu partout
et jouent entre eux, Michaël présente à sa femme
plusieurs auteurs présents. L'écrivaine Caroline Allard,
qui est accompagnée de sa petite Emma, serre la
main d'Alexandra puis, alors que celle-ci s'éloigne
pour accompagner son fils qui souhaite lui montrer
quelque chose, Allard lance à Michaël :

— Hé ben ! Je savais même pas que t'étais marié !

— Très drôle, Caro ! Je te ferai remarquer qu'on
voit pas souvent ton chum non plus.

L'écrivaine semble quelque peu mal à l'aise.

— Mais… C'était pas une blague. Je ne savais plus
trop si tu avais une blonde ou non…

Michaël ne réplique rien, consterné… Parle-t-il si
peu d'Alexandra à ses collègues ? Il est vrai qu'il ne
voit pas Caroline souvent, mais tout de même. Elle
exagère sûrement.

On discute, on échange avec quelques lecteurs
présents, certains auteurs murmurent qu'il y a beaucoup
trop de séries jeunesse au Québec, d'autres songent
à en écrire une, quelques-uns se demandent s'il est
plus facile d'obtenir une subvention pour la rédaction
de livres pour enfants, plusieurs mettent en doute la
viabilité d'une librairie indépendante spécialisée et
tous félicitent la propriétaire pour un si noble projet.

Au bout de vingt minutes, Alexandra fait comprendre à son mari que ce serait un bon moment pour partir. Pourtant, presque personne n'a encore quitté la place. Néanmoins, Michaël salue ses collègues, puis la petite famille s'en va. Dans le centre commercial, Hubert sautille en exprimant son ravissement :

— Pis y avait une fille de mon âge qui s'appelait Laurie, elle était super gentille. Pis la madame m'a donné un livre d'avions qui parlent, regardez ! Y est beau, hein ?

— Y est génial, champion, répond Michaël avec un sourire en ébouriffant les cheveux de son fils. En arrivant à la maison, je te le lirai.

Alexandra avise alors une boutique de vêtements pour enfants et se souvient que son fils a besoin de nouveaux pantalons. Son conjoint, qui déteste le magasinage, indique qu'il va les attendre sur ce banc, au centre de l'allée. Alexandra entraîne donc le gamin peu enthousiaste vers la boutique et Michaël, assis sur le banc, les observe en resongeant aux paroles de Caroline Allard. Parle-t-il si peu de sa femme à son entourage ? Peut-être depuis qu'il couche avec Lee-Ann. Pourtant, ils ne sont qu'amants, tout est clair là-dessus...

Alors pourquoi hésites-tu à avoir un autre enfant avec Alex ?

— C'était bien, ce petit cocktail d'ouverture ?

Michaël lève la tête : à ses côtés se tient un homme dans la jeune trentaine. Le type a maintenant les cheveux longs en queue-de-cheval et a pris quelques kilos, mais l'écrivain le reconnaît aussitôt. Michaël pousse un soupir de lassitude volontairement ostentatoire. Peut-être pour dissimuler la pointe d'inquiétude qui le pique simultanément. Il croise les doigts, les avant-bras sur les cuisses, et regarde devant lui, en espérant ainsi afficher son désintérêt.

— Qu'est-ce que vous faites à Laval, Laurent ? Vous travaillez pas pour un journal de Brossard ?

Le journaliste, les mains dans les poches, arbore le même sourire avenant qu'à son habitude.

— Longueuil. Mais je savais que si je vous contactais par courriel, vous refuseriez. Disons que notre dernière rencontre s'est pas très bien terminée.

— Vous pensez que je vais vous accorder une entrevue ici, dans un centre commercial ?

— En fait...

Il s'assoit aux côtés de l'écrivain, le bras sur le dossier, décontracté. Michaël, toujours penché vers l'avant, tourne un visage stupéfait vers Dubuc, outré d'un tel sans-gêne.

— ... en fait, c'est pas une entrevue que je souhaite, mais plus une petite discussion. On a le temps, pendant que votre femme et votre fils magasinent...

— Dubuc, si vous partez pas tout de suite, j'appelle votre journal pour...

— J'ai rencontré Wanda Moreau.

Michaël soutient son regard. Même si cela est impossible, il se *sent* blêmir. Et ce doit être le cas, car le sourire de Dubuc se teinte de triomphe.

— Il y a une douzaine de jours.

— Vous êtes encore obsédé par cette histoire, c'est incroyable.

— Oh, mais j'étais pas obsédé du tout, moi. Il y a trois ans, j'ai juste voulu vous faire admettre que vous vous étiez inspiré du meurtre de votre élève en prison, je trouvais ça rigolo, rien de plus. Mais votre réaction a été si intense, vous m'avez presque menacé, alors...

— Menacé, franchement !

— … alors quand j'ai su que madame Moreau était sortie du centre de détention, je me suis dit que ça valait peut-être le coup d'avoir son avis sur tout ça. Et vous savez quoi ? Elle ne tarit pas d'éloges à votre sujet. Elle serait bien déçue d'apprendre que vous prétendez ne pas vous souvenir d'elle…

Michaël jette un œil vers le magasin de vêtements pour enfants, puis autour de lui : les visiteurs du centre commercial déambulent sans leur prêter la moindre attention. L'auteur appuie son dos contre le banc en claquant la langue, tout en affectant un sourire embarrassé.

— Bon, OK, je l'admets : je me suis inspiré du meurtre de cette Wanda Moreau. Je sais que c'est pas grave, mais ça me gênait de le reconnaître. Rien pour faire un papier, hein ?

— J'avais déjà compris tout ça, Mike, et effectivement, je ne voulais pas écrire un article là-dessus. Mais vous avez réagi si agressivement à l'époque… D'ailleurs, elle aussi était… disons, intense, et elle a précisé que si vous saviez que je la questionnais, vous n'aimeriez pas ça. Pourquoi, donc ?

Michaël attend la suite, même s'il la redoute. Dubuc, toujours le bras nonchalamment appuyé contre le dossier, penche la tête sur le côté. Il veut demeurer sérieux, mais il s'amuse, c'est évident, et ne serait-ce que pour cela, Michaël se retient de lui envoyer son poing dans la figure.

— À un moment, Moreau s'est échappée. Elle a dit : « Il a pas volé *mes* histoires, il s'en est inspiré. »

Il incline le buste vers son interlocuteur.

— Est-ce que Wanda vous a raconté d'autres histoires que celle de son meurtre, Mike ?

Malgré la sécheresse qui a envahi sa bouche, Michaël articule :

— C'est vous qui devriez écrire, Laurent. Vous avez beaucoup plus d'imagination que moi.

— C'est ce que j'ai voulu vérifier, poursuit le journaliste en se redressant, à nouveau souriant. Après tout, je me trompais peut-être. Alors, j'ai poussé mes recherches. J'ai découvert qu'avant d'être emprisonnée en 2000, Wanda Moreau a toujours vécu à Mont-Laurier. J'ai dressé la liste des crimes commis dans cette région dans les années quatre-vingt-dix. Ç'a été très intéressant...

Il sort de sa poche un calepin qu'il consulte, l'air serein. Michaël ne bouge pas, mais sent que son corps se couvre de sueur sous son manteau. Pourquoi ne part-il pas ? Non, mauvaise idée. Ce serait une sorte d'aveu.

— En 1996, une certaine Marie-Pier Groleau, vingt-huit ans, a été tuée par sa propre voiture, écrasée au bassin et au thorax.

Il lève les yeux.

— Ça ne vous rappelle rien, monsieur l'auteur ?

Michaël ose un sourire goguenard, même si son cœur galope depuis quelques instants. Dubuc précise :

— La thèse de l'accident était impensable, mais on n'a jamais retrouvé le meurtrier. Et c'est là que ça devient intéressant : Wanda Moreau a été interrogée à propos de cette affaire, mais finalement, rien n'a été retenu contre elle.

Les lèvres de Dubuc dessinent un rictus de fierté.

— C'est pas parce que je suis chroniqueur culturel que je ne fais pas mon travail de façon professionnelle. Pour mes recherches, je me suis rendu à Mont-Laurier, j'ai rencontré la police, les médecins légistes... Quand on est journaliste et qu'on dit qu'on prépare un livre, ça ouvre beaucoup de portes... et beaucoup de dossiers.

Il retourne à son calepin.

— C'est comme ça que j'ai eu accès aux rapports d'autopsie, où on explique que la voiture est sans doute demeurée un certain moment sur Groleau puisqu'on a trouvé sur le pneu arrière des traces de sang et de peau provenant des doigts de Groleau. Les médias ont parlé de bien des détails, mais pas de ces lacérations.

Il revient à Michaël, à l'affût de chacune de ses réactions.

— Dans votre roman, il y a une victime qui reste sous la roue d'un char assez longtemps pour qu'elle grafigne le pneu de ses mains, jusqu'à s'arracher les ongles.

Michaël change de position, croise les jambes, tente d'ignorer la douleur qu'il ressent au thorax. Laurent consulte à nouveau son calepin.

— En 1994, à trente kilomètres de Mont-Laurier, sur une route de campagne qui menait à un cul-de-sac, on a découvert un camion-citerne et son chauffeur mort, la poitrine ravagée par l'acide qu'il transportait dans sa citerne. L'autopsie a démontré que sa mâchoire avait auparavant été disloquée par le bras de vitesse. Cette fois, Wanda Moreau n'a pas été interrogée, je vous l'accorde.

Il revient à Michaël.

— Dans *Sous pression*, votre assassin jette de l'acide sur un homme, après lui avoir fracassé la face sur le bras de vitesse de son véhicule. Dans votre scène, il s'agit d'une voiture, pas d'un camion. Et l'acide est lancé à l'aide d'un bidon, pas versé depuis une citerne. Et le bras de vitesse n'entre pas dans la bouche du type mais dans son œil. Énormes différences, bien sûr.

Michaël détecte l'ironie des derniers mots. Il croise ses jambes dans l'autre sens. Si son cœur ne se calme pas, il va lui jaillir de la poitrine. Dubuc a un petit soupir faussement perplexe.

— Dans votre roman, le tueur tire sa victime par les pieds pendant que le bras de vitesse est coincé dans son œil. En passant, comment un bras de vitesse de camion peut-il entrer dans un œil? Mais bon, c'est vous l'auteur. Pour ce qui est du meurtre *réel* du camionneur, le rapport d'autopsie indique que le gars a sans doute été tiré par les pieds pendant que le bras de vitesse était enfoncé dans sa bouche. Précision qui n'apparaissait dans aucun média.

Il referme enfin son calepin, le range dans son manteau, joint les mains sur sa poitrine et observe Michaël. Son sourire est dénué d'impudence, au contraire. Comme s'il souriait à un ami au cours d'une discussion tout à fait banale. Et pourtant, Michaël sent que le journaliste jubile. Pendant une seconde, il s'imagine l'étranglant avec délice. L'image est si forte qu'il cligne des yeux, épouvanté par une telle vision. Il veut rendre sa voix railleuse, mais il doute du résultat.

— Allez-y, monsieur le Grand Reporter. Livrez-moi vos conclusions.

— Que Wanda Moreau vous ait raconté le meurtre de son ex et que cela vous ait influencé, j'ai pas de problème avec ça. Qu'elle vous ait, par la même occasion, parlé d'un autre assassinat pour lequel on l'aurait soupçonnée à tort un court moment, ça me va. Qu'en même temps, vous ayez été inspiré par un troisième meurtre qui, en apparence, n'a rien à voir avec Moreau et qui s'est déroulé dans la même région, ça commence à être beaucoup. Mais que vous connaissiez des détails qui ont jamais été rendus publics, alors là, il n'y a qu'une seule explication...

Réponds. Réponds rapidement, sinon c'est comme si tu lui donnais raison.

— Vous délirez, Dubuc. Effectivement, il n'y a qu'une seule explication, mais pas celle que vous croyez. Oui, je l'admets aussi, je me suis inspiré de ces crimes que j'ai retrouvés dans les médias et, oui, la rencontre avec Wanda Moreau a été le déclencheur de tout ça. Mais j'ai inventé les détails. J'ai essayé d'imaginer, à partir de ce que j'ai lu dans les journaux, ce qui se passerait dans un tel contexte, et il semble que je me suis approché très près de la réalité. Finalement, ça prouve juste que je suis un bon écrivain. Merci de me l'avoir confirmé.

— Vous pensez tout de même pas que je vais avaler ça ?

Michaël éclate de rire, de manière un peu trop appuyée, et il en profite pour reluquer la boutique de vêtements pour enfants : toujours aucune trace de sa femme et de son fils.

— Mais je m'en fous, que vous me croyiez ou non ! Et d'ailleurs, pourquoi vous êtes venu me raconter tout ça ? Pour me faire peur ? me faire chanter ?

Face à la moue sibylline de Dubuc, Michaël cesse de rigoler et écarquille les yeux, puis ses traits se crispent.

— OK, Dubuc, t'arrêtes ton petit jeu…

— Oh, mais je n'y vois pas d'inconvénient. Surtout qu'en ce moment je n'ai pas de preuves assez solides pour pondre un vrai bon papier. Bien sûr, si je publiais maintenant, ça pourrait vous nuire quand même et mettre la puce à l'oreille de la police, mais je suis sûr que si je continuais mon enquête, je trouverais d'autres éléments encore plus accablants… Alors, il n'en tient qu'à vous de me convaincre d'arrêter tout ça aujourd'hui même.

Michaël serre les poings, en oubliant presque la présence des gens autour de lui.

— Ostie de vautour minable…

— Et un homme qui pourrait envoyer une femme en prison pour deux meurtres non résolus, mais qui garde le silence parce qu'il s'est servi de ses confidences, vous appelez ça comment ?

— Y a rien de vrai là-dedans ! Et c'est pour cette raison que t'auras pas un sou de moi, peu importe le montant !

— J'avais pensé à cent mille…

Michaël hoquette un rire cynique.

— Tu me prends pour J. K. Rowling !

— Vous avez gagné plus que ce montant juste avec les ventes de *Sous pression*…

— Ça fait six ans, ça ! Si t'étais un si bon journaliste culturel, t'aurais remarqué que ma cote a beaucoup baissé !

— En bas de cent mille dollars, ça ne vaut pas la peine. Ce serait plus avantageux que je poursuive mon enquête et que je sorte un vrai bon papier qui aura l'effet d'une bombe. Ou, pourquoi pas, un livre ?

— Poursuis-la, ton enquête ! Je m'en câlice, parce que j'ai rien à me reprocher ! Rien pantoute ! Tu vas perdre ton temps, pauvre looser !

Dubuc sourit toujours, mais l'ombre de l'incertitude traverse son regard. Néanmoins, il se lève, replace son manteau et, affichant à nouveau son air détaché et amical, annonce :

— Dans une semaine, si je n'ai pas de vos nouvelles, je continue mes recherches. J'imagine que vous avez encore mon adresse courriel…

— Je te souhaite bien du plaisir, minable !

D'un pas naturel, Dubuc s'éloigne. Michaël bondit sur ses pieds et tourne autour du banc, en se frottant nerveusement les paumes. Pour la première fois de sa vie, il comprend réellement ce qu'est la panique.

D'ailleurs, quelques visiteurs le toisent avec curiosité : il doit ressembler à un type sur le point de péter un plomb, il faut qu'il se calme, et vite. Il s'immobilise et, les mains sur les hanches, penche la tête en respirant profondément. Cent mille dollars ! Impossible ! Ils vivent presque exclusivement sur le salaire d'Alexandra, ils arrivent à peine à amasser quelques économies ! Et même s'il demandait une autre hypothèque sur la maison, comment justifierait-il cela à Alexandra ?

Au loin, il voit son fils gambader vers lui tandis que sa femme, un sac d'emplettes en main, sort de la boutique. Michaël leur sourit, malgré la panique qui lui creuse le ventre.

◆

Électro Garnier est ouvert depuis deux heures et aucun client ne s'est encore pointé le bout du nez. Il faut dire que la température extérieure est digne du pôle Nord, tout à fait inhabituelle pour un 16 mars ; un tel froid décourage toute volonté de magasinage. Le propriétaire met de l'ordre dans sa comptabilité, derrière son bureau, et Wanda, à la caisse, s'affaire sur une antique caméra vidéo qu'un vieux nostalgique veut absolument sauver. Sauf qu'elle a l'esprit ailleurs.

Elle a passé le week-end à préparer son plan, mais il reste des zones d'ombre. Comment démarrer, par exemple ? Même en y allant au hasard, ce n'est pas si simple...

La clochette de la porte d'entrée grelotte et Wanda lève la tête de la caméra. En reconnaissant Michaël, elle sent une bouffée de chaleur lui remonter dans le ventre. Quand lui-même la voit, il bifurque dans sa direction. Il n'est donc pas ici par hasard : il est venu

pour elle ! La bouffée de chaleur s'intensifie. A-t-il
compris ? A-t-il enfin réalisé qu'il a besoin d'elle ?
qu'ils forment une équipe ? Dans ce cas, le plan est-il
encore nécessaire ? Du moins, il faudra le modifier,
le…

— Je peux te parler seule, cinq minutes ?

Il ne la salue même pas. En prononçant ces mots,
il jette un œil entendu vers Garnier, qui, le crâne
entre les paumes, fixe ses papiers de comptabilité tel
Napoléon assistant à un second Waterloo. Wanda lance
à son patron qu'elle sort en griller une et celui-ci,
sans même la regarder, lui adresse un signe d'assentiment morose. Elle enfile son manteau et, deux minutes après, se retrouve dans la ruelle avec Michaël.
Elle s'allume une cigarette de ses mains gantées.

— Il fait frette en câline, hein ?

Michaël ne répond rien, indécis, comme si une
partie de lui regrettait d'être là.

— Comment t'as trouvé que je travaillais ici ?

— Tu m'as dit le nom du magasin, à Gatineau…
Écoute, Wanda…

La femme, avec un sourire modeste mais plein
d'espoir, rejette la fumée de sa clope.

— Finalement, tu veux savoir comment je pourrais
t'aider, hein ? Ça va prendre plus que cinq minutes à
t'expliquer, par exemple. Tu pourrais venir chez moi
après mon *shift* pour qu'on en parle.

L'écrivain a un claquement de langue contrarié et
lève un doigt de dénégation.

— Non, c'est pas ça, Wanda, pense pas que…

Il regarde autour de lui, tandis que l'ex-détenue
fronce les sourcils.

— Il y a un journaliste qui t'a rencontrée il y a deux
semaines, non ? demande-t-il enfin. Un certain Laurent
Dubuc…

Wanda prend une touche de sa cigarette, dépitée.

— C'est juste pour ça que t'es ici?

— Ostie, Wanda, c'est plus sérieux que tu l'imagines!

— Pourquoi? Il voulait savoir si tu t'étais inspiré de mon meurtre pour écrire une scène de ton roman. J'ai été prudente pis je lui ai dit que c'était pas impossible. Inquiète-toi pas, je t'ai défendu.

— Et tes autres... (après de nouveaux coups d'œil aux alentours, il baisse la voix) et tes autres délits?

— Voyons, penses-tu que je lui ai parlé de ça? Je me mettrais dans le trouble, tu crois pas?

— En tout cas, ce que t'as dit l'a assez intrigué pour qu'il fasse des recherches à Mont-Laurier.

Et il lui résume leur discussion. Wanda, peu impressionnée, jette son mégot dans la gadoue.

— Pis il va faire quoi? Sortir ça dans le journal?

— Pas encore, il lui manque des preuves. Mais si je lui donne pas cent mille piastres, il va poursuivre son enquête. Cent mille piastres, ostie! Je peux pas payer ça, moi!

— Tu penses vraiment qu'il peut nous amener des problèmes?

L'écrivain marche sur place en se frottant les mains. Wanda réfléchit un moment puis secoue la tête.

— Tu peux dire que t'as inventé ces détails-là à partir des articles de journaux, que...

— C'est ça que je lui ai dit et c'est pour ça qu'il publie rien pour l'instant. Mais il est pas fou, il sait bien qu'on cache quelque chose, et il va continuer de fouiller!

— Mais qu'est-ce qu'il peut découvrir? Comment tu veux qu'il trouve des preuves? Il a eu accès à la police pis aux rapports de médecins, il peut rien apprendre de plus! Il essaie de te fourrer.

Michaël se lisse les cheveux. L'inquiétude le taraude toujours, mais les paroles de la femme produisent un certain effet.

— J'arrête pas de me répéter qu'il va frapper un mur et que son chantage va mourir dans l'œuf, mais en même temps… Je sais pas, il s'est quand même rendu loin jusqu'à maintenant, alors on sait jamais… De toute façon, il faut s'entendre sur une ligne de conduite, toi et moi, et c'est ça que je suis venu t'expliquer. S'il revient te voir…

Elle prend un air résolu.

— S'il revient, je lui dis juste que t'as été mon prof, que t'as pas…

— *Non!* Tu lui dis rien, tu comprends? *Rien!* Tu refuses de lui parler! Point final!

— Ça peut avoir l'air louche, non?

— Ç'a l'air de la femme qui est tannée de se faire écœurer avec ces histoires! OK? Tu me le promets? Tu lui dis rien, même s'il insiste!

Wanda paraît étonnée qu'il s'agite pour si peu. Elle esquisse un sourire timide.

— OK, je te le promets… mais en échange, on se rencontre chez moi tout à l'heure, correct? Pour que je t'explique comment je vois notre collaboration…

— Criss, Wanda, y a pas d'échange ou de condition! Je viens pas te demander ça pour me rendre service à moi, c'est pour nous rendre service *à nous deux!* Tu le comprends, ça? Si un de nous deux est dans la marde, on l'est tous les deux, oublie pas ça!

Son visage se contracte autant de fureur que de panique et Wanda, déconfite, opine du chef en silence. Michaël la dévisage un moment, comme s'il cherchait quelque chose à ajouter, puis marmonne presque à contrecœur:

— Adieu, Wanda. Et bonne chance.

Sans un mot de plus, comme s'il était resté trop longtemps près d'un pestiféré, il tourne les talons et s'empresse de sortir de la ruelle, les mains dans les poches, la tête renfoncée entre les épaules pour se protéger du froid.

Seule, Wanda s'allume une deuxième cigarette. Évidemment, cette rencontre n'a pas pris la tournure qu'elle espérait et elle éprouve une réelle déception face à l'entêtement de Michaël, mais paradoxalement, cette discussion lui a permis de résoudre un des problèmes de son plan. Michaël ne sera pas content et il lui en voudra. Mais on ne fait pas d'omelette sans casser d'œufs, comme disait sa mère.

Décidément, elle gèle trop. Elle jette sa cigarette à peine entamée et retourne dans la boutique.

◆

Laurent Dubuc, avachi dans son divan, tasse de thé à la main, regarde *Infoman* à la télévision, mais ne réagit à aucune des blagues de Jean-René Dufort, trop perdu dans ses mornes pensées.

Il a affronté Walec il y a cinq jours et il n'a toujours aucune nouvelle. L'ultimatum se termine dans quarante-huit heures. Que fera-t-il à ce moment-là? Car les choses ne se déroulent pas comme il l'avait prévu. Dans sa grande naïveté de novice en matière de chantage, il s'attendait à ce que l'écrivain le paie rapidement, mais manifestement ce n'est pas le cas.

Pour Laurent, il n'y a aucun doute: Wanda Moreau est responsable des deux autres meurtres, celui du camionneur et de la femme à la voiture, et elle les a racontés à son enseignant Mike Walec, qui a fermé sa gueule et s'en est inspiré pour son premier roman. Rien de tout cela ne peut être un simple hasard. Et quand

Laurent a découvert tout cela, la semaine dernière, il a tout de suite songé à écrire un papier là-dessus. Mais aucun rédacteur n'acceptera de publier une histoire semblable sans preuve solide. Pourtant, le journaliste aurait bien besoin d'un bon gros scoop à scandale pour le remettre sur les rails : depuis deux ans, avec toutes les compressions que subissent les médias imprimés, la section culturelle y a goûté et Laurent, déjà pigiste, se voit offrir de moins en moins de contrats. En fait, en trois mois, il n'a signé que cinq articles dans différents journaux et magazines. Rien pour nourrir son homme. Et maintenant, il en arrache vraiment. Mais que lui a-t-il donc pris, il y a quatre ans, d'acheter ce petit bungalow à Longueuil, alors qu'il venait de se séparer de Marie et qu'il vivait à nouveau seul ? À l'époque, il écrivait plus souvent, on l'assurait qu'il avait du talent, toutes ces flatteries lui étaient montées à la tête… Quatre ans plus tard, il n'arrive plus à payer son hypothèque, sans parler de l'argent qu'il doit à plusieurs amis. Merde, il a vraiment été con !

Alors qu'il songeait à vendre sa maison et à retourner dans un loyer minable, l'idée du chantage est née : si aucun média professionnel, faute de preuve, n'accepterait son histoire, Mike Walec, lui, le considérerait sans doute avec plus de sérieux. Il a donc affronté l'écrivain, convaincu qu'il lui foutrait la trouille. Et pour bien lui enfoncer la peur dans le ventre, il a ajouté que, s'il n'allongeait pas le fric, il poursuivrait ses recherches jusqu'à dénicher les preuves suffisantes.

Cela a fonctionné à moitié. Walec est inquiet, certes, mais peut-être pas suffisamment puisqu'il ne le contacte pas. A-t-il compris que le journaliste le bluffait ? Car effectivement, comment pourrait-il « poursuivre son enquête », au juste ? Comment pourrait-il

aller plus loin? Il n'est tout de même pas un enquêteur de métier! Si la police n'a rien trouvé, que
s'attend-il à déterrer de plus? Walec, après quelques
jours de réflexion, est sans doute arrivé aux mêmes
conclusions...

— Fuck! grommelle Laurent en donnant un petit
coup de poing sur sa cuisse.

Il boit une gorgée de thé en regardant d'un œil
morne Dufort interroger le maire Labeaume. Il s'est
toujours considéré comme un grand journaliste qui
s'était égaré temporairement dans la section culturelle,
mais là, peut-être qu'il est tombé dans le piège de la
grenouille qui se croit plus grosse que le bœuf. Et
s'il essayait tout de même d'envoyer son histoire dans
les médias? On ne sait jamais... Mais si, au lieu de le
prendre au sérieux, on le couvre de ridicule? Il soupire. Ou alors... le montant est trop élevé. Peut-être
que Walec a dit la vérité et qu'il n'arrive tout simplement pas à regrouper une telle somme. Laurent
devrait sans doute se contenter de cinquante mille
dollars. Ce n'est pas énorme, mais ce serait...

Il entend un son familier et lointain. Il ferme le
volume de la télé et dresse l'oreille. Un miaulement
plaintif en provenance de derrière. Son chat Rictus
est dehors. S'est-il blessé?

Laurent dépose sa tasse sur la petite table de salon,
va à la cuisine et déverrouille la porte arrière avant
de l'ouvrir. Il fait déjà nuit et la cour se perd dans les
ténèbres. Mais les lamentations du félin s'élèvent et
le journaliste perçoit sa silhouette près de la clôture
du fond.

— Qu'est-ce qu'il y a, Rictus? Allez, viens! Viens,
gros matou!

Mais l'animal ne bouge pas, sans pour autant cesser
de pousser ses appels dramatiques. En maugréant,

Laurent enfile bottes et manteau, sort et marche dans la neige peu profonde jusqu'au bout du jardin.

— Pourquoi tu restes planté là, crétin?

Il distingue enfin suffisamment la bête pour comprendre la situation: Rictus a une patte attachée au poteau de la clôture avec une cordelette. Couché sur le ventre et tout piteux, il miaule en fixant son maître de ses yeux phosphorescents. Laurent se penche et, sans effort, casse la cordelette. Il prend le chat dans ses bras et, tout en le rassurant, regarde autour de lui. Quel est donc l'imbécile qui s'est amusé à commettre une telle connerie? Les maisons des alentours sont silencieuses et perforées de quelques fenêtres flamboyantes. Évidemment, le coupable (sans doute un gamin) s'est éclipsé, ou alors il est caché quelque part et observe la scène en rigolant stupidement.

— Très drôle! clame Laurent à voix haute. Vraiment hilarant!

Il retourne à l'intérieur, referme la porte et la verrouille. Il détache le bout de corde de la patte de Rictus, puis celui-ci détale vers la chambre à coucher. Le journaliste revient au salon et se laisse choir dans le divan en poussant un long soupir de lassitude. Il remet le son de la télé, où défile le générique de fin d'*Infoman*. Il reprend son thé et le cours de ses pensées. Oui, demander un montant moins élevé. Cinquante mille, c'est mieux que rien. Sinon, tant pis, il vend sa maison et trouve un journal de seconde zone pour publier son histoire. Même si elle ne prouve rien, ça fera chier Walec et ça lui enlèvera de la crédibilité comme auteur. Et ça incitera peut-être la police à s'intéresser à tout cela, ce qui créerait une bonne publicité pour Dubuc comme…

Alors qu'il porte le thé à sa bouche, son crâne explose comme si un train le percutait par-derrière.

Sa lèvre supérieure heurte la tasse et se fend sous l'impact. Il atterrit sur les genoux et, allongeant les deux mains devant lui de façon instinctive, se rattrape à la table. Il s'y tient un moment, tellement étourdi qu'il ne distingue plus rien. Il commence à se retourner pour voir qui ou quoi l'a ainsi frappé, mais un bras le maintient soudain par-derrière en même temps qu'un chiffon humide et nauséabond se plaque sur sa bouche et son nez. Trop sonné pour résister, il se contente inutilement de secouer la tête tandis que le vertige devient engourdissement, puis perte de conscience.

9

Michaël crache sur son écran. Un acte aussi impulsif que grotesque, mais qu'il n'arrive tout simplement pas à réprimer. Il vient de relire la mise à mort de Louis, cette scène qu'il a réécrite pour la vingtième fois depuis deux mois (comme tous les passages essentiels de son roman, d'ailleurs) et sur laquelle il a pioché toute la matinée… Résultat : Michaël se demande même si, à force de vouloir améliorer ces passages, il ne les a pas empirés.

Impuissant, brisé, il essuie de sa manche la salive sur l'écran lorsque la musique du voisin éclate pour la première fois de la journée, une pièce d'Iron Maiden avec une basse qui secoue les murs.

— Ta gueule ! hurle l'écrivain au bout de sa chaise. Ta gueule, ta gueule, ta gueule !

À bout, il quitte l'appartement : il est midi quinze, aussi bien aller dîner.

Dans la pizzeria, il mange sans appétit, totalement désabusé. Comment espère-t-il se concentrer avec tout ce qui lui tombe dessus ? D'abord la réapparition de Wanda, puis l'ignoble chantage de Dubuc. Chantage qui n'est peut-être qu'un bluff, mais Michaël est-il prêt à courir le risque ? Le plus prudent serait de contacter le journaliste pour le convaincre de baisser son prix. Il a jusqu'à demain pour y penser.

De toute façon, ces menaces de Dubuc excusent-elles vraiment la médiocrité de son travail ? Peu importe les circonstances, il n'arrivera pas à accoucher d'une histoire aussi forte que *Sous pression*. Pas seul, en tout cas. Alors que faire ? Se résigner à écrire des livres du genre *De l'intérieur* ? Moins de ventes, moins de popularité, mais un succès d'estime et la satisfaction de produire de bons bouquins ? N'est-ce pas ce qu'il a toujours voulu ? N'est-ce pas ce qu'il a toujours soutenu devant Denis ?

Denis, son ami qu'il n'a pas vu depuis deux ans...

Il monte les marches vers son logement. La musique du voisin a cessé, ce qui normalement le comble d'aise, mais il le remarque à peine, trop absorbé par l'idée qui fait son chemin dans sa tête : oublier le roman en cours, ce ridicule retour aux sources qui n'en est pas vraiment un, et écrire un truc plus personnel, plus en accord avec son talent...

Il traverse son appartement et, quand il pénètre dans son bureau, ses pensées sont interrompues avec la même violence qu'une guillotine tranchant une nuque. Assise dans le fauteuil tourné vers la porte, Wanda Moreau, les paumes sagement posées sur ses cuisses, le regarde avec une totale neutralité.

— Comment t'es entrée ici ? souffle-t-il comme s'il manquait d'oxygène.

Elle se lève lentement en dressant deux mains conciliantes.

— Je m'excuse, je le sais que ça fait sauvage, mais je me suis dit que si je t'approchais dehors ou ailleurs, tu voudrais pas me parler, alors...

— Et tu t'imagines que si tu entres chez moi par effraction, j'en aurai plus envie ? Va-t'en tout de suite ou j'appelle la police !

Elle le considère d'un drôle d'air et il réalise qu'en effet alerter les flics n'est sans doute pas la meilleure idée.

— Je te préviens, Wanda : si tu t'en vas pas, je te sors de force !

Tant pis pour la prudence, tant pis s'il s'agit d'une meurtrière, toute cette farce a assez duré. Il s'écarte donc, menaçant, mais l'ex-détenue ne se lève même pas. Avec un petit soupir contrit, elle attrape son sac à main sur le bureau, fouille dedans et tend deux photographies vers l'auteur.

— Désolée, Michaël, mais tu me laisses pas le choix...

Un mauvais pressentiment convainc Michaël de prendre les photos. Sur la première, lui et Lee-Ann marchent sur un trottoir, le soir, tous deux très serrés l'un contre l'autre. Sur la seconde, ils sont sur le seuil de l'appartement de l'Asiatique et la main de l'écrivain sur les fesses de la femme donne un bel aperçu du programme à venir. Michaël promène ses regards d'un cliché à l'autre, aussi incrédule que s'il voyait son fils de cinq ans fumer du pot.

— Ostie, t'es encore plus folle que je pensais !

Wanda accuse mal le coup.

— Tu me trouves folle ?

— Faut être folle certain pour me suivre, m'espionner, me photographier ! T'es... t'es...

— J'ai pas aimé faire ça, pis j'aime pas non plus les utiliser en ce moment, mais, Michaël, j'ai fait ça juste pour être sûre que tu m'écouterais !

— Mais tu veux quoi, câlice ? Qu'est-ce que tu veux ?!

— Je te l'ai dit, qu'on soit *partners*! Comme on l'était il y a six ans pour...

— J'ai pas besoin d'aide, je te l'ai répété cent fois! crie-t-il en levant deux bras exaspérés, les clichés ballottant dans ses mains.

— Oh oui, t'en as besoin. Rien qu'à lire ton manuscrit, c'est clair que tu y arriveras pas tout seul!

L'auteur demeure un bref instant les bras en l'air, subjugué, puis les baisse rapidement.

— Mais... t'as pas... Qu'est-ce que t'en sais?

Il a un ricanement qu'il souhaite arrogant, mais qui sonne faux.

— Tu l'as même pas lu!

— Pour l'instant, t'as pas de titre, mais l'histoire est intéressante: Soulières, un petit bandit, subit du chantage de la part de Dumas, un flic corrompu et psychopathe qui l'a pris la main dans le sac pour un trafic de drogue. Soulières est donc contraint de poser des gestes horribles pour le policier, sinon Dumas l'envoie en prison. Pas mal.

Michaël recule d'un pas, épouvanté, comme si un spectre apparaissait devant lui. Il n'a jamais parlé de son intrigue à personne, pas même à Alexandra! Il se précipite vers son bureau en lâchant les photos, pousse Wanda, dont le fauteuil à roulettes s'écarte d'un demi-mètre, puis ouvre un tiroir: son manuscrit y est toujours.

— Pis pour une fois, poursuit l'ex-détenue, t'as un personnage principal qui n'est pas froid et dénué d'émotions, au contraire: les crimes qu'il est obligé de commettre l'affectent beaucoup. C'est intéressant. Malheureusement...

— T'as pas pu lire mon roman au complet pendant que je suis sorti dîner!

— Non, évidemment.

— Ça veut dire que… que…

Il ne complète pas, mais son interlocutrice, comme si cela allait de soi, confirme :

— J'en ai une copie chez nous.

Michaël recule à nouveau, jusqu'à ce que son dos atteigne le mur. Wanda soupire.

— Je suis désolée, Michaël, mais si t'avais été coopératif, j'aurais pas eu besoin de faire tout ça, je veux dire prendre les photos, entrer ici, piquer ton manuscrit… En plus, la lecture de ton histoire m'a prouvé que je me trompais pas ! Parce qu'encore une fois, tes scènes clés, tes scènes noires, tes scènes violentes, elles sont trop ordinaires ! Bien écrites mais sans force, sans punch. Sans vie. Pis je suis sûre que tu le sais !

L'effarement qui couvrait les traits de Michaël se transforme en un masque d'impuissance. Encouragée par cette réaction, Wanda se lève et quelque chose qui ressemble à de la compassion flotte sur son visage.

— Fais-toi une raison, Michaël.

L'écrivain grince des dents et ses yeux s'emplissent de larmes.

— Mais comment tu peux m'aider ? Tu peux plus, tu m'as tout raconté ! Tout ! Qu'est-ce que tu peux faire, câlice ?

Wanda pose doucement une main sur le bras de Michaël et celui-ci, qui se masse le front, se dégage aussitôt. Mais à l'opposé de son geste bienveillant, la voix de l'ex-détenue est totalement neutre.

— En fait, je pourrais te raconter d'autres choses. Parce qu'il s'est passé des affaires depuis que je suis sortie de prison…

Michaël dévisage la femme avec effroi. Celle-ci poursuit sur le même ton :

— Mais ça marcherait pas. Parce que tu m'as dit, à Gatineau, que tu ne voulais plus te servir du vécu des autres… Tu voulais que ça vienne de toi…

Il fronce les sourcils. Elle extirpe alors de la poche de son jeans une clé USB, l'exhibe telle une pièce à conviction importante, puis la branche à l'ordinateur. Elle recule de quelques pas.

— Assis-toi pis regarde ça.

Michaël songe à refuser, sauf qu'il sait que Wanda n'acceptera pas cette réponse. Et puis… et puis une partie de lui a envie de voir, même s'il devine qu'il ne s'agit pas du diaporama d'un anniversaire de famille…

Résigné, il s'assoit et, avec des mouvements fatalistes, rentre son mot de passe, trop sonné pour remarquer que Wanda, légèrement à l'écart, observe attentivement ses doigts pianotant sur les touches. Puis il actionne la clé USB.

Une vidéo débute, plein écran. Un salon, décoré avec goût, avec divan à l'arrière-plan et une porte plus au fond encore qui ouvre sur une autre pièce. L'éclairage cru provient d'une lampe et d'une source au plafond, ce qui laisse supposer que c'est le soir ou la nuit. À l'avant-plan, dans un fauteuil massif, un homme est assis, habillé seulement d'un caleçon, évanoui, la bouche recouverte d'un bâillon. Ses deux poignets et ses deux avant-bras sont attachés aux accoudoirs et aux barreaux du dossier du fauteuil. Le silence est complet.

Michaël porte la main à sa poitrine en étouffant un petit gémissement affligé. Évidemment, c'est ce *genre* de scène ! A-t-il vraiment cru qu'il pouvait s'agir d'autre chose ? Mais il fronce les sourcils, avance la tête, puis la recule vivement en jurant, comme si deux bras surgissaient de l'écran pour le repousser. Il a reconnu le type inconscient, et *ça*, il n'aurait jamais pu le prévoir !

— Wanda, ostie, qu'est-ce que t'as fait ?

— J'avoue qu'au début j'avais aucune idée qui choisir, pis ça m'embêtait pas mal… mais quand t'es venu me parler de Dubuc, lundi, je me suis dit que j'étais aussi bien d'en profiter.

Devant l'affolement de Michaël, elle lève une main rassurante.

— Inquiète-toi pas, j'ai fait mes recherches avant, je suis pas folle… malgré ce que t'as dit tantôt (et en prononçant ces derniers mots, sa bouche se plisse en un léger reproche). Il habite à Longueuil tout seul dans une petite maison unifamiliale. Pas de panique.

— Mais tu… t'as…

La phrase de Michaël est interrompue par un grognement provenant de l'ordinateur et l'écrivain revient à la vidéo, où Laurent Dubuc reprend ses esprits en hochant la tête mollement.

— Il devait avoir mal à la caboche en câline : je lui ai sacré un coup de chaudron avant de l'endormir avec du chloroforme.

Aussitôt, une musique débute en sourdine, un vieux rock'n'roll chanté par une femme à la voix un brin nasillarde. Pendant un moment, Michaël croit que Wanda a ajouté cette chanson au montage, mais à la mauvaise qualité du son, il comprend que la pièce jouait bel et bien dans le salon pendant le tournage. À l'écran, Laurent dresse l'oreille, intrigué par cette musique, puis réalise enfin qu'il est en caleçon et ligoté. Il se démène en poussant des grognements étouffés par son bâillon, mais il est si bien ficelé et le fauteuil est si lourd qu'il bouge à peine.

— Il sait pas qu'il est filmé, précise Wanda. La caméra est toute petite pis camouflée.

— Qu'est-ce… qu'est-ce que tu lui as fait ?

— Je me suis dit qu'on pourrait commencer par le passage de ton livre où Dumas oblige Soulières à torturer une fille que le flic aime pas... Bon, ici, c'est un gars, mais le sexe de la victime est pas vraiment important...

Michaël secoue la tête en émettant un ricanement douloureux et incrédule.

— Non, Wanda...

— Je le sais que tu veux maintenant écrire des choses qui viennent juste de toi, pis que ce qui se passe sur l'écran, c'est moi qui l'ai fait... Sauf que là, tu vas *les voir* pour vrai, presque comme si tu participais... Tu écriras pas la scène à partir d'une histoire que je t'ai racontée ou que j'ai rédigée, mais à partir de la réalité dont tu vas être témoin. Pis toutes les émotions que tu vas ressentir proviendront de toi.

— Non, ostie, non, je regarderai pas ça, il en est pas question !

— Michaël, c'est arrivé de toute façon. Que tu regardes ou pas changera rien.

En secouant la tête, l'auteur revient à l'ordinateur, au comble de l'anxiété. Dans la vidéo, Wanda apparaît, habillée d'un vieux jeans noir, d'un t-shirt de la même couleur, les mains gantées, les cheveux attachés cette fois en chignon et protégés d'un filet. Dubuc la reconnaît sans doute, car il cesse de gigoter, les yeux écarquillés de stupéfaction, tandis que l'ex-détenue, inexpressive, enroule autour de ses jointures une languette de cuir.

— T'es même pas masquée ! s'écrie Michaël. Il t'a reconnue, c'est sûr ! Il doit croire que je suis aussi impliqué là-d'dans, il...

— Regarde pis tu vas comprendre.

Au moment où Laurent recommence à pousser des sons étouffés à travers son bâillon, Wanda, de ses jointures entourées de cuir, le frappe et l'atteint sur la joue droite. L'impact n'est pas d'une grande force, mais la tête du journaliste est tout de même projetée sur la gauche. Michaël grimace tandis qu'à ses côtés Wanda hausse une épaule.

— Je suis pas ben bonne pour donner des coups de poing, pis en plus, ça fait mal aux doigts... Mais je voulais quand même que t'entendes le bruit que ça fait. C'est pas pantoute comme dans les films ou comme dans tes romans. C'est pas un bruit claquant ou sec... Écoute !

À l'écran, la femme frappe à nouveau, sur l'autre pommette, et Michaël perçoit le son : sourd, amorti, et pourtant net. Il masse son cou, les traits tendus. Si elle ne fait que lui taper sur la gueule, ce ne sera pas si terrible. L'écrivain va jusqu'à songer qu'après tout ce salopard l'a bien cherché. Après le troisième coup, Dubuc, qui saigne légèrement du nez, lance à Wanda des regards dans lesquels brille davantage la colère que la peur. Wanda s'arrête puis sort du champ. Michaël ressent une pointe d'espoir : est-ce terminé ? Furieux, le prisonnier recommence à se démener, les bras et les jambes bien attachés à la chaise. Pendant quelques instants, on n'entend que la musique rock.

Here I go, going down, down, down
My mind is a blank
My head is spinning around and around

— Comment t'aimes la toune ? demande Wanda.

L'écrivain se tourne vers elle. Elle précise, enthousiaste :

— C'est Wanda Jackson. C'est bon, hein ?

Michaël la dévisage, décontenancé, puis des bruits de pas le ramènent à l'ordinateur. La Wanda virtuelle réapparaît, tenant entre les mains un sèche-cheveux qu'elle branche dans le mur, près de son prisonnier.

— Dans la scène de ton manuscrit, Soulières utilise des scalpels pour torturer la fille. Moi, j'avais pas ça sous la main. De toute façon, ce que j'ai trouvé est plus original.

Un long frisson traverse Michaël et il rétorque :

— Si tu penses que je vais me servir de cette vidéo pour m'inspirer, tu te fourres un...

Mais sa phrase est interrompue par le mugissement du séchoir en marche. À l'écran, Wanda approche le corps de l'appareil à deux centimètres du ventre de Dubuc. Celui-ci ne bouge pas sur le moment mais, rapidement, il tente en vain de se dégager tandis que l'épiderme rougit de plus en plus, jusqu'à se ratatiner puis à se couvrir d'une cloque suintante. Le journaliste pousse des cris étouffés, mais le séchoir envoie toujours son air brûlant sur la plaie, qui dégage maintenant de la fumée.

— Fuck ! souffle Michaël, son corps aussi tendu que s'il était lui-même attaché.

— Pis encore une fois, la peau qui brûle, ça sent vraiment le feu de camping. Je le sais que t'as pas utilisé cette image dans *Sous pression*, mais, bon, je te dis ça de même...

L'écrivain l'entend à peine, son regard horrifié rivé à l'écran où, cette fois, l'appareil s'attaque au mamelon gauche du prisonnier. Malgré le bâillon, les gémissements assourdis sont empreints de souffrance et tous les membres, tandis que le mamelon devient une large blessure écarlate, se raidissent comme si le corps entier était traversé d'une décharge électrique.

— Remarque les réactions du corps sous la douleur, explique Wanda tel un professeur offrant un exposé. Les mains s'ouvrent pas et se ferment pas, comme tu écris souvent : elles restent grandes ouvertes, tu vois ?

En effet, même si la Wanda de la vidéo a éteint le sèche-cheveux et l'a laissé choir sur le sol, les doigts du journaliste sont totalement écartelés et ses yeux sont clos avec la force de celui qui refuse de voir quelque chose ou qui combat intérieurement. Michaël ne respire plus depuis de longues secondes et lorsque Dubuc relève les paupières en prenant enfin de profondes inspirations par le nez, l'auteur exhale à son tour un grand soupir. Tout à coup, le son des halètements de souffrance et la vue des brûlures sur ce petit merdeux qui voulait le faire chanter procurent à Michaël une furtive délectation : « Alors, tu veux toujours jouer au plus fin, pauvre con ? » Mais l'écrivain rejette aussitôt cette pensée avec effroi et se détourne de l'écran.

— Ça suffit, j'en regarderai pas plus !

— Je suis sûre que tu veux savoir ce qui arrive à Dubuc… Comment je l'ai convaincu de pas me dénoncer… De pas *nous* dénoncer…

— Pas besoin que je regarde le reste, t'as… t'as juste à me le dire !

— Moi, je dirai rien.

Michaël se lève, menaçant, les poings serrés. Wanda émet un soupir contrit.

— Si tu me frappes, Michaël, les photos de toi avec ta maîtresse vont atterrir sur le bureau de la clinique de ta femme, je te le garantis.

Michaël s'immobilise, ses poings se détendent. L'ex-prisonnière ajoute d'une voix neutre :

— Je suis désolée d'utiliser des moyens aussi cheap, mais je fais tout ça pour t'aider.

Il veut répliquer quelque chose, mais les plaintes étouffées à l'écran s'imprègnent de peur et incitent Michaël à revenir à la vidéo. La Wanda virtuelle, maintenant munie d'un couteau à steak, avance vers sa victime qui a recommencé à s'agiter tel un pantin épileptique. Ce qui frappe Michaël est la terreur pure qui brille dans le regard de Dubuc, une terreur que l'écrivain

(*doit retenir, doit noter*)

n'a jamais décelée chez personne. Toujours sans la moindre émotion, Wanda approche la lame du ventre du journaliste et entaille l'une des cloques provoquées par les brûlures. De l'eau et du sang s'écoulent aussitôt tandis que les sons émis par Dubuc deviennent rauques et que son corps, cette fois, se recroqueville. Michaël tourne sur lui-même, la main sur la nuque.

— Wanda, si tu l'as tué, je… je…

— Je l'ai pas tué. Dans la scène de ton livre, Soulières tue pas la femme, n'est-ce pas ?

Alors, comment Wanda a-t-elle mis fin à ce cauchemar ? Il doit savoir ! À contrecœur, il revient à l'écran. La lame perfore une seconde boursoufflure et Michaël baisse la tête en la secouant. Bon Dieu ! Il ne peut pas croire qu'il est en train de regarder ça, il rêve ! Il faut qu'il rêve ! Qu'est-ce qu'il fera, quand ce sera terminé et que cette folle sera partie ? Prévenir les flics ? Même si ça peut se retourner contre lui ? Sinon, quoi ? Il ne peut quand même pas ne *rien* faire ! Il relève prudemment les yeux et il a le soulagement de voir la Wanda de la vidéo laisser tomber le couteau.

— OK ! C'est fini, maintenant ?

— Pas tout à fait.

Sur l'écran, l'ex-prisonnière sort un tout petit objet de sa poche. On dirait une aiguille. Wanda se place du côté gauche de la chaise, pour que la caméra puisse bien saisir la scène, et soulève l'un des doigts de Dubuc, dont les poignets sont attachés aux accoudoirs. Celui-ci secoue la tête, mouvements convulsifs et suppliants, et Michaël lui-même recule, les lèvres retroussées de crainte. Même si le plan est large et ne permet pas de distinguer les détails, l'écrivain discerne suffisamment pour comprendre ce qui se passe, et lorsque l'aiguille glisse sous l'ongle de l'index, il ressent une douleur dans ses propres doigts et les agite sans même s'en rendre compte, le faible couinement provenant de sa bouche se mêlant aux hurlements comprimés du journaliste.

— Non ! crie Michaël en lançant la main droite devant lui, comme s'il repoussait un ennemi invisible. Non, non, non ! *Non !*

— Michaël, arrête de résister pis…

— Non-non-non !

— … pis regarde !

Il voit l'aiguille ressortir du doigt dégoulinant de sang pour s'introduire sous un autre ongle, méthodiquement, en remuant de gauche à droite tout en s'enfonçant dans la chair. Michaël sent qu'il va éclater. Il se dirige vers la porte, mais, sur le point de l'ouvrir, stoppe…

Tu vas où, comme ça ?

… gémit, puis, les yeux fous, marche vers Wanda comme pour la frapper, mais le souvenir des photos l'immobilise. Il se tourne, hagard, vers l'ordinateur où la bourreau, l'air neutre, s'acharne sur un troisième doigt tandis que des larmes coulent sur le visage de la victime. L'auteur revient à la Wanda réelle et crache :

— Comment… comment tu peux faire ça, t'es… t'es un monstre, ostie ! Un monstre !

Wanda fronce les sourcils et gonfle les joues, agacée, puis elle explose soudain :

— Mais non, je suis pas un monstre ! Si je ressentais du plaisir, ou de la satisfaction, ou n'importe quoi, oui, je serais un monstre sadique ! Mais je ressens rien ! Pis c'est ça, mon criss de problème ! *Je ressens rien !*

Michaël bat des paupières, impressionné. Wanda, dont les yeux pers sont en ce moment d'un vert d'émeraude, pointe l'index vers lui puis vers l'écran, dans un incessant va-et-vient.

— Mais toi, tu ressens quelque chose ! Regarde la scène pis vis ton dégoût à fond, garde en mémoire l'horreur ! Parce que c'est ça que ressent ton personnage, dans ton livre ! Il est obligé de torturer, comme t'es obligé de regarder ! Tu voulais écrire des émotions qui viennent de toi, alors regarde pis *absorbe* !

Le souffle court, Michaël tourne un visage défait vers la vidéo, où Wanda s'acharne maintenant sur les doigts de l'autre main de Dubuc, dont les cris étouffés se sont transformés en sanglots. Il éprouve l'abjection comme jamais auparavant, et les sensations qu'il vit sont d'autant plus insoutenables qu'elles sont liées à l'impuissance. Et il *sait* que tout cela s'incruste en lui de manière indélébile, tel un immonde tatouage sur une partie de son corps hors de la vue de tous, mais bel et bien gravé dans sa chair. Et pendant une longue minute, tout son être est si engourdi qu'il n'arrive pas à détacher ses yeux de l'aiguille qui s'enfonce sous chacun des ongles.

Enfin, la Wanda virtuelle se redresse en soupirant et sort du champ de la caméra. Les cris étouffés sont maintenant de l'ordre du gémissement. Dubuc, dont les mains recroquevillées comme celles d'un vieillard dégoulinent de sang, est parcouru de soubresauts et ses paupières closes débordent de larmes. Wanda Jackson entame une nouvelle chanson, mélange de rockabilly et de country...

Lay back son, you just might explode
If that fever starts to get you

Michaël reprend son souffle, aussi épuisé que s'il venait lui-même de participer à la scène. Comme bourreau ou victime ? Il fixe le corps tremblotant de Dubuc...

*… de ce salaud de journaliste qui a osé le menacer…
de ce trou du cul qui s'est cru plus fin que lui…*

Son visage s'assombrit et un pli de haine retrousse ses lèvres.

À ce moment, la Wanda réapparaît à l'écran. Elle chantonne les paroles de la chanson tout en dévissant le bouchon d'une grosse bouteille en plastique gris. Dubuc la supplie d'un regard dans lequel la terreur explose à nouveau.

— Du vinaigre, précise Wanda derrière Michaël. J'en ai trouvé dans la cuisine.

Et avant que Michaël puisse réagir, le torse et le ventre brûlés de Dubuc sont aspergés de vinaigre. Le corps de celui-ci se raidit derechef, avec tant de force que les liens qui l'attachent à la chaise semblent sur le point de céder. Cette fois, aucun cri n'émerge de sous le bâillon, mais de la bave mousse de chaque côté, et les yeux sortent des orbites de façon démesurée, comme si le journaliste hurlait par les pupilles. Instinctivement, Michaël se recouvre la poitrine des deux mains en ouvrant la bouche sur un hoquet muet. Lorsque la tortionnaire éclabousse de vinaigre les doigts mutilés, Dubuc éructe enfin un son, un long râle rocailleux qui, malgré le bandeau, est aussi audible que le chantonnement de la Wanda virtuelle. En fait, Michaël se rend compte que la Wanda réelle chante *aussi* en observant la vidéo de ses yeux verts.

D'un bond, Michaël se précipite vers la porte. Ça suffit, il doit partir, il ne peut plus en supporter davantage. Il ne sait pas ce qui va arriver, il ne sait rien de la suite des choses, mais pour le moment, il…

— C'est fini.

La main sur la poignée, il pivote vers l'ex-détenue. Cette dernière, comme si elle parlait d'une simple conférence, dit :

— La séance de torture est terminée.

L'écrivain ose reporter son attention craintive vers l'écran. La Wanda virtuelle se penche vers Dubuc et explique d'une voix posée mais froide :

— Ça, c'est un avertissement pour que tu nous laisses tranquilles, Mike Walec et moi. Tu lui demandes pas une cenne, tu le rappelles même pas pour lui dire que ton chantage ne marche plus. Tu lui sacres juste la paix. Pis en passant, Mike Walec est pas au courant de notre petite rencontre de ce soir. C'est mon idée à moi, à moi toute seule.

La Wanda réelle lance un regard entendu vers Michaël, telle la jeune fille qui présente à son père l'excellent bulletin reçu à l'école. Mais l'auteur ne paraît pas du tout rassuré et écoute le reste de la vidéo, où la tortionnaire poursuit :

— Si tu racontes ça à la police, je te jure que je te retrouve et que je te tue, tu cliques ça ? Regarde-moi dans les yeux pis tu vas voir que je mens pas.

Dubuc, haletant, tourne son visage enflé et humide vers son bourreau et hoche vivement la tête. La Wanda virtuelle approuve en silence et se relève.

— Là, tu vas partir en voyage, où tu veux, mais un bon gros voyage d'au moins trois semaines, le temps de te calmer pis de penser à tout ça. Je vais vérifier si t'es vraiment parti, je te préviens. À ton retour, t'auras oublié toute cette histoire-là. Tu cliques ça aussi ?

Nouveau mouvement affirmatif du prisonnier, tandis que les larmes se remettent à couler. Wanda sort du champ de la caméra trois secondes, revient avec un chiffon dans lequel elle déverse un petit flacon et s'approche de Dubuc. Ce dernier pousse un cri étouffé, mais Wanda le saisit par les cheveux et lui applique le chiffon sur le nez. Après quelques secondes, le journaliste cesse de bouger, les yeux fermés. Michaël tourne un regard angoissé vers l'ex-détenue, qui secoue la tête.

— Juste endormi.

Dans la vidéo, la femme détache les membres de Dubuc qui s'affale sur la droite, les bras pendant de chaque côté des accoudoirs. Wanda se dirige vers l'objectif, son corps emplit tout l'écran, puis l'image tremblote avant de disparaître.

Michaël émet un long soupir tandis que Wanda croise les bras, un léger sourire d'orgueil aux lèvres.

— Tu vois ? J'ai fait ça comme une pro.

Michaël la dévisage comme si elle venait de proférer la plus incroyable des bêtises.

— T'as... t'as fait quoi ensuite ?

— Je suis partie, qu'est-ce que tu penses ?

— Qu'est-ce que je pense ? Qu'il va prévenir la police, évidemment ! Et même si tu lui as dit que j'ai rien à voir là-d'dans, il va parler de moi, je suis sûr !

— Je l'ai torturé hier, on est le lendemain après-midi, pis ni toi ni moi, on a eu d'appel des flics. Pis en plus, j'ai pas choisi hier soir pour rien : t'avais une soirée-bénéfice au Lion d'Or. Vous deviez être une centaine de personnes, j'imagine ? Ça commence à être solide comme alibi.

— Comment tu sais ça ?

— Peu importe. Ce qui compte, c'est que t'es hors de danger. Même si Dubuc prévenait la police, tu pourrais pas être impliqué

— Voyons, criss, c'est pas aussi simple ! Même si j'étais dans une soirée hier, les flics peuvent quand même penser qu'on a monté ce plan-là ensemble ! Et... et Dubuc va aller à l'hôpital pour ses blessures, il faudra qu'il explique ce qui lui est arrivé !

— Toutes les blessures qu'il a eues peuvent se soigner avec des crèmes de pharmacie pis des affaires de même, il ira pas à l'hôpital.

— Mais s'il parle…

— Si la police s'en mêle, je dirai que j'ai fait ça de ma propre initiative.

C'est pas possible, elle fait exprès pour être si naïve ! Michaël s'emporte, le trop-plein d'émotions lui retire tout contrôle.

— Ce sera pas assez, voyons, t'es pas… Tu… Ostie, Dubuc va révéler tout ce qu'il a découvert sur nous deux pendant son enquête, pis comme il a été torturé, on va le prendre au sérieux ! C'est sûr qu'on est dans le trouble, câlice, dans le gros trouble ! Je peux pas croire que tu penses que… que…

— Michaël, du calme, là, câline. *Du calme !*

Michaël s'effondre dans son fauteuil, la tête entre les mains. Wanda a un petit claquement de langue en se grattant le coude, comme si elle trouvait la réaction de l'auteur exagérée.

— De toute façon, il préviendra pas la police, je suis sûre. Il a eu peur, vraiment peur, tu l'as vu ? J'espère que tu l'as bien retenue, cette peur-là, c'est du maudit bon stock pour l'écriture, ça, hein ? Relaxe, là, on est corrects ! Pis ça tombe bien : non seulement je t'ai fait vivre de vraies émotions pour ton roman, mais je nous ai débarrassés d'un fatigant qui aurait pu nous mettre des bâtons dans les roues.

Michaël demeure de longues secondes dans sa position prostrée, laisse choir ses deux mains et lève un visage noir et résolu vers Wanda.

— C'est une trop grosse chance à prendre…

— Ça veut dire quoi, ça ?

Il la regarde droit dans les yeux.

Ça veut dire que j'irai voir les flics moi-même, Wanda, pour leur expliquer que t'as agi de ton propre chef, que t'es malade et que tu t'es imaginé qu'on faisait équipe. Et même si tu leur parles de tout ce que tu m'as révélé en prison, je dirai que je me suis inspiré d'histoires que t'as écrites dans mon cours, que je savais pas que c'était la réalité, que j'ignorais que c'étaient des vrais meurtres... D'ailleurs, c'est ce que j'aurais dû dire à Dubuc dès le départ, si j'avais moins paniqué !

Mais par prudence, il résume ses pensées à ces quelques mots :

— Que j'attendrai pas que les flics remontent jusqu'à moi et que j'aie l'air complice.

Wanda garde le silence. Elle avance légèrement sa lèvre inférieure en une moue triste, mais elle ne paraît pas étonnée.

— Je serai obligée d'envoyer les photos à ta femme...

— Ça prouve rien, ces photos-là ! Je peux dire que moi et Lee-Ann on allait à un party dans un appartement, je fais ça souvent. Je peux dire qu'on se collait parce qu'il faisait froid, que ma main sur sa fesse était une blague... J'ai souvent dit à Alexandra qu'on est ben colleux, dans le milieu littéraire, qu'on se fait tout le temps des jokes de cul ambiguës juste pour rire...

Wanda hoche la tête, le visage impassible. En soupirant, elle s'approche de l'ordinateur et ouvre un autre dossier sur la clé USB déjà connectée. Aucune vidéo, cette fois, seulement un document audio. Du haut-parleur surgissent des halètements et des grognements, des bruits de corps qui bougent, de chairs qui s'entrechoquent, de cadences intenses. Manifestement, il s'agit d'une baise en cours et Michaël, toujours assis, fixe l'écran vide d'un air d'abord perplexe, puis incrédule. Il reconnaît ces sons, sans aucun doute possible. Comme pour confirmer ses pensées, une voix féminine, essoufflée de plaisir, râle :

— Ah, oui, Michaël, comme ça... Fourre-moi comme ça...

L'écrivain devient blême tandis qu'au bout de quelques secondes, l'orgasme de Lee-Ann retentit dans toute la pièce. Il tourne un visage dévasté vers Wanda qui, près du mur, étudie ses doigts. Il balbutie :

— Mais... comment... comment tu...

— Un tout petit enregistreur que j'ai caché derrière les livres de la bibliothèque dans la chambre de ta Chinoise. Je suis retournée le chercher le lendemain.

Si cette scène hautement vaudevillesque ne le concernait pas directement, Michaël éclaterait sans doute de rire. Mais, au contraire, il fixe Wanda avec épouvante. Il savait qu'elle était dingue, qu'elle était dangereuse, mais il découvre une autre facette d'elle, un aspect qu'il n'arrive pas à nommer, mais qui l'effraie davantage que tout le reste de sa personnalité.

Tout à coup, Michaël s'entend crier sur la bande sonore, un son qu'Alexandra reconnaîtrait sans l'ombre d'une hésitation, tout en songeant qu'il y a belle lurette que son amoureux n'a pas joui avec autant de force et de conviction. À nouveau, il se masque le visage de ses mains, tandis que le silence est ponctué de quelques soupirs de satisfaction et de bruits de corps qui s'installent confortablement entre des draps.

— Ç'avait l'air le fun.

Michaël dégage son visage. Wanda le considère, vaguement envieuse. L'écrivain sent la chair de poule lui remonter le long des bras. Est-ce que cette folle s'imagine que...

Du haut-parleur sortent alors les voix des deux protagonistes qui discutent, celle de Michaël étant parfaitement reconnaissable. Ce dernier veut dire à Wanda que ça suffit, qu'il a compris, mais la tournure que prend la conversation enregistrée l'incite à dresser l'oreille.

LEE-ANN — *Comment tu vis avec ça, ce qu'on fait tous les deux ? On est des amants, Michaël, tu ne peux plus te le cacher, maintenant…*

MICHAËL — *Je sais…* (pause) *Je t'avoue qu'il se passe plus grand-chose avec Alexandra… Je me demande… je me demande si je l'aime encore…*

Bon Dieu, si Alex entend ça, il est foutu !

MICHAËL — *Je veux pas te faire peur, Lee, je veux juste me confier à toi.*

LEE-ANN — *J'ai pas peur.*

Dans le bureau, Michaël, les bras entre les jambes, écoute cette discussion avec attention, au point qu'il en oublie la présence de Wanda. Réentendre ses propres mots de l'extérieur de l'événement lui donne l'impression d'analyser sa situation avec plus d'objectivité, et ce qu'il en conclut ne lui plaît pas du tout. Et comme il connaît évidemment la suite de l'échange, il l'attend avec fatalisme, comme pour assumer une fois pour toutes ce qu'il tente de nier depuis quelque temps.

LEE-ANN — *Peut-être que c'est notre trip ensemble qui fausse ton jugement sur ton couple…*

MICHAËL — *Non… Non, ça fait un bon moment que le quotidien a pris toute la place dans notre couple… Elle voudrait un autre enfant, mais… Je pense qu'il est trop tard. Te retrouver est juste venu souligner à quel point quelque chose était brisé entre elle et moi. Peut-être qu'Alex trouve que tout est OK comme ça, c'est même possible qu'elle m'aime encore à sa manière, mais moi…*

LEE-ANN — *Pourquoi tu la laisses pas, d'abord ? Par peur de l'inconnu ? Parce que tu veux pas lui faire de peine ? Parce que ton fils est trop jeune ?*

MICHAËL — *Je sais pas…*

Assis dans le fauteuil, Michaël se croise les mains sous le menton en serrant les dents. Quand Wanda coupe la bande sonore, il sursaute et lève la tête vers elle, se rappelant enfin sa présence, et tout à coup, il se sent profondément humilié. Mais Wanda le considère d'un œil clinique, dénué de jugement.

— Quand j'ai écouté cette discussion, chez nous, ça m'a un peu embêtée. Je me disais que cet enregistrement pourrait finalement pas servir à grand-chose : même si ta femme en prenait connaissance et recevait les photos, ça te ferait pas grand-chose qu'elle te quitte vu que tu l'aimes plus vraiment. Sauf que tu la laisses pas, pis moi aussi, je me suis demandé pourquoi. En plus, si t'étais célibataire, t'aurais plus à te cacher quand tu couches avec ta Chinoise, ce serait déjà pas pire. Alors, pourquoi tu tiens tant à rester avec ta femme ?

Elle croise les bras, le bassin appuyé contre le bureau, et Michaël, tout en la fixant d'un œil sombre, sait qu'elle a compris.

— J'ai vu votre maison, l'autre jour : belle cabane, ça doit pas être donné. J'ai vu aussi ta conjointe sortir de la clinique d'orthodontie... *sa* propre clinique à elle... Elle fait pas mal de cash, j'imagine. Pis toi, depuis quelques années, tu vends plus beaucoup de livres... Tes droits d'auteur sont sûrement pas le diable. Mais t'as quand même un appartement à Montréal, tu continues à écrire à temps plein...

Elle retrousse les lèvres en une moue désolée.

— Elle, sans toi, elle se débrouillerait. Mais toi, sans elle...

Michaël, les mains jointes sous le menton, baisse les yeux, honteux. Wanda soupire.

— Tu veux toujours prévenir la police pis que j'envoie tout ça à ta femme ?

Michaël demeure immobile quelques instants, les yeux rivés au sol, puis il se lève rapidement, arrache la clé USB derrière l'ordinateur, la balance sur son bureau et, à l'aide d'un massif presse-papier, la martèle jusqu'à ce qu'elle craque à plusieurs endroits. Après quoi, il ramasse les deux photos et les déchire en deux, en quatre, en six, et jette les morceaux contre le mur. Finalement, il s'appuie contre le bureau et prend de grandes respirations. Il se traite aussitôt d'idiot, conscient du pathétisme et de l'inutilité de tels agissements. Comme pour lui confirmer cette pensée, Wanda, qui n'a pas bronché durant la courte explosion de l'auteur, hausse une épaule. Michaël la regarde avec dégoût en secouant la tête.

— Tu dis que tu veux m'aider, mais c'est pas vrai! Tu veux me détruire, tabarnac! C'est ça, hein? Au fond, tout ça est une vengeance parce que j'ai utilisé tes histoires quand je t'enseignais…

— Non! rétorque Wanda en agitant ses deux mains devant elle… Non, non, pas pantoute! Je veux vraiment t'aider! Je m'excuse pour ces moyens dégueulasses, je le sais que c'est cheap, je le sais que ç'a l'air trou d'cul, sauf qu'il fallait que je me protège! Mais, Michaël, je le fais *vraiment* pour toi! Tu l'as déjà dit, qu'un artiste était au-dessus de la morale! En ce moment, tu vois pas clair, mais ça va venir! Je te le garantis!

Elle avance de deux pas, tend le bras vers lui, mais il recule d'un bond.

— Touche-moi pas! Ostie, touche-moi pas sinon je te casse la gueule!

Une ombre d'amertume apparaît sur le visage peu expressif de Wanda, mais elle n'insiste pas.

— OK… OK, je peux comprendre ça…

Aucun mot n'est prononcé pendant quelques secondes. Michaël finit par se laisser choir dans son fauteuil, avec la lourdeur d'un pendu qui s'écroule après qu'on a coupé sa corde. Wanda s'éclaircit la gorge avant de parler avec beaucoup de douceur.

— Je vais y aller. Toi, mijote ça une couple de jours. Retourne à ton manuscrit, retourne à la scène de torture… Relis-la en pensant à tout ce que t'as vu et vécu aujourd'hui…

— Oublie ça! crache Michaël sans regarder l'ex-prisonnière.

— Prends une couple de jours pour y penser.

L'écrivain ne bronche toujours pas, mais un tremblement souterrain commence à parcourir son corps, et une voix inquiétante susurre dans son esprit que si elle ne quitte pas les lieux dans vingt secondes, il ne répond plus de ses actes, chantage ou non. Wanda marche enfin vers la porte, mais avant de sortir, reluque autour d'elle, incertaine, comme si elle cherchait un moyen sympathique et civilisé de partir; elle aperçoit le caméléon en céramique sur l'étagère.

— C'est cute, ça…

Elle se frotte la nuque, puis s'en va. Cinq secondes plus tard, Michaël entend la porte de l'appartement claquer et, comme s'il s'agissait d'un signal, il enfouit son visage dans ses mains en gémissant.

Il demeure ainsi pendant deux longues minutes… et tout à coup, la musique chez le voisin explose, semble encore plus forte qu'à l'accoutumée, comme si chaque note assourdie transperçait le crâne de Michaël. Il vole jusqu'à la porte de son logement qu'il défonce presque en l'ouvrant, frappe comme un dément sur celle d'à côté et attend, trépignant de rage. Enfin apparaît un type à la fin de la trentaine, plutôt maigrichon et l'air blasé. Il n'a pas le temps de dire quoi que ce soit que Michaël l'attrape par le collet et le pousse à l'intérieur jusqu'à ce que le dos du gars percute un mur. La chanson de *Galaxy* est tonitruante et, pour se faire entendre, Michaël doit hurler, le regard fou :

— Tu vas arrêter de mettre ta câlice de musique comme si on était au Centre Bell sinon je t'arrache la tête, tu cliques ça, ostie de sauvage ?

Paralysé d'effroi, l'homme balbutie un « oui, oui » aigu, puis Michaël le propulse au sol. Avant même que les fesses du type atterrissent sur le plancher, l'écrivain est déjà de retour dans son appartement, où il ferme son ordinateur et range ses trucs dans sa serviette. Les tempes douloureuses, l'esprit confus, il jette un bref coup d'œil aux deux photos en morceaux et à la clé USB fendillée, puis il s'empresse de sortir, de verrouiller sa porte et de descendre l'escalier au trot.

Tandis qu'il marche d'un pas nerveux vers sa voiture, il songe aux paroles qu'il vient de cracher à son voisin.

Tu cliques ça, ostie de sauvage ?

Il ralentit le pas et, éberlué, s'arrête quelques secondes sur le trottoir.

Tu cliques ça… Il avait prononcé ces mots sans s'en rendre compte…

Journal de Wanda

20 MARS 2015

(fin de l'entrée)… *et je lui ai dit qu'il devait oublier Michaël, que de toute façon il avait rien à voir là-dedans, que tout ça était mon idée à moi. Puis, je lui ai aussi ordonné de partir en voyage pour au moins trois semaines. Dubuc, en pleurant, faisait signe que oui, qu'il avait compris. Voilà. Je pense que j'en avais assez pour que Michaël, en regardant la vidéo, ne s'inquiète pas trop. J'ai donc endormi Dubuc avec le chloroforme, je l'ai détaché, ensuite je suis allée arrêter la caméra. Mais j'ai pas débranché mon iPhone de la chaîne stéréo et Wanda Jackson a continué à (à ? de ?) chanter. Je suis retournée attacher Dubuc, exactement comme il était. Je me suis mise à la recherche de l'ordinateur du journaliste et j'ai trouvé un MacBook Air dans un bureau. Évidemment, il fallait un mot de passe pour entrer. Je pourrais le pirater chez nous, mais il y avait un moyen plus simple et plus rapide. Je suis revenue au salon, je me suis assise dans le divan, le Mac sur mes genoux, et j'ai attendu que Dubuc se réveille en écoutant* Rockabilly Fever.

Ç'a pris environ une demi-heure. Quand il a constaté qu'il était encore attaché et que j'étais toujours là, il a eu l'air pas mal inquiet. J'ai déposé l'ordinateur sur le divan, j'ai repris le couteau que j'avais utilisé tout à l'heure et je me suis approchée. Je lui ai dit qu'avant que je parte, il fallait que je règle une dernière affaire. Pour ça, j'avais besoin de son mot de passe. J'ai précisé : « Je vais enlever ton bâillon. Si tu cries, si t'essaies de me dire autre chose que ton mot de passe, je te tue », et j'ai levé mon arme pour lui montrer que j'étais sérieuse. « Le mot de passe, that's it. *Ensuite, je te laisse tranquille et je m'en vais. » Il a hoché la tête. J'ai enlevé le bâillon et il a commencé à dire quelque chose, du genre « écoute, je suis prêt à fermer ma gueule », mais j'ai appuyé la lame du couteau contre son ventre tout brûlé et tout sanglant, ça fait qu'il a arrêté de parler d'un coup. Il a vu que je ne niaisais pas. Il a avalé sa salive et il a soufflé son mot de passe. J'ai remis le bâillon sur sa bouche et je suis retournée à l'ordinateur. Ç'a marché. J'avais accès à ses mails, et aussi à son compte Facebook. Parfait.*

J'ai avoué à Dubuc que je lui avais menti. Je n'avais pas eu le choix, il fallait que je rassure Michaël. Il me regardait avec des yeux pleins d'interrogations, mais aussi de peur. Je me suis approchée de lui, couteau dans la main, et je lui ai dit : « Je peux pas prendre de chance, tu comprends ? » Il a compris, il a essayé de crier sous son bâillon, il s'est démené comme un diable pour se libérer, mais tout ça a duré deux ou trois secondes, pas plus, parce que j'ai fait ça vite : ça ne donnait rien de laisser traîner les choses. En lui re-levant la tête d'une main, j'ai enfoncé la lame du couteau dans son cou puis j'ai tranché sur toute la largeur, de droite à gauche, attentive à la toune de Wanda Jackson. Je me disais que si je tuais quelqu'un en écoutant cette chanson que j'aimais tant, je ressen-tirais peut-être enfin quelque chose. Mais non, ç'a pas marché. Pendant que la lame coupait la chair et que le sang giclait sur mes doigts, je m'emplissais l'âme de la musique, je chantonnais même les paroles en déplaçant le couteau dans la gorge… mais l'acte lui-même ne me procurait aucune émotion. Comme tantôt quand je le torturais. J'ai reculé et j'ai observé Dubuc gigoter (le bon mot est tressauter, je pense) pendant quelques secondes, les yeux virés à l'envers, puis crever. Je suis allée laver mes mains gantées au lavabo puis j'ai arrêté la toune. N'empêche : quand je vais mourir, j'aimerais ça que ce soit en écoutant du Wanda Jackson. Je n'ai pas peur de la mort, mais ça rendrait la fin plus agréable, j'imagine.

Comme je m'y attendais, c'est maintenant, pendant que j'écris mon meurtre, que je sens le bouillonnement, que je sens la vie. Pas le plaisir, pas l'horreur, rien de si précis. Juste la vie. La câline de vie.

J'ai rangé le séchoir à cheveux. J'ai essuyé le sang sur mes vêtements (ce n'est pas grave, c'était du vieux linge) puis je suis retournée à l'ordinateur. Dans la messagerie, j'ai créé un message d'accueil qui expliquait que j'étais partie (ben, pas moi, mais Laurent Dubuc) en voyage et que je reviendrais dans trois semaines. Après, je suis allée sur son Facebook et j'ai écrit un statut du genre : « OK, tout le monde, je m'en vais dans le Sud, je vais décrocher complètement, on se reparle dans trois semaines. » Ensuite, j'ai fourré le Mac dans mon sac à dos. J'ai fouillé partout dans la maison, j'ai découvert un dossier et quelques feuilles de papier concernant son enquête sur moi et Michaël. J'ai ramassé toutes les clés USB dans son bureau et deux disques durs externes. J'ai aussi pris son cellulaire. Michaël m'a dit qu'il l'avait jamais appelé, mais je ne voulais courir aucun risque. J'ai mis tout ça dans mon sac à dos, avec ma petite caméra. J'ai trouvé deux cents piastres que j'ai gardées.

J'ai déposé un gros chaudron plein d'eau sur le four. Avec le couteau, je suis retournée près du cadavre. Je lui ai crevé les deux yeux, puis je lui ai coupé la langue et les dix doigts. Comme ça, à part les brûlures, ce serait plus difficile de faire des rapprochements entre les tortures de Dubuc et celles dans la scène du prochain roman de Michaël. J'ai même mis les doigts dans mon sac, pour pas qu'on sache qu'on lui avait rentré des aiguilles sous les ongles. Puis, une fois que l'eau a commencé à bouillir sur le poêle, je suis revenue au salon avec le chaudron et j'ai versé lentement le contenu sur tout le corps de Dubuc.

Ensuite, j'ai passé l'aspirateur dans toute la pièce (j'ai amené avec moi le sac de l'aspirateur) et j'ai lavé le plancher. Quand tout a été fini, j'ai regardé le cadavre de Dubuc assis tout croche sur la chaise. Avec un peu de chance, on ne le trouverait pas avant une couple de semaines. Et comme la maison est une unifamiliale détachée, on ne remarquera pas l'odeur. Je me suis sentie un petit peu désolée pour lui. Pas triste, pas coupable, juste désolée. S'il n'avait pas essayé de faire chanter Michaël, c'est sûr que j'aurais choisi une victime au hasard. C'est de même.

Je me suis installée sur une chaise et j'ai attendu. Il y avait sûrement personne en ce moment dehors ni aux fenêtres des maisons, pas plus que quand je suis arrivée tout à l'heure. De toute façon, avec le capuchon de mon manteau, dans le noir, on ne peut pas me reconnaître. Mais aussi bien ne pas prendre de chance et partir vers deux heures du matin.

Pendant une couple d'heures, j'ai réfléchi à la suite des choses, au reste de mon plan. En tout cas, tout commençait très bien.

À deux heures, j'ai mis mon manteau et j'ai enfilé mon sac à dos. Il y avait quelques taches de sang sur mes jeans, mais ça ne paraissait pas beaucoup et jusqu'à mon char stationné plus loin, on ne verrait rien, surtout qu'il n'y aurait pas un chat dans les rues. Je suis allée m'assurer que la porte d'en avant était barrée. Ensuite, j'ai brisé la serrure de la porte d'en arrière comme si j'étais entrée par effraction, j'ai refermé la porte derrière moi et je suis partie. Dans mon auto, j'ai enfin enlevé mes gants. Demain, je jetterai mes bottes dans le fleuve.

C'est vraiment génial, ce journal personnel. L'écriture me fait tellement de bien. Michaël a eu raison, encore une fois. Dommage qu'il faille (qu'il faut ? qu'il fallait ?) le détruire au fur et à mesure que je le rédige, mais on n'est jamais trop prudent. N'empêche, ne laisser aucune trace de ce que j'écris, c'est triste.

Mais dans le fond, je vais en laisser. Grâce à Michaël. Grâce à notre team du tonnerre.

Évidemment, quand je vais lui montrer la vidéo, je suis sûre qu'il va capoter, qu'il ne sera pas d'accord. Au début, en tout cas. Mais l'important, c'est que notre collaboration recommence demain.

10

Il avait complètement oublié que, ce soir-là, Laurence et Pierre-Mathieu venaient souper. Le repas se déroule donc dans une ambiance étrange, alors que Michaël paraît à moitié présent. Non seulement il ne cesse de penser à l'horrible vidéo qu'il a visionnée l'après-midi, mais il imagine Laurent Dubuc tout déballer à la police. De plus, chaque fois que ses yeux croisent ceux d'Alexandra, il songe à la conversation enregistrée qu'il a entendue plus tôt entre Lee-Ann et lui, et détourne la tête, mal à l'aise.

— T'as l'air dans la lune, Michaël, fait remarquer Laurence.

— Il est dans son roman jusqu'au cou, ces temps-ci, précise Alexandra. Il le retravaille sans cesse, hein, mon loup?

— Oui, désolé, répond l'écrivain d'une voix absente.

— Tu prépares un gros retour, mon Mike? demande Pierre-Mathieu avec son sourire ironique.

— Pourquoi retour? rétorque Alexandra, un brin piquée. Son dernier livre a eu de bonnes critiques.

Un éclair inquiétant passe dans le regard décalé de Michaël.

— Pierre-Mathieu dit « retour » dans le sens de « ventes », hein, Pierre-Mathieu ? Parce que depuis quelques années, mes ventes vont plutôt mal… On en parle jamais en société, on fait semblant de rien, on me félicite et tout, mais tout le monde le sait bien que je suis moins hot, qu'on me voit presque plus dans les médias, que je ne suis plus dans les palmarès… Hein, mes amis ? Vous êtes au courant de tout ça, évidemment ?

Malaise. Laurence joue avec son verre et en examine l'intérieur comme si elle doutait qu'il s'agisse de vin. Même Pierre-Mathieu baisse les yeux, embarrassé, tandis qu'Alexandra fusille son mari du regard. Michaël masse son front, puis se lève.

— Excusez-moi, je viens de penser à un truc urgent…

Indifférent à l'étonnement général, il monte l'escalier. Dans son bureau, il s'installe à son ordinateur et ouvre la messagerie. Il a jusqu'à demain pour répondre à l'ultimatum de Dubuc. Pourquoi ne pas lui écrire maintenant en prétendant qu'il veut négocier la somme exigée ? Ainsi, Michaël donnera l'impression de ne pas avoir pris part à la séance d'intimidation ; de plus, si le journaliste refuse et affirme qu'il retire son chantage, cela confirmera la réussite de Wanda. Il retrouve en deux minutes l'adresse de courriel de Dubuc, réfléchit un moment, puis écrit :

« Bonsoir, Laurent. J'ai beau chercher un moyen, ce que vous me demandez est tout simplement impossible. Est-ce qu'on peut en reparler ? Mike. »

Message juste assez imprécis pour ne pas lui amener de problème, mais que le journaliste comprendra parfaitement. Il envoie le courriel et fixe l'ordinateur. Il ne va tout de même pas demeurer assis là jusqu'à recevoir une réponse ?

Tout à coup, une idée terrible lui traverse l'esprit : et si Wanda l'avait éliminé ? sans le dire à Michaël ? Bon Dieu, tuer un être humain ne représente manifestement pas un dilemme moral pour cette femme, alors pourquoi aurait-elle couru le risque de...

Une réponse de Dubuc apparaît à l'écran.

« Bonjour. Je suis présentement à l'extérieur du pays. De retour le 10 avril. Je communiquerai avec vous à ce moment-là. Merci. »

Michaël penche la tête sur le côté. Il est parti en voyage ? Il a réellement obéi à Wanda ? Elle lui a vraiment foutu la trouille ?

Il est donc tiré d'affaire ?

Un vent de soulagement s'engouffre en lui tandis qu'il s'appuie sur le dossier de la chaise en inspirant profondément. Mais cette brise rassurante se refroidit rapidement : Dubuc est peut-être en vacances très loin, mais là-bas il réfléchira. Il rationalisera sa peur. Que fera-t-il à son retour ?

Il entend Alexandra l'appeler d'en bas. Il se masse le visage, puis marche vers l'escalier, un peu plus léger que lorsqu'il est monté dans son bureau, mais pas autant qu'il l'aurait souhaité.

◆

Même si Michaël passe tout le week-end à repasser mentalement et en boucle les images vues sur la vidéo, il camoufle bien sa tourmente en jouant plusieurs heures avec son fils. Alexandra revient à la charge avec son projet d'un deuxième enfant et Michaël tergiverse, répète que son roman le stresse énormément... Finalement, il présente une proposition :

— Cet automne, une fois que mon bouquin sera sorti, je serai prêt. Ça te va ?

Elle paraît trouver le compromis fort acceptable, ce qui étonne Michaël. N'empêche qu'il se traite intérieurement d'hypocrite : pourquoi repousser ce qu'il n'a pas l'intention de faire de toute façon ? Escompte-t-il d'ici l'automne retomber suffisamment amoureux d'Alexandra ? À moins que sa véritable motivation soit plus veule : espérer que son livre connaisse suffisamment de succès pour lui permettre de quitter sa femme sans se soucier de l'argent… De plus, comment peut-il encore croire au triomphe de son prochain bouquin ? Lui qui, il y a deux jours à peine, songeait à l'abandonner !

Il jongle avec tout cela une bonne partie de la journée de lundi, installé devant son ordinateur dans son appartement montréalais. Même si aucune note de musique ne provient de l'appartement d'à côté, il est incapable d'écrire le moindre mot. Il a commencé par changer la serrure de la porte (il ne sait pas comment Wanda s'est procuré un double de la clé, mais désormais, elle ne pourra plus revenir !) puis il s'est assis pour réfléchir, ce qu'il fait maintenant depuis des heures, hanté par les images de Dubuc pleurant sous les tortures, images qui, depuis vendredi, plongent de temps en temps sous l'onde de sa conscience, mais refont constamment surface.

Comment oublier cette scène ? Ne pas s'en inspirer est une chose, mais l'oublier ? Totalement impossible. Il doit apprendre à vivre avec.

Il s'efforce d'aligner ses pensées sur ce qui le ronge depuis quelque temps : tenter encore et toujours d'améliorer son roman ou l'abandonner pour en écrire un autre du genre de *De l'intérieur* ? Ce dilemme l'épuise et, à un moment, tandis qu'il se lève pour faire les cent pas, son regard s'attarde sur la poubelle dans laquelle il a jeté les deux photos déchirées ainsi que la clé USB. Nonchalant, il ramasse les morceaux des photographies ainsi que la clé craquelée et les enfonce dans sa poche.

Un peu moins d'une heure plus tard, seul chez lui, il pulvérise la clé USB en miettes à l'aide d'un marteau, réduit les morceaux des photos en minuscules débris, puis éparpille le tout dans trois poubelles différentes.

En soirée, tandis qu'il fait un casse-tête avec Hubert dans le sous-sol, son cellulaire sonne : l'afficheur indique un numéro qu'il ne connaît pas. Il répond.

— Alors, tu as eu de l'inspiration aujourd'hui ?

Cette voix familière lui mord littéralement l'oreille. Il bondit sur ses pieds et s'éloigne vers le fond de la pièce en faisant signe à son fils qu'il revient dans quelques secondes. D'une voix basse mais affolée, il souffle :

— Qui t'a donné mon numéro ?

— Un de tes amis me l'a donné en Outaouais.

Bordel ! Elle l'appelle pendant qu'il est chez lui ! Elle a du culot ! Ou de l'inconscience ! Il songe à monter, mais Alexandra est dans la cuisine, elle le verrait passer avec le téléphone.

— Non ! Non, j'ai pas eu d'inspiration, et compte pas sur moi pour me servir de... Oublie ça, je te l'ai déjà dit !

Court silence, puis la voix posée de Wanda :

— C'est pas grave que tu comprennes pas tout de suite. Faudrait que tu regardes la scène une autre fois... Ah ! C'est vrai, t'as brisé la clé USB vendredi...

— Pis aujourd'hui, je l'ai pulvérisée pis je l'ai crissée aux poubelles, ton ostie de clé !

— T'es trop émotif, Michaël... Y a six ans, t'as pourtant pas hésité.

— C'était pas pareil !

Il parle trop fort. Il reluque son fils qui, en se balançant d'avant en arrière, se concentre sur son casse-tête. L'écrivain baisse le ton.

— Il y a six ans, c'étaient des crimes que t'avais déjà commis, je pouvais rien y faire ! Là, tu les commets pour… pour moi, pour m'aider… Je peux pas… je peux pas vivre avec ça ! Tu peux m'obliger à fermer ma gueule, à pas te dénoncer, mais tu peux pas m'obliger à…

Il s'interrompt une seconde, secoué par un terrible pressentiment.

— Tu vas pas… tu vas pas envoyer tes cochonneries à ma femme parce que… parce que je refuse d'être inspiré par… ?

— Non, Michaël. Les photos pis l'enregistrement, c'est pour me protéger, moi. Je veux pas t'obliger à accepter mon aide. Si tu écris contre toi-même, ça donnera rien, ça sera pas bon…

Un bref et futile soulagement traverse Michaël et il lève la tête au ciel en soupirant.

— Alors non… Non, Wanda. Ce genre d'aide-là, je peux pas…

— Je le fais pas juste pour toi, je le fais pour l'art ! s'énerve quelque peu l'ex-détenue. Pour la littérature ! Pis je le fais pour nous deux ! Pour notre équipe !

Ostie, le délire de cette dingue n'arrêtera donc jamais ? Il frappe contre le mur, puis, inquiet, se tourne vers son fils. Mais celui-ci a disparu : il est monté, las d'attendre son père.

— Wanda, si tu penses que je vais le faire, t'es encore plus folle que je le croyais !

Au rez-de-chaussée, Alexandra appelle :

— Michaël ?

— J'aime pas ça quand tu me traites de folle, marmonne Wanda.

— T'as compris ? T'as torturé ce pauvre gars pour rien !

— Michaël ? insiste sa femme. Tu fais quoi, là ?

À l'autre bout du fil, la voix normalement impassible de Wanda se teinte à la fois d'arrogance et d'une certaine anxiété.

— T'arriveras pas à retrouver le succès sans mon aide, Michaël ! Tu y arriveras pas !

— Alors, tant pis pour le succès !

Et il coupe la communication. Au même moment, Alexandra apparaît au milieu de l'escalier.

— Tu m'entendais pas ou quoi ?

Il balbutie qu'il parlait à Charles, son éditeur. Elle s'approche de lui, les sourcils froncés.

— À Charles ? Ç'avait l'air de barder…

— On s'entend pas sur un détail pour le livre, c'est… c'est compliqué, ces temps-ci.

Elle l'embrasse sur le front.

— Ça va être bon. Je suis sûre.

Elle se colle contre lui quelques secondes et lui marmonne d'autres mots rassurants, mais sans effusion de chaleur, avec une empathie plus conventionnelle que sentie. Michaël y répond distraitement, les tempes douloureuses.

La nuit suivante, il rêve de la scène avec Dubuc.

◆

Le lendemain, durant toute la matinée dans son bureau de Montréal, Michaël se donne une dernière chance pour revoir son manuscrit. Il s'attarde sur quelques passages (sauf sur la séance de torture), mais, écœuré par les résultats, quitte l'appartement vers onze heures quarante-cinq pour dîner.

En sortant sur le palier, il jette un œil à la porte d'à côté : toujours le silence radio chez son voisin. Il descend l'escalier avec un sourire sans joie : on prend ses petites victoires où on peut.

Il lunche dans un café tout près, en songeant que le Salon du livre de Trois-Rivières a lieu ce week-end. Il n'a aucune envie de s'y rendre : comment pourrait-il se sentir motivé à participer à un tel événement alors qu'il n'arrive pas à écrire son foutu roman ? Alors qu'il est sur le point de l'abandonner !

Tu vas l'abandonner ? Vraiment ?

Il marche vers son immeuble, aussi voûté que s'il avait cent ans. Sur le seuil de la porte qui mène à l'escalier, il remarque une enveloppe blanche qui dépasse de sa boîte aux lettres. Jamais il n'a reçu le moindre courrier ici... Seul son nom est inscrit dessus, sans adresse. Saisi d'un mauvais pressentiment, il tâte l'enveloppe, qui contient un petit objet dur. L'intuition se confirme et il monte immédiatement dans son appartement. Là, assis à son bureau, il ouvre l'enveloppe qui, comme il le craignait, révèle une clé USB. Il l'examine avec attention comme s'il allait arriver à visualiser ce qu'elle recèle, puis la jette dans la poubelle.

Il fixe sur l'écran l'icône qui représente son manuscrit. Un petit dossier de rien du tout qui renferme tout son espoir, mais surtout ses limites, son échec. Un simple symbole qu'il est sur le point de faire glisser jusque dans la corbeille. Il le contemple longuement, une veine palpitant à son front, le regard fiévreux.

Tout à coup, il récupère la clé USB dans la poubelle et la branche à son ordinateur. Il n'a pas le choix. Il a vu cette scène, elle l'habite désormais malgré lui, alors comment ne pas s'en inspirer ? Un auteur ne peut pas faire abstraction de ce dont son esprit est imprégné. Ce serait encore plus malhonnête d'ignorer ce qu'il a vécu que de s'en servir. Et tant qu'à s'en servir, aussi bien le faire le mieux possible. Merde ! Dubuc a été torturé, et rien n'y changera rien ! Et puis, ces images l'ont tellement perturbé que le seul moyen de les sortir de son crâne est de les jeter sur l'écran ! L'écriture est une catharsis, c'est bien connu. Il va rédiger cette scène et ne le dira pas à Wanda. Elle le lira bien une fois le roman publié

Ce roman que tu songeais à abandonner il y a quelques minutes à peine ?

mais au moins, d'ici là, si elle croit qu'il résiste, elle va peut-être le laisser tranquille.

Gavé de ces justifications, il clique sur l'unique icône qui se trouve sur la clé USB et, pour la seconde fois, assiste aux sévices subis par Laurent Dubuc.

Durant les premières minutes, l'horreur, le dégoût et la culpabilité agissent comme un raz-de-marée et bloquent toute autre émotion. Mais, peu à peu, le cerveau de Michaël s'attarde aux détails du supplice, son esprit absorbe les réactions de Dubuc ; plus la vidéo avance, plus l'auteur se penche vers l'avant, vigilant. Et graduellement, toute trace de répulsion s'efface de ses yeux, laissant place à un regard analytique, froid et objectif.

◆

Assise dans le divan du salon, Alexandra lit les quelques pages que lui a remises Michaël. Hubert est couché depuis une heure et le silence est total dans la maison.

Alexandra relève enfin la tête, réellement secouée.

— Écoute, je… Même sans avoir lu le reste du manuscrit, je trouve ce passage… terrible.

Michaël, dans le fauteuil en face d'elle, les mains croisées sur ses cuisses, bronche à peine. Il se contente de hocher le chef.

— Les tortures sont épouvantables, l'ambiance est atroce, énumère Alexandra en feuilletant les quelques pages entre ses doigts. Et c'est si bien écrit qu'on vit réellement l'horreur que ressent Soulières d'être obligé de s'acharner sur cette femme...

Elle lève vers son mari des yeux incrédules, comme si elle n'arrivait pas à y croire.

— C'est aussi fort que tes meilleurs chapitres de *Sous pression*. Peut-être même plus encore.

Cette fois, Michaël sent une lumière s'élever dans son crépuscule intérieur, radieuse, emplie d'espoir, mais tellement forte qu'elle lui blesse les pupilles et brûle son âme.

— Tu m'as pourtant dit hier que l'écriture était particulièrement compliquée ces temps-ci, lui rappelle Alexandra.

— Je sais, mais cet après-midi, j'ai eu comme un déblocage...

Elle a un sourire ému.

— J'ai l'impression que cet automne, ça va être ton grand retour...

La lumière qui croît en Michaël redouble d'éclat, aussi réconfortante par sa chaleur que menaçante par son intensité. Alexandra rejoint son mari sur le divan et commence à lui câliner le cou.

— On devrait fêter ça, non?

Il sourit enfin en jouant dans sa courte chevelure brune. Elle a fait couper ses longs cheveux il y a quelques mois, et cela lui donne un air gamin plutôt sexy.

Ils font l'amour dans le salon et Michaël démontre un mélange de tendresse et d'assurance, même si une partie de lui est absente. Cependant, Alexandra paraît tendue, incertaine; non pas indifférente ou froide, mais mal assurée, presque maladroite, comme si quelque chose l'empêchait de s'abandonner. Après son orgasme, Michaël continue de caresser sa conjointe, descend sa bouche vers son sexe, mais elle arrête gentiment son mouvement avec un sourire désolé.

— Non, pas la peine… Ça marchera pas.

— Comment ça ?

Elle a un ricanement embarrassé.

— Je sais que c'est moi qui avais envie, mais… Ta scène de torture me sort pas de la tête. C'est de ta faute : t'écris trop bien !

Elle rit, mais il ne réagit pas. Tandis qu'Alexandra va à la salle de bains, il demeure couché sur le divan. Il songe à Lee-Ann. Il ne l'a pas vue de la semaine, il était si tourmenté qu'il en aurait été incapable. Mais maintenant que la tempête s'est apaisée, qu'il a sorti ces atroces images de son esprit…

Les paroles de sa femme lui reviennent : « J'ai l'impression que cet automne, ça va être ton grand retour. »

La lumière qui s'est élevée en lui se teinte de noir, telle une éclipse solaire dont on ne peut détourner le regard.

Journal de Wanda

25 MARS 2015

Et voilà, je le savais. Je le savais qu'il finirait par comprendre.

N'empêche que notre discussion au téléphone de lundi soir m'a un peu ébranlée. Non seulement il m'a traitée de folle, mais sa persistance à ne pas vouloir mon aide a fait que j'ai nourri un doute (j'ai vu ça dans un livre, qu'on peut nourrir des doutes ; je trouve ça beau) : ce qu'on a fait ensemble il y a six ans, est-ce que c'était finalement juste une exception ? Un accident de parcours ? Ou, pire, un simple plagiat de mes idées ? Ça ne se peut pas. Si vraiment il ne veut pas de mon aide, s'il résiste jusqu'au bout, ce ne sera pas plate juste pour lui mais aussi pour moi. Mais avant d'envisager l'échec de notre collaboration, il fallait que je m'en assure à cent pour cent. Donc, hier, mardi, comme je commençais à travailler à treize heures, je suis allée guetter son appartement de Montréal le matin. Quand je l'ai vu sortir pour dîner, je me suis dépêchée d'entrer dans l'immeuble. J'ai utilisé la même technique de bump key pour débarrer la porte, puis je suis allée à son ordinateur. Je connaissais son mot de passe parce que vendredi, pendant qu'il le pianotait sur son clavier, j'ai observé comme il faut et j'ai vu qu'il écrivait les lettres « *drimmindvikke* ». *Il était si fucké qu'il a pas remarqué que je regardais. J'ai entré ce mot de passe bizarre et ça n'a pas fonctionné. Je me suis dit qu'il y avait sûrement une couple de touches que j'avais mal vues, ça fait que j'ai regardé le mot pour essayer de comprendre ça pouvait être quoi. Ç'a pris une minute et j'ai allumé : ce n'était pas drimmindvikke, mais drummondville, la ville natale de Michaël. J'ai rentré ce mot-là et ç'a marché. J'avoue que j'étais pas mal fière de moi.*

J'ai trouvé dans les documents son nouveau roman et je suis allée directement à la scène de torture. Aucun changement, ou en tout cas, rien qui avait quelque chose à voir avec ce que j'ai fait à Laurent Dubuc. Bref, ce n'était pas très bon. Déçue, je suis redescendue. J'avais quand même amené (amené, apporté?) une copie de la clé USB dans une enveloppe que j'ai mise dans sa boîte à malle. Quand je suis arrivée dans mon auto, j'ai vu que Michaël revenait à son appartement. Câline! Il n'a pas mangé longtemps, j'ai failli me faire pogner! Je me suis dit qu'il ne fallait plus que je vienne pendant l'heure du dîner.

Tout le reste de la journée pis le lendemain, je me suis fait du mauvais sang. Peut-être qu'il avait dit la vérité. Peut-être que tout était fini. Mais je ne pouvais pas y croire.

Hier soir, vers neuf heures, après ma rencontre avec mon agente correctionnelle, je suis retournée à son appartement après m'être assurée que son auto n'était pas dans le coin, puis je suis entrée chez lui, j'ai ouvert son manuscrit sur l'ordinateur et j'ai relu la scène de torture.

Il l'avait changée! Il l'avait réécrite! Ça ressemblait beaucoup à ce que j'ai fait à Dubuc, mais avec la belle plume si talentueuse de Michaël! Et en plus, l'horreur et le dégoût que sent le personnage de Soulières étaient tellement réels, crédibles, précis! Et ces émotions, ça vient de Michaël, c'est lui qui les a vécues, pas moi! J'avais sous les yeux mes idées, mais avec les sensations de Michaël et son style fabuleux! Ce que je voyais, c'était ni plus ni moins que la renaissance de notre union, le retour de notre collaboration! Après six ans! Je ressentais quelque chose de tellement... tellement spécial! Aussi spécial que quand j'écrivais moi-même ce qui m'était arrivé, mais comme cette fois c'était bien écrit, c'était encore plus intense, encore plus vrai, encore plus vivant! Câline! J'étais tellement émue que j'ai pleuré un peu! Moi! Moi, j'ai braillé! Je pense que la dernière fois que c'est arrivé, c'est quand j'avais huit ans : après la mort de mes parents, il a fallu que j'aille habiter chez mon oncle et ça ne me tentait pas du tout.

Toute seule dans le bureau de Michaël, j'ai pleuré. C'était génial, comme sensation! Génial!

Je suis repartie, gonflée d'énergie et d'excitation, mais songeuse. C'est une première étape. Mais est-ce qu'il veut que ça continue? Peut-être que oui, mais si c'était le cas, il m'aurait appelée, non? Peut-être qu'il s'est dit qu'il le ferait juste une fois, et qu'après ce serait fini. Faut voir. Parce que quelque chose a changé : je souhaitais cette collaboration depuis six ans parce que je savais que j'y trouverais aussi mon compte, mais jamais à ce point-là. Ce que j'ai ressenti tout à l'heure en lisant la scène dépasse tout ce que je pouvais imaginer. Je ne pourrai plus me passer de telles émotions, maintenant que je sais qu'elles existent et que ça peut encore arriver. Ça doit se poursuivre. Coûte que coûte.

Donc, je dois vérifier comment Michaël envisage la suite des choses, mais avec prudence, sinon je vais tout gâcher. Il faut que je continue à le révéler à lui-même. Petit bout par petit bout.

11

Michaël entre dans sa chambre d'hôtel du Delta à dix-sept heures cinq, dépose sa valise sur le lit en soupirant et se plante devant la grande fenêtre qui donne sur le port de Trois-Rivières. Son regard fixe le fleuve qui brille sous le soleil de cette fin de mars, mais il est absent.

Évidemment, il s'est remis à croire à son roman. Mais le voilà donc coincé avec un manuscrit de qualité passable comportant désormais une scène magistrale.

Qu'est-ce que tu vas faire avec ça?

Wanda ne l'a pas rappelé depuis la dernière fois. Et quand elle le fera (car elle le fera, c'est certain), il lui mentira, comme il l'a décidé. Mais cela sera-t-il suffisant pour se débarrasser d'elle? Il est loin d'en être convaincu.

Il songe à Lee-Ann, qui sera ici en fin de semaine. Sa présence lui fera du bien: la voir, lui parler, lui faire l'amour…

« Tu me fais pas l'amour, tu me baises », l'entend-il préciser.

Bourru, il range ses vêtements, repasse une chemise, l'enfile, se coiffe un peu puis prend l'ascenseur pour descendre. Comme il ne commence sa séance de signatures que dans trente minutes, il s'arrête au bar de l'hôtel pour boire un verre. Deux auteurs qu'il connaît à peine et une attachée de presse sont assis à une table. Il reconnaît au comptoir Charles Tagliani qui discute avec Eveline Charland, la coordonnatrice de la programmation du Salon. Il s'approche d'eux et tous les trois échangent poignées de main et bises. Charland, comme toujours, est contente de le voir, mais l'éditeur, étonnamment, paraît un peu plus mal à l'aise.

— Je t'ai trouvé une belle table ronde pour demain ! lui dit Charland. Avec Hugo Vallières et Martin Michaud sur la scène de Radio-Canada. Ça va passer à la radio en direct.

— Oui, je sais, et je t'en remercie, Eveline.

Et il est sincère : ce genre de visibilité, pour lui, est de plus en plus rare. Ils conversent encore quelques minutes puis Charland, qui a du boulot par-dessus la tête, les quitte en leur rappelant le party de demain soir.

— Guillaume Morrissette sera là avec sa guitare et il aura besoin de voix ! lance-t-elle avec un clin d'œil en s'éloignant.

Michaël dresse sa bière en signe de salutation, prend une gorgée et toise Charles.

— Ça va, toi ?

— Ça va, oui, ça va…

Charles étudie son verre presque vide, en caresse nonchalamment le contour de son doigt jauni par la nicotine. Michaël le connaît assez pour comprendre que quelque chose de désagréable se prépare.

— Ton roman, ça avance ? demande enfin l'éditeur.

Terrain miné. Il y a quelques jours, il aurait répondu à Charles qu'il l'abandonnait pour commencer autre chose, mais maintenant…

— Je stagne un peu…

— Bon, ben ça tombe bien : on va le sortir l'hiver prochain, d'accord ?

— Hein ? Mais pourquoi ? Ça devait être cet automne !

— Je sais, mais comme on sort dix titres par saison, dont trois thrillers noirs…

— Ben oui ! Tu m'as dit que ce serait le mien, celui de Francis et celui de Diane, ça fait trois !

Charles se gratte le cou, embêté.

— Cette semaine, Hugo m'a appelé pour me dire que son manuscrit va être prêt plus vite que prévu. Il croyait le terminer début septembre, donc on l'aurait publié l'hiver, mais là, il pense compléter son premier jet d'ici trois semaines. Il pourrait m'envoyer une version finale dans trois mois.

Michaël est bouche bée et Charles, avec un ricanement qu'il espère débonnaire, lui donne une petite claque sur l'épaule.

— Voyons, ça devrait faire ton affaire, tu viens de me dire que tu stagnais ! Ça te laisse le temps de le finir sans stress !

Effectivement, pourquoi prend-il cette annonce si mal ? Sans réfléchir, il lance :

— Dans deux mois, je pourrais t'envoyer quelque chose.

— Voyons, Mike, pourquoi rusher de même ?

Michaël appuie son coude gauche sur le comptoir, incrédule.

— Criss, Charles, tu veux sortir Hugo à ma place ?

Car ce n'est pas d'être repoussé en hiver qui mortifie Michaël, mais de voir Vallières *se substituer* à lui ! Ce dernier l'a remplacé dans les palmarès, l'a remplacé comme maître du roman noir, et maintenant, il va même le remplacer dans la parution de ses bouquins !

— Je veux pas le sortir à ta place, je veux sortir un livre d'Hugo, point! précise l'éditeur. Et si on sort plus que trois thrillers noirs, on se cannibalise entre nous...

— Mais pourquoi me sacrifier?

— Sacrifier? Voyons, Michaël, charrie pas, on va te sortir en hiver, c'est pas...

— Pourquoi me repousser, *moi*? Pourquoi pas Diane ou Francis?

— Parce que j'ai déjà reçu leur manuscrit, on a presque fini le travail d'édition. Manon va commencer la révision linguistique de celui de Francis la semaine prochaine. Comme on a pas encore le tien...

— Mais Hugo va t'envoyer le sien à la fin juin! C'est tard! Je pourrais t'envoyer le mien fin mai!

Bon Dieu, qu'est-ce qu'il raconte? Comment peut-il affirmer une telle chose? Mais il réalise à peine ce qu'il dit, emporté comme un homme en chute libre qui tente en vain d'ouvrir son parachute.

— Y a presque pas de job à faire sur les manuscrits de Hugo, explique Charles. On va pouvoir le sortir en novembre, peut-être même octobre.

— Écoute, je pourrais terminer le mien dans un mois!

— Mike...

Charles joint ses paumes en grimaçant, comme s'il priait un dieu récalcitrant.

— ... faut pas que tu le prennes personnel. C'est pas contre toi et je veux te publier, je t'en passe un papier. C'est juste qu'un livre de Hugo pour cet automne, je peux pas dire non à ça. Tu sais comment ça va mal dans l'industrie... Hugo, c'est notre locomotive.

Michaël dépose sa main sur le bras de son interlocuteur en un geste proche de la détresse et il articule:

— Charles, je le sais que je t'ai dit que je stagnais, mais mon prochain roman... ça va être une bombe. Comme *Sous pression*!

Tais-toi, arrête, tu racontes n'importe quoi, tais-toi!
Charles a un sourire conciliant.

— J'espère, Mike. Et ça se peut, hein? Ce serait vraiment cool…

— Non, non, je le sais que j'ai l'air de… que les auteurs disent ça parfois juste pour… (il secoue la tête) Mais là, c'est vrai! Je te le *garantis*!

L'éditeur fronce les sourcils, déconcerté. Il prend alors le ton qu'on utilise pour raisonner un enfant.

— Michaël, on te repousse à l'hiver, tout simplement. Pourquoi tu capotes de même?

La nausée monte en Michaël, comme si on venait de lui annoncer qu'on ne le publierait plus jamais. Ce n'est évidemment pas le cas, mais c'est plus fort que lui: il ne peut faire autrement que de se sentir *trahi*.

— Y a pas si longtemps, c'est moi qui aurais repoussé Hugo Vallières!

Charles, devant tant de prétention, ne réagit pas pendant quelques secondes. Il boit une gorgée de sa bière et se penche vers son auteur, lui envoyant par la même occasion un effluve de vieille cigarette en plein visage.

— Tu penses que t'es le premier écrivain qui a eu du succès avec son premier roman, puis qui en vend beaucoup moins par la suite? Tu sais très bien que non. Un inconnu talentueux arrive, est sacré saveur du mois par les médias et devient célèbre avec son premier bouquin. Il s'enfle la tête en croyant être le Michel Tremblay de sa génération, puis les médias s'intéressent à quelqu'un d'autre, plus nouveau donc plus cool. Alors le retour à la réalité est douloureux. Je le sais. Et dans ton cas, t'as pas juste goûté au succès, mais au *méga succès*; j'imagine que c'est encore plus tough.

— Ostie que c'est injuste ! crache Michaël en frappant sur le bar.

— Souvent, oui, mais pas tout le temps.

L'écrivain décoche un regard interrogateur à son éditeur. Celui-ci est maintenant grave, même si une certaine compassion émane de ses traits.

— Il arrive que les autres bouquins de ces auteurs soient effectivement moins bons que leur premier. Pas toujours, mais ça arrive.

Michaël le dévisage. Charles précise :

— Oui, il y a des romans merdiques qui vendent beaucoup et il y a d'excellents romans qui vendent presque pas, je t'en passe un papier. Mais parfois, le public a raison. Il a raison avec Hugo...

— ... et il a raison avec moi, c'est ça ?

Charles hésite, comme s'il savait qu'il s'aventure sur un terrain glissant et qu'un éditeur ne devrait normalement pas parler ainsi. Mais il poursuit tout de même :

— Tu écris encore des histoires très valables, Michaël, sinon je les publierais pas. Honnêtement. Mais avec *Sous pression*, tu étais dans un état de grâce avec lequel t'as manifestement pas renoué. Je te dis pas ça pour être méchant ou méprisant, pas pour t'humilier, mais pour mettre les pendules à l'heure et te ramener sur terre. Parce que si tu persistes à jouer la diva incomprise comme tu le fais en ce moment, tu vas te foutre le milieu à dos.

La nausée de Michaël monte toujours tandis que, dans sa main, le verre de bière devient aussi froid qu'un glacier. Charles, désolé, ajoute :

— Je te dis pas ça juste en tant qu'éditeur, mais en tant qu'ami. Et puis, c'est possible qu'avec ton prochain bouquin, tu retrouves ce feu sacré. J'y crois, tu sais.

L'écrivain termine sa consommation d'un trait.

— Non, tu y crois pas.

Et il s'en va, l'estomac révulsé, le cœur au bord des lèvres. Il dirige son pas chancelant vers le Centre des congrès, qui communique de l'intérieur avec l'hôtel. Tandis qu'il traverse la salle du Salon, il sent sa nausée atteindre des proportions alarmantes, à un point tel qu'il se demande comment il parviendra à tenir sa séance de signatures qui commence dans quelques minutes. Séance pendant laquelle il ne dédicacera que quelques livres... Ce qui est le lot de la plupart des auteurs. Et sera dorénavant le sien.

Pas obligatoirement, murmure alors Wanda Moreau dans sa tête.

— L'important, c'est de vendre !

Michaël se tourne vers le son de cette voix passionnée : c'est cet illuminé de Jérémie Marineau qui, dans son stand, s'adresse à quelques visiteurs amusés. Il dresse au bout de son bras maigre son essai *Les Vendeurs du Temple* et, ses cheveux blancs hirsutes, il clame avec la véhémence de celui qui est en mission :

— Mascottes, vedettes de la télé, recettes répétées à l'infini, reproduction de la mode du moment, déguisements, simplification du langage, plagiat du style américain, sexe et violence extrêmes, tous les moyens sont bons pour vendre ! Et en appliquant ces moyens, éditeurs et auteurs acceptent surtout de vendre leur âme au diable !

Et au moment où il prononce ces derniers mots – et peut-être n'est-ce que par hasard –, le regard dantesque de Marineau croise celui de Michaël, qui sent son estomac se révulser.

— Il faut purifier le monde de l'édition ! Le purifier des démons qui le contaminent !

Michaël s'empresse d'entrer dans des toilettes et vomit douloureusement dans la cuvette.

◆

— Vous savez, Nadia Maréchal, la fille qui écrit cette série de romans sur des zombies ? lance Véronique Marcotte.

Le Salon est fermé depuis trente minutes. Dans le bar du Delta, les écrivains et autres professionnels du livre sont éparpillés en trois ou quatre groupes. Dans celui de Véronique se trouvent huit personnes assises autour de trois tables collées, dont Lee-Ann et Michaël.

— Elle est vraiment gentille, poursuit Marcotte. Je lui ai dit qu'on prenait un verre ici ce soir, elle va peut-être venir nous rejoindre.

— C'est la preuve que la gentillesse est pas liée au talent littéraire, intervient Normand Picard.

Quelques rires fusent.

— L'as-tu lue, au moins ? demande l'auteure Chloé Varin, qui n'apprécie pas particulièrement le mépris de Picard.

— Quelques pages. C'est vraiment d'la marde.

— Parlant de marde, vous avez lu ce qu'a écrit Duhaime sur les artistes ? fait Annabelle Thibeault, une attachée de presse qui sait tout ce qui se passe sur Facebook.

La discussion s'enflamme, mais Michaël ne participe pas, se contente d'approuver par des monosyllabes. Lee-Ann lui lance de fréquents regards interrogateurs, il lui répond par des sourires convenus. Il prend une gorgée de son verre de vin, en reluquant autour de lui d'un œil éteint, mais tandis que l'alcool entre dans sa bouche, ses yeux s'emplissent d'effroi. Dans le bar, louvoyant entre les autres groupes, une silhouette féminine s'approche. Michaël, le verre toujours figé entre ses lèvres, songe que son cerveau lui joue des tours.

Mais Wanda Moreau s'arrête près de leur cercle, derrière Marcotte et Varin, et observe Michaël, le visage dénué d'émotion.

— Salut, Michaël. Ça va ?

Ça va ? Elle apparaît parmi ses collègues au Salon du livre de Trois-Rivières pour lui demander tout bonnement si *ça va ?* Atterré, il baisse lentement son verre, incapable de dire quoi que ce soit.

— Michaël ? s'étonne l'éditrice Véronique Fontaine. J'ai jamais entendu personne t'appeler de même ! (Elle se tourne vers la nouvelle venue, amusée.) Es-tu sa sœur ?

Quelques-uns rient et Wanda tente un sourire, mais le résultat est quelque peu mécanique.

— Non, je suis une amie. (Elle revient à Michaël, qui poursuit son imitation de poisson hors de l'eau.) Je visite de la famille à Trois-Rivières pour le week-end pis j'en profite pour venir te voir. J'ai bien pensé que tu serais au bar de l'hôtel…

Stéphane Dompierre, qui croise Wanda pour la seconde fois dans un Salon du livre, jette un œil goguenard vers Michaël, qui ne s'en rend même pas compte tant ses yeux sont rivés sur l'ex-détenue. On doit d'ailleurs remarquer son air hébété, car Ghislain Taschereau demande :

— Coudon, Mike, on dirait que t'as entendu un fédéraliste dire quelque chose d'intelligent !

— Han ?… Non ! Non, non, je suis juste… surpris de te croiser ici.

Wanda hoche la tête. Pour l'occasion, elle a changé de toilette : elle porte une robe un peu ringarde et un tantinet trop chic, mais elle a conservé sa sempiternelle queue-de-cheval.

— Joins-toi à nous, l'invite Tristan Demers, toujours prêt à rencontrer de nouvelles personnes. Ton nom, c'est ?

— Wanda… Merci.

Et elle se tire un fauteuil entre Marcotte et Varin. Si deux ou trois personnes parmi le groupe paraissent peu enthousiastes qu'une *outsider* se mêle à la bande, ce n'est rien comparé à Michaël, paniqué, qui se retrouve en plein cauchemar. Elle ne va pas passer la soirée avec eux? Elle n'aura tout de même pas cette audace, ce culot, ce… cette irresponsabilité? Lee-Ann, qui remarque le malaise de son amant, l'observe d'un œil soucieux.

— J'ai cru pendant une seconde que tu étais Nadia Maréchal, lance Picard à Wanda.

— Ben voyons, elle lui ressemble pas pantoute! rétorque Marcotte.

— Je le sais pas, moi, je l'ai jamais vue. Et tu nous as dit qu'elle viendrait peut-être nous rejoindre.

— C'est qui, cette Nadia Maréchal? demande Wanda.

— Une auteure qui devrait pas écrire, répond Picard.

La pointe provoque quelques rires. Wanda secoue la tête:

— Non, je suis pas auteure. En tout cas, pas directement…

Et elle regarde Michaël, qui ne respire plus. Le groupe paraît interloqué par cette réponse ambiguë, mais rapidement on parle d'autre chose. Évidemment, l'écrivain n'arrive pas à se concentrer sur la discussion, trop angoissé à l'idée que quelqu'un puisse, tout à coup, se rappeler qui est *vraiment* Wanda. Mais il tente de se raisonner: elle n'a révélé que son prénom. Qui se souvient d'une femme qui a tué son conjoint il y a quinze ans? Et effectivement, à peu près personne ne fait plus attention à Wanda, sauf Lee-Ann qui la reluque de temps à autre. De son côté, l'ex-détenue, tout en buvant une bière, écoute les échanges en silence, les yeux légèrement plissés, comme une étudiante qui suivrait un cours avec sérieux. Mais à quoi joue-t-elle, au juste ? Quel message veut-elle passer à Michaël en se pointant ici ? Michaël se dit qu'il va terminer son verre et monter dans sa chambre ; elle n'aura pas le choix de partir. Mais si elle restait avec le groupe malgré tout ? Ce serait encore pire ! Il ne sait plus comment agir, tente de camoufler son désarroi par quelques sourires et approbations monosyllabiques, déconcerté par l'attitude neutre de Wanda qui ne le regarde presque jamais, trop concentrée sur les discussions pourtant légères de la bande.

— Hugo est pas venu ? demande alors Annabelle Thibeault.

— Il arrive demain.

Aussitôt, le nom de Vallières perce la bulle d'angoisse de Michaël et toute sa rancœur ressurgit, à tel point qu'il lance spontanément, avec une méchante ironie :

— Quand la super vedette est pas là, c'est pas pareil, hein ? On se sent moins cool sans lui.

On l'observe avec étonnement.

— Voyons, je m'informais, c'est tout, balbutie Thibeault.

— T'es ben intense, Mike, rétorque Marcotte. On se sent pas plus cool quand Hugo est là, franchement.

— En tout cas, lui, il est conscient de l'effet qu'il produit, poursuit Michaël avec négligence. Je suis sûr qu'il arrive juste demain pour se faire désirer…

Il regrette ses paroles. Bon Dieu, c'est la présence de Wanda qui le rend intempestif ! Tout le monde le dévisage et Lee-Ann paraît attristée par le comportement de son amant. Michaël opte pour un ricanement qu'il espère naturel :

— Ben non, je niaisais. C'est…

— Pour l'instant, j'ai l'impression que Michaël est un peu jaloux, hein, Michaël? intervient alors Wanda sur un ton assuré. Mais son prochain roman va être une bombe, pis là, il va redevenir la vedette qu'il était et reprendre la place qui lui revient.

Pendant de longues secondes, on n'entend que les bruits de discussions des autres consommateurs dans le bar ainsi que la musique lounge en sourdine. Les membres du groupe, embarrassés, se jettent une série de coups d'œil incrédules. Même Taschereau, qui n'a pas l'habitude d'être facilement mal à l'aise, examine son verre comme s'il y cherchait un défaut de fabrication. Michaël sent littéralement le sang non pas se retirer de ses veines, mais s'évaporer, et sa bouche est si sèche que les mots lui écorchent le palais lorsqu'il articule d'une voix blanche:

— Ben voyons, Wanda, c'est... c'est... c'est...

Il n'arrive pas à compléter et ne peut que répéter son « c'est » comme un vieux disque rayé. Wanda soutient son regard avec aplomb et Véronique Fontaine, avec un ricanement gêné, lance une bouée de sauvetage:

— En tout cas, Mike, ta chum croit en toi en maudit, hein?

Quelques rires nerveux craquellent le lourd silence. Wanda est sur le point d'ajouter quelque chose, mais Michaël intervient en feignant l'amusement:

— Ouais, Wanda a toujours manqué un peu d'objectivité envers ses amis... Je vais lui expliquer un petit peu comment ça marche, dans les Salons. Viens donc avec moi trente secondes...

Avec quelques ricanements embarrassés, on lui dit que « c'est pas une mauvaise idée » tandis qu'il se lève en faisant signe à l'ex-détenue. Elle obéit, docile. Ils sortent de l'espace réservé au bar et s'arrêtent dans le couloir de l'hôtel.

— Je t'ai défendu, hein ? fait Wanda.

— Criss, qu'est-ce que tu crisses ici ? C'est de la provocation ou quoi ?

— Comment avance la scène de torture dans ton roman ?

— Je t'ai déjà dit que j'avais pas l'intention de m'en servir, j'ai pas été clair ?

Wanda plisse les yeux et prend un air étrange, comme si elle ne le croyait pas. Michaël n'en tient pas compte et poursuit :

— Maintenant, tu vas t'en all…

Il remarque enfin qu'il y a beaucoup de gens autour d'eux et, la voix plus basse, il grogne :

— Maintenant, tu vas t'en aller, d'accord ? C'est mon monde, ici, et…

— C'est un peu le mien aussi, non ?

Elle esquisse un sourire complice. Michaël la dévisage comme si elle venait d'affirmer être la réincarnation de Janis Joplin. Elle regarde vers le bar.

— En passant, je suis surprise du genre de discussions que vous avez. Une gang de littéraires, ensemble, je pensais que ça jasait d'affaires profondes, mais vous déconnez plus qu'autre chose. Y en a une couple qui bitchent pas mal. Pis vous avez l'air d'aimer ça, parler de sexe.

— Wanda… Tu pars immédiatement sinon…

— Sinon quoi ? Tu vas leur dire qui je suis ?

Il ne répond rien. Pendant une seconde, elle prend un visage dur qui fait frissonner Michaël, mais elle s'adoucit rapidement, presque désolée. Elle pose une main sur son épaule et il se raidit.

— Bon, je veux pas te rendre mal à l'aise… Mais j'avais envie de me mêler un peu à ton monde, voir à quoi il ressemble. Et je voulais que tu te rendes compte que t'as pas à t'inquiéter de moi, que je peux être une *partner* très cool, très relax… Tu comprends ? Je termine mon verre pis je vais partir après, promis.

Et sur ces paroles aussi absurdes que terrifiantes, elle retourne au bar. Michaël ne peut croire qu'elle est venue jusqu'ici uniquement pour « voir son monde ». Résigné, il la suit. Il a l'impression d'être dans un vaudeville qui aurait oublié d'être drôle. Lorsqu'ils réintègrent le groupe, celui-ci, amusé, écoute Demers qui clame sur un ton pas du tout sérieux :

— Je dis pas que c'est vrai, je dis que c'est une théorie : les filles qui aiment pas le tapioca aiment pas le sperme !

— Y a pas une fille qui aime le sperme, franchement ! rétorque Lee-Ann en riant. J'en connais pas une qui dit : « Hmmmm ! Du bon sperme, miam-miam ! »

Tout le monde s'esclaffe tandis que Wanda tend l'oreille en s'assoyant. Michaël, sombre et nerveux, prend une gorgée de son verre tout en reluquant celui de l'ex-détenue : il est aux trois quarts vide. Elle devrait partir bientôt…

— Je le sais ! corrige le bédéiste en rigolant. Ce que je veux dire, c'est que les filles qui aiment pas le tapioca refuseraient qu'on leur vienne dans la bouche.

— N'importe quoi ! soupire Picard.

— On va faire un sondage ! persiste Demers. Toi, Chloé, aimes-tu le tapioca ?

— Si tu penses que je vais répondre à ça !

— Moi, j'ai aucun problème avec le tapioca, intervient Marcotte avec une fausse candeur qui déclenche l'hilarité.

— Pis toi, Wanda ?

Tout le monde l'observe, amusé, sauf Michaël qui fusille Demers du regard. Celui-ci s'attend évidemment à la mettre mal à l'aise et Dompierre lance :

— On a le tour d'intégrer ça vite, les nouveaux, hein ?

Wanda fronce les sourcils et gonfle les joues, dans cette attitude enfantine qui annonce toujours qu'elle réfléchit. Michaël s'empresse de préciser, presque inquiet :

— T'es pas obligée de répondre, Wanda, Tristan te niaise.

— J'ai accepté une fois qu'un gars me vienne dans la bouche, explique d'une voix neutre l'ex-détenue. Pas parce que ça me tentait, mais parce que j'avais entendu dire que les hommes aimaient ben ça. J'étais curieuse. Mais j'ai trouvé ça dégueulasse pis j'ai tout recraché sur le gars. Y était pas content pis il a gueulé. Je lui ai cassé le nez pis je suis partie.

Nouveau moment de silence, mais rapidement éclate un mélange de rires et de cris de stupeur.

— Ben voyons, c't'une joke, ça ?

— Ben oui, c'est une blague ! s'empresse d'intervenir Michaël. En fait, Wanda sait même pas c'est quoi du tapioca !

On s'esclaffe, tandis que Wanda regarde tout le monde d'un air indécis. Alors qu'on change de sujet, Michaël ne cesse de surveiller le verre de l'ex-détenue qui descend trop lentement à son goût.

◆

— T'étais pas comme d'habitude.

Lee-Ann prononce ces mots étendue dans le lit de sa chambre d'hôtel aux côtés de son amant et celui-ci tourne la tête vers elle. La seule lumière allumée dans la pièce est celle de la salle de bains, mais les yeux de Michaël, maintenant habitués à la pénombre, distinguent clairement les traits de l'Asiatique.

— Comment ça ?

— Je sais pas. Tu baisais… nerveusement.

Il hausse une épaule.

— J'ai un paquet de soucis ces temps-ci.

— C'est pas cette Wanda qui t'achale ?

Il la toise à nouveau, suspicieux.

— Pourquoi elle m'achalerait ?

— Tu peux me le dire si c'est une maîtresse. On se doit rien.

Il sent tout de même une petite pointe de jalousie dans sa voix et il ne peut s'empêcher d'en tirer un certain plaisir. En effet, il a bien remarqué que Lee-Ann, durant toute la soirée, regardait Wanda avec hostilité. Cette dernière a d'ailleurs pris quarante minutes pour terminer son foutu verre de bière, c'était de la pure provocation ! Mais au moins, après sa sortie déroutante sur le goût du sperme, elle a été discrète. Quand elle est partie en saluant tout le monde, elle s'est penchée vers Michaël et, à la grande stupéfaction de celui-ci, l'a embrassé sur les joues. Après son départ, il y a eu quelques commentaires sur sa personnalité très spéciale ; Michaël a expliqué que c'était une amie d'enfance qu'il voyait rarement. C'est ce qu'il a répété à Lee-Ann tout à l'heure, tandis qu'il la suivait dans sa chambre, mais elle ne semble toujours pas convaincue.

— Lee-Ann, je baise pas avec elle. Le pire, c'est que je suis sûr qu'il y en a d'autres dans la gang qui pensent ça…

Il la sent rassurée et l'observe avec un petit sourire.

— T'es jalouse ?

— Mais non, pas du tout, rétorque-t-elle un peu trop vivement.

Elle réfléchit une seconde avant d'ajouter :

— Et je plains celle qui sera jalouse parce que tu laisseras pas ta femme. En tout cas, tant que t'auras pas un autre gros succès.

Il se tait, stupéfait qu'elle ait vu si clairement dans son jeu. Sur le coup, il opte pour l'indignation :

— Franchement ! T'es pas gênée de penser ça de moi ! Tu fais dur en maudit !

Mais elle le fixe sans sourciller : à l'époque, elle lisait facilement en lui, et on dirait que cela n'a pas changé. Vaincu, il se recouche sur le dos, le bras plié au-dessus de sa tête, en poussant un long soupir. Elle lui caresse l'épaule du bout des doigts.

— Je te dis pas que t'es un salaud. Je sais que c'est plus compliqué que ça. Écrire à temps plein est une grande chance, ça doit être difficile d'abandonner cette vie. Sauf que ta femme se doute de rien, elle croit en toi…

Il demeure muet. Cette semaine, il a reçu ses droits d'auteur. S'il était célibataire avec un tel revenu, il ne pourrait survivre que trois mois, peut-être quatre. Mais Alexandra lui a répété de ne pas s'inquiéter. Même s'ils ne peuvent pas vraiment économiser, même s'ils ne voyageront pas cet été. Et lui, pour la remercier de tout cela, il prévoit la quitter cet automne si son livre est un succès. Il ferme les yeux, écœuré.

— Tu vas pas très bien, Michaël. T'as encore fait un commentaire cheap sur Hugo, ce soir… Tu commences à passer pour un maudit jaloux frustré. Tu sens pas qu'on recherche moins ta compagnie, ces temps-ci ? Moi-même, ce soir, je me suis demandé à un moment donné si j'allais t'inviter dans ma chambre…

Bourru, il se justifie en lui expliquant la décision de son éditeur de publier son bouquin cet hiver pour faire de la place à Vallières. Relevée sur un coude, elle l'écoute en silence, puis :

— C'est tout ? C'est ça, ton drame ?

Il se tait, morose. Elle se recouche sur le dos.

— Cette obsession du succès est en train de pourrir notre milieu…

— C'est la fille en marketing qui dit ça? ironise l'auteur. Celle qui clame qu'il faut rendre l'industrie du livre plus attrayante?

Elle émet un soupir.

— J'ai lu l'essai de Jérémie Marineau, *Les Vendeurs du Temple*...

— T'as lu cet illuminé? Toi?

— Je sais qu'il est un peu dingue, je sais aussi qu'il exagère, et je te dirais que soixante-quinze pour cent de son livre est du délire. Mais il soulève une couple d'affaires qui... qui sont pas bêtes, qui m'ont fait réfléchir. Trop de gens croient qu'ils peuvent écrire maintenant; trop d'apprentis écrivains se pensent bons. Même ceux qui ont été refusés par tous les éditeurs sérieux sont convaincus qu'ils sont incompris, et ils veulent tellement être lus qu'ils se publient eux-mêmes ou, pire, ils acceptent de payer de leur poche des éditeurs profiteurs. Même parmi les auteurs « professionnels », il y en a dont la principale ambition est de passer à *Tout le monde en parle*. Regarde Picard, par exemple...

— Tu penses que je suis comme ça?

Elle soupire en déplaçant une petite mèche de ses cheveux noirs.

— Je sais pas. Mais parfois, la motivation de l'auteur est floue, même à ses propres yeux...

Il la considère, indécis, puis marmonne:

— T'es en train de changer, on dirait...

— On change pas vraiment, on marche sur une route, jusqu'au milieu. Tu te souviens de ça?

— Quoi, donc?

Elle tourne la tête vers lui.

— Quand on sortait ensemble, je t'avais parlé de ça: ma théorie de la route, avec le miroir...

Il étudie le plafond en haussant une épaule. Il ne se souvient pas. De toute façon, il a l'esprit trop hanté par Wanda pour tenter de se rappeler des trucs du passé.

— Ça me dit rien…

Elle appuie son front contre son torse, tendre.

— C'est pas grave…

En fait, il croit avoir un vague souvenir de cette discussion vieille de presque vingt ans, mais il n'a pas envie de fouiller sa mémoire davantage pour la faire ressurgir clairement du passé. Pas juste à cause de ses préoccupations actuelles.

Mais aussi parce qu'il sent qu'il n'aimerait pas ce que cette ancienne discussion l'obligerait à voir aujourd'hui.

◆

À treize heures cinquante, Michaël entre au Salon. C'est samedi, les visiteurs sont nombreux et Michaël croise la petite scène sur laquelle Lee-Ann présente les publications de Persona. Elle s'adresse à une vingtaine de curieux et, en s'apercevant qu'elle démontre peu d'enthousiasme dans son laïus, l'écrivain songe à leur échange de la nuit sur le milieu littéraire. Il se rappelle surtout cette jalousie qu'il a cru déceler chez elle, mais qu'elle s'est empressée de nier. Prend-il ses désirs pour des réalités ?

Il rejoint la grande scène du Salon sur laquelle se termine une entrevue avec Gabriel Nadeau-Dubois. La foule s'éclipse pour laisser place aux prochains auditeurs qui s'installent pour écouter la table ronde sur le roman noir. Michaël ne se fait pas d'illusions : ils sont là pour entendre Vallières et Michaud, pas lui. En attendant qu'on lui indique de venir s'asseoir, il se frotte les yeux. Non seulement sa baise avec Lee-Ann l'a amené à se coucher très tard, mais il a mal dormi les quelques heures de sommeil dont il disposait, trop bouleversé par la visite de Wanda. Que prépare-t-elle donc ? Il lui a pourtant dit qu'il ne s'était pas servi des tortures infligées à Dubuc. Mais le scepticisme qu'elle a affiché lui semble de mauvais augure… Bon Dieu, que va-t-il faire avec elle ? Il doit trouver un moyen de la raisonner, de la…

Il voit alors Hugo s'approcher. Il se plaque un sourire de circonstance sur le visage et lui tend la main.

— Heille, Hugo, ça va ? Tu nous as manqué hier soir. T'es arrivé tout à l'heure ?

Vallières, habituellement avenant et chaleureux, lui donne la main froidement.

— Ben oui. Moi, j'arrive le samedi juste pour me faire désirer.

Les doigts de Michaël se ramollissent entre ceux de son collègue. Celui-ci ajoute :

— Vous allez vous sentir plus cool maintenant que je suis là, hein ? Parce qu'évidemment, c'est l'effet que je souhaite.

Il prononce ces mots avec un rictus venimeux et Michaël n'aurait jamais cru que Vallières, normalement si sympathique, pouvait adopter un air si méprisant. Merde, qui lui a raconté ça ? Annabelle Thibeault, peut-être ? Ou Normand Picard ? Il est tellement langue sale ! Michaël cherche une excuse, mais Hugo le coupe.

— Je comprends pas, Mike. Je suis pas comme ça, et tu le sais bien. En plus, je t'ai jamais rien fait, au contraire. T'es venu me voir pendant que tu rédigeais ton premier manuscrit et je t'ai encouragé, c'est toi-même qui me l'as rappelé. Et quand t'as connu ton énorme succès, je t'ai félicité avec sincérité. Je t'enviais un peu, c'est sûr, mais j'étais vraiment heureux pour toi, je te disais que c'était mérité…

Michaël, qui réalise que se défiler sera inutile, décide de saisir la perche pour se vider le cœur :

— Et maintenant que c'est toi la vedette, tu me pousses pour publier ton livre à ma place !

Hugo fronce les sourcils.

— De quoi tu parles ?

— Ton roman était censé sortir en hiver ! Mais comme il est prêt plus vite que prévu, qui va être sacrifié ? Moi, évidemment !

La rancœur de Vallières s'estompe quelque peu, remplacée par l'étonnement.

— Merde, Mike, penses-tu que j'étais au courant de ça ? Je suis vraiment désolé…

— Vraiment ? Si t'es si désolé que ça, dis à Charles que tu sortiras ton livre cet hiver, comme prévu !

— Ben… s'il est prêt cet automne, je serais fou de pas en profiter…

— Et voilà ! ricane méchamment Michaël. Tu te fous complètement de moi ! Parce que je suis pas une vedette, alors c'est pas grave, hein ? Le monde s'en crisse que Walec lance son roman plus tard !

— Je te répète que je savais pas que ça se retournerait contre toi ! C'est pas moi qui fais les politiques d'édition chez Parallèle !

— Je te demande pas de changer les politiques, je te demande de me respecter pis de me laisser sortir mon livre cet automne !

— Baisse le ton, on commence à nous remarquer…

— Ah, c'est ça ! T'aimes créer de l'effet, mais pas n'importe lequel, quand même !

Hugo le foudroie d'un regard dans lequel toute son amertume réapparaît. Au même moment, Martin Michaud s'approche d'eux, de bonne humeur.

— Heille, le trio infernal qui se retrouve ! En forme, les boys ?

On se serre la main et Michaud fronce les sourcils en constatant la froideur palpable entre ses deux collègues. Mais il n'a pas le loisir de les interroger à ce sujet : le régisseur vient les chercher pour les installer sur la scène.

Les participants saluent la journaliste et auteure Claudia Larochelle, qui animera la table ronde. Michaël et Hugo s'assoient le plus loin possible l'un de l'autre, puis la présentation commence. Michaël, en qui la colère gronde toujours, livre les réponses habituelles. Hugo, qui n'a jamais été très loquace, paraît encore plus renfermé et chaque fois que son regard croise celui de son confrère, on sent un mauvais courant passer. Michaud, dérouté par une telle attitude, démontre de l'enthousiasme pour trois et réussit en partie à camoufler la tension qui règne sur le plateau. Larochelle elle-même déploie tout son talent pour alléger cette ambiance malsaine.

À un moment, Michaël pâlit : il a reconnu Wanda, assise à l'arrière, et qui écoute avec attention.

— Et vous, Michaël ?

— Pardon ?

L'animatrice répète de bonne grâce :

— Qu'est-ce qui vous dicte que votre histoire prendra telle ou telle direction ?

Il approche son micro de sa bouche et, toujours sous le choc d'avoir aperçu Wanda dans la salle, répond mécaniquement :

— Ce sont les personnages… Je suis un peu leur esclave, en quelque sorte…

Tout à coup, on entend un soupir las qui surgit des haut-parleurs et, avec stupéfaction, Michaël réalise qu'il a été émis par Hugo, qui ne s'est même pas efforcé d'éloigner son micro avant de lâcher ce son impertinent.

— Oh, on a quelqu'un qui ne semble pas d'accord, ici, remarque Larochelle avec un rire en se tournant vers Vallières.

Hugo croise les jambes, s'humecte les lèvres et plante son regard dans celui de Michaël. Ce dernier sait très bien que depuis toujours son collègue montre un certain agacement face à cette théorie des protagonistes qui contrôlent leur sort, mais jamais Hugo n'a élaboré là-dessus, sans doute par courtoisie et par respect pour ses confrères et consœurs. Mais le soupir ostentatoire qu'il vient de pousser annonce son intention d'être un peu plus explicite aujourd'hui, et quand il commence à parler – et ce malgré la politesse de sa voix –, un auditeur attentif pourrait très bien déceler dans son ton une note hargneuse.

— Tu répètes ça depuis plusieurs années, Mike, et je sais pourquoi. C'est très noble, cette vision de l'auteur qui serait une sorte de courroie de transmission entre les Muses et la feuille de papier. Comme s'il se transformait en un alchimiste qui forge des personnages si forts, si vrais, qu'il ne peut que s'incliner devant leur autonomie. Admettre qu'on fait juste inventer des histoires, c'est un peu vulgaire, ça nous rabaisse au rang de simple conteur, alors que si nous affirmons avoir conçu des créatures douées d'une vie propre, nous devenons presque Dieu. Et ça, c'est sérieux. Ça, c'est de l'art. Ça, c'est être écrivain.

Il fait une pause d'une demi-seconde avant de poursuivre, mais une demi-seconde durant laquelle Michaël croit entendre sonner une cloche : le glas de sa crédibilité.

— Mais la réalité est tout autre. C'est toujours l'auteur qui décide. Évidemment, il doit choisir une action cohérente en phase avec le personnage qu'il a créé, mais il a le loisir de le modifier pour arriver à ses fins. Sinon quoi ? Tu te croises les bras devant ton ordinateur et tu clames : « Allez, personnage, que veux-tu faire ? J'attends ! » Et une fois qu'il t'a chuchoté la réponse, tu la retranscris ? À ce compte, si un roman est bon ou mauvais, la responsabilité en revient aux protagonistes, non ? L'écrivain peut donc répliquer aux critiques : « Désolé si mon roman est ennuyant, c'est la faute des êtres qui le peuplent. » Pourtant, l'auteur rejette des idées et en conserve d'autres, celles qu'il trouve les meilleures, les moins clichés, les plus efficaces, et ce peu importe qu'il fasse du policier, de la science-fiction, du philosophique ou du psychologique. Zola, pourtant un immense artiste, affirmait ne pas intervenir dans la conduite de ses personnages, alors que de telles paroles sont de la foutaise ! Chaque fait et geste de ceux-ci servait méticuleusement à faire avancer l'action de ses histoires, qui étaient planifiées avec minutie. Et c'est justement pour cette raison qu'il a écrit de si grands bouquins : parce que c'est *lui* qui décidait. Si les protagonistes agissaient vraiment selon leur libre arbitre, ils ne chercheraient pas à être les plus originaux et les plus riches possibles, ils chercheraient seulement à s'en sortir, comme tout le monde, et seraient donc extrêmement pratico-pratiques, extrêmement banals. Tes romans sont banals, Mike ?

Quelques rires fusent dans la salle, même si on sent plusieurs auditeurs étonnés d'une telle charge. Michaël avale sa salive et, avec un petit sourire, souffle dans le micro :

— C'est juste une façon de parler, voyons, tu le sais bien, Hugo…

— En effet, mais c'est la façon la plus romantique, la plus poseuse, celle qui fait de bonnes entrevues et qui mythifie l'auteur, mais c'est pas la *vraie* façon de parler. La vraie, c'est celle-ci : écrire, c'est une job, comme n'importe quelle autre job. On passe pas nos journées à errer en attendant d'être touché par la Grâce ou de ressentir une pulsion incontrôlable pour créer… Non : on respecte un horaire rigoureux, on se plante devant notre ordinateur et on travaille ! Et si rien sort, on reste assis là et on se botte le cul jusqu'à ce qu'on trouve quelque chose. Et ce qui rythme notre emploi du temps, c'est pas la disponibilité de nos personnages, mais le nombre de mots qu'on veut atteindre par jour, ou le nombre d'heures qu'on s'oblige à abattre. Et quand on écrit, on parle pas avec un protagoniste qui existe pas, on s'engueule pas avec lui parce qu'il refuse de nous obéir : on bûche, on réfléchit, on construit la meilleure scène, on peaufine notre personnage, on clarifie la narration, et *on décide* ! Et tout ça vient *de nous*. Sinon, on est pas des auteurs mais des schizophrènes.

Nouveaux rires dans la salle. Hugo baisse son micro, le visage impassible, mais légèrement essoufflé, lui qui n'a jamais parlé aussi longuement et aussi passionnément en public. Son regard, plein de défi, est toujours rivé à Michaël, et ce dernier, grimaçant un sourire pour camoufler la rage et l'humiliation qui bouillonnent en lui, se contente d'articuler d'une voix neutre :

— Hé ben, Hugo, c'est rare que t'es loquace à ce point…

Quelques personnes ricanent, mais sans plus. Larochelle, un brin déstabilisée, demande à Martin Michaud son opinion. Celui-ci s'efforce de prendre un air désinvolte :

— Disons que je pense pas mal la même chose que Hugo, mais… heu… de manière un peu moins intense, quand même.

Cette fois, tout le monde rigole et Vallières lui-même esquisse un sourire. Michaël, qui ronge toujours son frein, tourne discrètement la tête vers la foule, où il repère Wanda. Celle-ci, toujours assise au fond, le contemple tristement. Il sent qu'elle est la seule de son côté, qui sait vraiment ce qu'il vit, et pour la première fois depuis qu'elle est réapparue dans sa vie, il éprouve pour elle une bouffée de gratitude.

L'animatrice aborde encore deux ou trois sujets, auxquels Michaël se contente de réagir brièvement, les tempes bourdonnantes. Puis, elle passe la parole au public. Quelques individus posent des questions, uniquement à Vallières et à Michaud, mais à un moment, Wanda lève la main. Le régisseur va lui porter le micro et la voix de l'ex-prisonnière, égale, résonne dans les haut-parleurs :

— Moi, c'est pas vraiment une question, mais un commentaire pour monsieur Walec, qui est mon romancier préféré, en passant. Je comprends ce qu'il veut dire lorsqu'il dit qu'un écrivain doit écouter ses personnages. En fait, il veut pas dire qu'ils lui parlent vraiment et décident tout, c'est sûr que non, il est pas fou. Mais j'imagine qu'un auteur doit écrire le plus possible la vie elle-même. Pis la vie, tu la puises dans toi, dans ce que tu as vu ou vécu. C'est pour ça que plus ton personnage est proche de toi, plus tu vas l'écouter et plus ce que tu écris va être vrai. C'est ça, non ?

À nouveau, Michaël sent le soutien de Wanda. L'instant d'un flash, il revoit les tortures infligées à Laurent Dubuc. Et dans la tourmente de son esprit, dans sa rage qui palpite toujours et dans sa frustration qui ne cesse d'augmenter depuis quelques années jusqu'à atteindre des sommets intenables, il s'entend répondre avec une assurance presque caricaturale :

— C'est en plein ça.

Wanda hoche la tête et Michaël tourne un regard dédaigneux vers Hugo. Ce dernier hausse une épaule indifférente.

La table ronde se termine ainsi. Les invités remercient Claudia Larochelle, Michaël serre la main de Martin et, tout en ignorant Hugo, descend de scène. Il se prend à chercher des yeux Wanda, mais elle a disparu. Il en ressent presque de la déception.

Maussade, il se met en marche vers le stand de Parallèle, où il est en séance de signatures dans quelques minutes. Il passe devant Monsieur Propropre; la mascotte, avec sa grosse tête en plastique moustachue et hilare, lui envoie la main, comme elle l'envoie à tout le monde. Michaël doit faire un effort colossal pour ne pas dresser son majeur dans sa direction. Lorsqu'il arrive en vue du stand, il remarque que, comme toujours, il n'y a personne à sa table, mais qu'une file s'allonge devant celle de Hugo. Il ralentit le pas jusqu'à s'arrêter, désespéré. Il se voit, pendant une heure, attendre les lecteurs, pendant que Vallières, à deux mètres de lui, ne cessera de signer des romans à des fans délirants d'enthousiasme.

Une telle situation n'est pas nouvelle, mais Michaël sait que jamais ça n'aura été aussi intolérable qu'aujourd'hui.

◆

À la fermeture du Salon, à vingt et une heures, une dizaine de personnes proposent de souper en ville, puis de revenir ensuite pour le party dans le bar de l'hôtel. On invite Michaël, mais celui-ci, contrairement à son habitude, décline l'offre, en prétextant un truc qu'il doit terminer. Lee-Ann, qui n'est pas dupe, n'insiste pas.

Michaël mange seul dans sa chambre, ce qu'il n'a jamais fait en six ans de fréquentation du Salon du livre. Après quoi il ouvre son ordinateur portable et retourne à son manuscrit. Depuis sa discussion d'hier avec son éditeur, il a totalement oublié son intention d'abandonner son roman. En fait, la colère qui l'habite contre Vallières est si intense qu'elle pourrait l'inspirer, le nourrir, le motiver pour son écriture. Il tente donc de retravailler quelques passages, mais après deux heures il s'avoue vaincu, comme toujours. Il pousse un long cri et frappe comme un dingue sur le bureau.

Il doit boire quelque chose.

Il descend au bar de l'hôtel. Il est vingt-trois heures quinze et l'endroit est bondé. Sur la scène, quelques auteurs se sont improvisés chanteurs et joueurs de guitare. Les amis de Michaël sont revenus du restaurant et se sont installés au fond, mais pas question qu'il les rejoigne : Hugo est parmi eux. Michaël pourrait toujours se fondre dans un autre groupe, mais pour l'instant il ne veut parler à personne. En fait, il va sans doute boire un ou deux verres et monter se coucher. Il se sent incapable de socialiser.

En vingt minutes, il prend trois scotches et il commence à en ressentir les effets. Deux ou trois personnes s'approchent pour tenter une conversation, dont Roxanne Bouchard avec qui Michaël aime pourtant bien discuter, mais son aspect est si rébarbatif qu'elle renonce rapidement. Michaël croyait que l'alcool apaiserait sa rage, mais le contraire se produit. À tel point que lorsque son regard croise enfin celui de Hugo, il lui indique la sortie de l'hôtel du menton. Vallières comprend et, impassible, enfile son manteau, puis se dirige vers la porte. Michaël se lève et marche dans la même direction.

Il sort. Il n'a pas de manteau, mais la soirée est plutôt douce et, de toute façon, il ferait moins vingt qu'il ne s'en rendrait pas compte. Hugo, à un coin du bâtiment, attend Michaël avec une attitude conciliante.

— Hé, Mike… Tu veux qu'on se parle ?

— T'as aimé ça, m'humilier en public, tout à l'heure ? Une autre façon de montrer ta supériorité sur moi, c'est ça ?

Hugo lisse sa courte chevelure, embêté.

— Je suis désolé, c'était con, je le sais. J'étais en colère et… Regarde, on recommence du début et on discute de tout ça calmement, OK ? On se connaît assez toi et moi pour…

— Fuck you, mon ostie ! T'as piqué ma place, c'est toi qui es la vedette maintenant, mais ça, c'est pas assez ! Ça te prend plus encore !

L'air accommodant de Hugo vacille, tandis que Michaël poursuit :

— Il a fallu en plus que tu me remplaces cet automne !

— Merde, Mike, je t'ai dit que j'ignorais que…

— C'est quoi, la prochaine étape ? T'arranger pour que Parallèle ne me publie plus ? Me barrer comme auteur dans toutes les maisons d'édition ?

Maintenant, c'est l'inquiétude qui se dessine sur les traits de Hugo.

— Mais tu délires, Mike… Tu délires complètement…

Michaël le pousse alors des deux mains, dans un geste enfantin et pathétique.

— Tu m'as pris mes lecteurs ! Tu m'as volé mon succès !

Sous l'impact, Vallières, pourtant assez gras, titube vers l'arrière, estomaqué, puis la colère apparaît, encore plus forte que celle de cet après-midi.

— Mais t'es fou, câlice ! Voyons, tu dis n'importe quoi ! Et Martin Michaud, lui aussi a volé ton succès ? Et Chrystine Brouillet aussi, même si elle a été connue bien avant toi ? C'est de notre faute à tous si tu pognes plus autant, c'est ça ?

Avec arrogance, il lui tapote la poitrine de son index.

— Si t'as perdu tant de lecteurs, c'est parce qu'ils aiment moins tes livres! Et ils ont raison! T'as jamais rien fait d'aussi bon que *Sous pression*, rien qui s'en approchait! Je le sais pas pourquoi, mais c'est de même! En fait, *Sous pression* est tellement fort que c'est à se demander si c'est toi qui l'as écrit!

Aussitôt, il regrette ses paroles, mais trop tard: quelque chose éclate dans la tête de Michaël. En meuglant un cri de rage, il se jette sur son confrère et se met à le frapper de manière éperdue, sans précision, aveuglé de fureur. Hugo n'est ni très grand ni musclé, mais il n'a aucune difficulté à éviter les coups de son agresseur, trop hystérique pour être dangereux. Poussé à bout, il finit même par lui décocher un direct à la mâchoire. Michaël perd l'équilibre et s'étale sur le sol humide de gadoue. Tandis qu'il masse sa bouche en grimaçant, Hugo, en frottant ses jointures, reprend son calme, désorienté.

— Je parlerai de ça à personne, Mike. Mais t'as des problèmes, vieux. Des gros problèmes.

Et il marche vers l'entrée de l'hôtel. Michaël s'agenouille péniblement et baisse sa tête contre ses cuisses en gémissant de désespoir. Au bout de quelques secondes, il sent deux bras qui tentent de le relever.

— Debout, Michaël...

Il lève la tête: Wanda lui tend la main. Il l'accepte, mais une fois sur pied, il se dégage doucement, en vacillant.

— Ça va, ça va...

Il ne sait trop quoi dire tandis qu'elle le considère d'un air impassible, comme si elle attendait quelque chose. Il n'ose pas lui demander depuis combien de temps elle le surveille, mais il s'enquiert tout de même:

— T'as couché ici hier soir?

— Non, j'ai fait l'aller-retour. Je repars tout à l'heure, je travaille demain.

A-t-elle vu toute l'altercation? Il essuie sa bouche dont la lèvre inférieure est légèrement enflée, enlève les traces de gadoue sur ses vêtements, puis se met en marche:

— J'ai besoin d'un verre...

— Dans le bar de l'hôtel? Devant tout le monde? Avec ta lèvre gonflée pis ton linge sale? Tu vas te faire poser des questions...

Il regarde autour de lui comme s'il cherchait une solution. Elle indique la rue:

— Viens, y a des bars juste à côté.

Il hésite un bref moment et, l'esprit confus, la suit, le corps déglingué, la démarche rendue incertaine par l'alcool. Ils marchent moins de deux minutes sur Notre-Dame Centre, puis Wanda entre dans un bar, Le Temps d'une pinte. Michaël s'arrête. A-t-il l'intention de la suivre? Vraiment? Mais il veut tellement un verre... et il a tellement besoin d'une personne qui peut le comprendre... Il entre donc.

L'endroit est bien rempli, les bruits de discussion et de musique rebondissent sur les murs. Ils s'assoient au bar et Michaël commande d'abord un scotch, puis, après une courte réflexion, deux. Il en pousse un vers Wanda. Elle avale une toute petite gorgée tandis que l'écrivain descend sa consommation d'un trait. Il fait signe au barman qu'il en veut un autre puis soupire en massant son visage. L'ex-détenue observe:

— T'as déjà pas mal bu, toi...

— Tu me fais la morale? T'es mal placée en ostie...

Il prend son second scotch et le boit tout aussi rapidement.

— Je comprends qu'en ce moment tu sois jaloux de Vallières, mais c'est...

— À cause de lui, mon roman va sortir l'hiver prochain ! Il est en train de finir le sien et il va me remplacer cet automne ! Je suis repoussé comme une vulgaire guenille ! Et, en plus, il m'humilie sur la scène, en pleine table ronde !

Il se calme, couvre ses yeux de ses mains quelques secondes et marmonne :

— Merci, en passant, de m'avoir soutenu, cet après-midi, devant tout le monde...

Il la regarde par en dessous. Elle approuve en silence.

Vient-il de remercier Wanda ? Son cellulaire vibre et il y jette un œil : c'est Lee-Ann qui lui demande où il est. Il remet l'appareil dans sa poche sans répondre, commande un autre verre et s'emporte à nouveau en redressant le torse :

— Et tantôt, t'as compris ce qu'il a dit ? Il sous-entend que j'ai pas écrit *Sous pression* moi-même ! Le câlice !

— Tu l'as écrit toi-même... mais pas tout seul.

Michaël, dodelinant de la tête, a un geste écœuré et boit d'un trait son nouveau scotch. Il est maintenant totalement soûl et cela décuple sa hargne.

— Pourquoi t'es venue à Trois-Rivières, Wanda ?

— Je te l'ai expliqué, hier. Je voulais voir ton monde, savoir si t'avais travaillé la scène de torture dans ton manuscrit...

— Je t'ai dit non et je te répète que je le ferai pas !

— Pis tu m'as menti.

Il prend un air dubitatif. Elle bluffe, évidemment. Mais elle ajoute :

— Encore une fois, t'as pas gardé l'image de la chair calcinée qui sent le feu de camping, mais c'est pas grave, c'est ton choix. Pis que Soulières vomisse à la fin, c'est assez logique.

Michaël écarquille ses yeux vaseux. Cette femme est une sorcière, une entité maléfique qui s'immisce dans chaque sphère de sa vie, sans qu'il puisse y faire quoi que ce soit. Et pourtant, sa présence ce soir ne l'effraie pas. Elle lui apporte même un certain réconfort, et c'est cette constatation qui lui cause un frisson de terreur.

— Si t'as pas besoin de moi, comme tu le prétends, je te mets au défi d'effacer la scène, fait Wanda.

Michaël pousse un long gémissement impuissant. Il est tellement soûl… Tout tourne autour de lui et il a l'impression de perdre pied, de décoller peu à peu du monde tangible. Il a trop bu et trop vite… Ce qui ne l'empêche pas de commander un autre scotch. Wanda penche la tête vers lui et, la vision déformée par l'ivresse, l'auteur croit voir un titan s'approcher.

— Comment tu te sens de l'avoir améliorée, de l'avoir rendue vraiment, vraiment forte ? Ça rappelle le bon vieux temps, hein ?

Il se souvient de son état d'euphorie après avoir retravaillé ces pages, et cette évocation, galvanisée par l'alcool, lui semble encore plus jouissive que la réécriture elle-même. Il vide son nouveau verre. S'il n'arrête pas de boire, il va tomber de ce tabouret, qui doit bien mesurer cinq mètres de haut ; il paie donc le barman pour les consommations en éructant un grognement informe tandis que Wanda lui parle. Sa voix est basse et pourtant, malgré la musique et les discussions tonitruantes, il entend parfaitement les mots.

— Pis c'est pas juste grâce à moi que la scène est meilleure : c'est aussi grâce à ton style. Tu vois bien que je suis pas folle. Tu vois-tu comment on forme un bon team, tous les deux ? Vas-tu enfin l'admettre ?

Il se lève brusquement, perd l'équilibre, s'écroule presque, mais réussit à rester debout puis chancelle vers la porte.

Dehors, il marche rapidement en zigzaguant, ne sachant pas trop s'il fuit Wanda, lui-même ou une sorte de plaisir malsain qu'il refuse d'éprouver. Le décor tourne tant que, deux fois, il doit changer de direction. Il ne s'est pas soûlé à ce point depuis l'adolescence. Près de l'hôtel, ses jambes ramollissent et alors qu'il est sur le point de s'effondrer, Wanda, qui le suivait, le rattrape et le maintient sur pied.

— Je vais t'aider…

Il n'a pas la force de s'opposer. De plus, c'est la seule qui n'est pas contre lui. Au contraire, elle croit en lui. Elle croit en son talent.

Il se laisse conduire, tellement éperdu qu'il réalise à peine qu'ils entrent dans l'hôtel. Devant l'ascenseur, il perçoit les bruits de la fête dans le bar, mais personne n'est assez près pour le voir. Une fois dans la cabine, il s'appuie le front contre une paroi, les yeux fermés, si chamboulé qu'il ignore si sa tête est contre le mur ou contre le plancher.

— Quelle chambre ? demande Wanda.

Il grommelle « quatre cent trois », perd la notion du temps quelques instants. Wanda le guide dans le couloir, puis il sent qu'elle fouille dans sa poche pour attraper la clé électronique. Va-t-elle entrer avec lui ? Il ne peut pas accepter ça. Il veut protester, mais trop tard : elle le pousse gentiment dans sa chambre. Il effectue sept ou huit pas totalement erratiques, puis se laisse choir sur le dos, dans son lit, en émettant un long soupir.

Il dérive. Il va sombrer bientôt. Il ne sait même plus s'il est seul ou non. Est-ce lui qui baisse son pantalon ? Pourtant, ses deux mains sont relevées sur le matelas de chaque côté de ses tempes… C'est maintenant son caleçon qui glisse… Pas la force de redresser la tête. Il se contente de fixer le plafond qui se tortille en mille couleurs et mille formes, comme un kaléidoscope tournoyant dans une dimension inconnue. Quand il sent les doigts caresser sa verge, quelque chose dans son crâne lui intime de refuser, d'arrêter tout cela, d'empêcher cette hérésie, mais cette instance est si loin, si faible, qu'il ne résiste pas et, même s'il est soûl à ne plus tenir debout, bande doucement...

— Si tu savais à quel point je désire t'aider, Michaël... À quel point je souhaite *nous* aider... Dis-moi ce que tu veux... Dis-le-moi...

Il n'associe plus cette voix à Wanda ni à personne en particulier. C'est une voix bienveillante, altruiste. Une voix amie.

— Je veux...

Les mouvements se poursuivent sur sa queue bien dure. Le kaléidoscope du plafond est maintenant multiple, cosmique.

— Je veux sortir mon roman cet automne... Je veux... je veux être... respecté...

La main quitte sa verge. Il comprend de façon confuse qu'on grimpe sur le lit, que des jambes pliées se placent de chaque côté de son bassin. La voix amie se fait plus basse :

— Ça va arriver... Compte sur moi...

Ces quelques mots rassurent tellement l'écrivain qu'il n'oppose aucune résistance lorsque son sexe est englouti dans une oasis de volupté. Il fixe toujours le plafond psychédélique, passif, incapable de bouger, tandis que la voix lénifiante se fait haletante.

— Tu vas redevenir l'artiste que tu étais... Tu vas retrouver la gloire...

Ces promesses accompagnées du va-et-vient de plus en plus rapide sur son membre font perdre la tête à Michaël, au point que, malgré son ivresse, il sent l'orgasme imminent. Le kaléidoscope devient hystérie, tornade... La voix amie est maintenant rauque...

— ... parce qu'on est à nouveau une équipe...

Il voit alors un visage apparaître dans son champ de vision et son cerveau embrouillé reconnaît Wanda, ses yeux d'un vert éblouissant, sa bouche crispée en un rictus fou, ses cheveux détachés pendant de chaque côté de sa tête comme les serpents de la Gorgone.

— ... deux corps fusionnés en un auteur unique...

Et tandis que Michaël jouit, le visage de son amante explose en mille morceaux sanglants qui lui crèvent les yeux et le plongent dans des ténèbres que seules peuvent former l'extase et la terreur.

12

Dimanche matin, en se réveillant dans sa chambre d'hôtel, sur le dos et sans pantalon, Michaël se sent confus, comme s'il sortait d'un trou noir qui lui avait sucé la cervelle. La tête aussi douloureuse que si un homme invisible creusait dans son crâne à coups de pelle, il se rappelle son engueulade avec Hugo, la brève mais humiliante bagarre, l'arrivée et l'aide de Wanda... Il était passablement ivre à ce moment, mais il se souvient très bien de l'avoir accompagnée dans un bar, ce qui n'était pas la meilleure idée au monde. Merde ! c'est l'alcool qui l'a rendu aussi imprudent. Sauf qu'il a continué à boire, et Wanda lui a dit qu'elle savait qu'il avait réécrit la scène de torture, ce qui signifie qu'elle est encore entrée dans son bureau... et il buvait toujours, comme un con qui descend une pente en courant et qui ne peut plus s'arrêter... Il a bu jusqu'à perdre la carte totalement, et là... c'est ici qu'est peut-être survenu le pire, l'inconcevable...

A-t-il baisé Wanda ? Ou plutôt, vu son état de totale inertie, a-t-il laissé Wanda le baiser ? Dieu du ciel, est-ce possible ? Le souvenir est vague, teinté de plaisir, mais aussi de peur... Il remarque enfin le sperme séché sur sa queue… Criss ! en plus, il a joui ! Ivre comme il l'était, presque inconscient, il a réussi à *jouir* !

Il marche de long en large dans la chambre, consterné et horrifié, puis saute dans la douche où il reste une vingtaine de minutes. Il est si bouleversé que l'idée d'aller signer des livres et d'affronter les autres auteurs lui donne la nausée. Il appelle Benoît et lui annonce qu'il est malade, qu'il sera absent et qu'il retourne chez lui. Le jeune homme lui souhaite de bien se rétablir pour le Salon de Québec dans deux semaines. Il ne semble pas très contrarié. Ce n'est pas comme si des centaines de lecteurs avaient prévu de rencontrer Michaël aujourd'hui…

Ce n'est pas comme si ce salaud de Hugo Vallières annulait ses séances de signatures…

Michaël s'empresse de boucler sa valise et, avant de sortir, consulte son téléphone : Lee-Ann a laissé hier un message dans lequel elle demande ce qu'il fabrique. Il répond rapidement qu'il était malade et qu'il quitte Trois-Rivières à l'instant.

Alexandra s'étonne de son retour si tôt et il lui explique qu'il n'avait pas de signatures cet après-midi. Il s'enferme dans son bureau, ferme la porte et tombe dans son fauteuil, l'avant-bras sur les yeux. Il est prisonnier d'un labyrinthe et dans ces sombres dédales, une terrifiante évidence le poursuit depuis son départ de Trois-Rivières.

Wanda sait que dans son roman, en plus de la scène de torture, il se produit deux meurtres.

Deux.

Et maintenant qu'elle a découvert qu'il s'est servi de la vidéo de Dubuc, il n'y a aucune raison pour qu'elle s'arrête.

◆

Le lendemain, il arrive à son appartement de Montréal en après-midi, ouvre son manuscrit à l'ordinateur, trouve le passage de torture et le relit. Bon Dieu! c'est ce qu'il a écrit de mieux de toute sa vie, c'est encore plus fort que *Sous pression*! Il ne peut pas effacer ça! On ne demande pas à un peintre de brûler son meilleur tableau!

Son regard accroche le caméléon en céramique dans sa bibliothèque. Il se lève, l'attrape et, en poussant un cri, le lance contre le mur, où il se brise en morceaux.

Michaël retourne dans son fauteuil et parcourt à nouveau les pages, les coudes sur le bureau, la tête entre les mains. Que s'est-il passé lorsqu'il a réécrit ce chapitre? En fait, la bonne question est plutôt celle-ci: que s'est-il passé alors qu'il regardait la vidéo de torture de Dubuc? Il a ressenti l'horreur, le dégoût, mais aussi autre chose, il s'en souvient très bien, une sensation unique: l'incarnation même de l'inspiration, comme si les sévices auxquels il assistait s'infiltraient directement en ondes créatrices dans son âme, ondes qui, durant tout leur séjour, retenaient leur souffle, puis expiraient avec bonheur et excitation lorsque Michaël les expulsait hors de lui jusque dans son ordinateur. Et c'est cette incarnation qu'il n'arrive pas à retrouver dans ses autres scènes.

Mais il voit autre chose dans ce passage, quelque chose de beaucoup plus enivrant et terrifiant à la fois.

Le *potentiel* de ce que pourrait être son livre.

Il se détourne de l'ordinateur et couvre son visage de ses deux mains. Il veut repousser cette idée mais, malgré lui, il imagine tout un bouquin aussi fort que cette scène, les critiques qui saluent le grand retour de Mike Walec, les lecteurs qui...

Tout à coup, une évidence lui traverse l'esprit: si son roman sort et que Dubuc le lit, il comprendra tout de suite. D'ailleurs, rien ne dit que, pendant son voyage dans le Sud, Dubuc ne se ressaisira pas ; peut-être qu'à son retour sa terreur aura disparu et qu'il décidera de prévenir les flics...

Il se lève en jurant et fait les cent pas. Trop de pensées en même temps... Une chose à la fois. Il doit appeler Wanda, la rencontrer et lui parler.

Et lui dire quoi ?

Hé bien, trouver un arrangement avec elle... pour qu'elle arrête...

Très bien. Si c'est ce que tu veux, appelle-la. Maintenant.

Il tourne en rond, se frotte le crâne, lit et relit les scènes violentes de son roman... mais il n'appelle pas Wanda.

Demain.

Oui, demain.

◆

Mercredi, en début d'après-midi, Michaël, passant d'une agressivité cathartique à une tendresse exacerbée, baise avec Lee-Ann chez elle. Après leur orgasme, ils se couchent côte à côte et, tout en fumant une ciga-rette, l'Asiatique considère l'écrivain avec attention.

— T'es vraiment pas comme d'habitude, Michaël, depuis quelque temps...

Il ne répond rien. Elle se lève et boit une gorgée du verre d'eau sur sa commode. Il articule enfin d'une voix sombre :

— Pour une simple amante, tu t'inquiètes pas mal, je trouve...

— Justement...

Il la dévisage, incertain. Lee-Ann tient son verre à deux mains à la hauteur de son ventre, les yeux baissés, tout à coup vulnérable, alors qu'elle dégage normalement une assurance presque intimidante.

— Je t'ai dit que je t'avais quitté il y a vingt ans parce que j'avais peur de l'engagement, ce qui était vrai. Mais ça veut pas dire que je ne t'aimais plus.

Michaël cesse de respirer. Elle hésite, puis poursuit :

— Et quand on a couché ensemble l'automne dernier et que je t'ai dit que c'était juste une parenthèse pour se rappeler le bon vieux temps, je pense que... que je me mentais à moi-même. Même si je le savais pas encore.

Michaël se relève sur ses deux coudes, incrédule. De la fenêtre entre le soleil qui surexpose le corps nu de Lee-Ann, et il songe qu'elle n'a jamais été aussi belle. Elle soupire.

— Je pense qu'on se mentait tous les deux.

Michaël sent son cœur battre à tout rompre. Et lui, dès leur première étreinte il y a six mois, n'a-t-il pas compris qu'au fond ils n'ouvraient pas une parenthèse, mais qu'ils reprenaient une phrase qu'ils avaient stupidement interrompue vingt ans plus tôt ? D'une voix émue, il articule :

— Arrêtons de nous mentir, alors...

— Dans ce cas, tu vas devoir te commettre pour vrai, tranche-t-elle avec fermeté. Parce que là, je te reconnais de moins en moins, et le Michaël que je veux aimer, c'est celui d'il y a vingt ans, c'est celui d'il y a six mois, pas le tourmenté, le frustré et l'aigri que je vois se développer depuis quelques semaines.

Il se tait, ébranlé. Elle se passe une main dans les cheveux d'un air embêté, comme si elle cherchait à dénouer un nœud.

— C'est ta double vie qui te met dans cet état. Et c'est en train de me rentrer dedans à moi aussi. Tant que tu mettras pas de l'ordre dans tout ça, tant que t'auras pas pris une décision claire, ça s'arrangera pas. Ni pour toi, ni pour nous deux.

Il serre les dents.

C'est pas juste ma vie amoureuse qui me rend comme ça, Lee. Si tu savais…

Pendant une seconde, il songe à tout lui raconter sur Wanda, mais, bien sûr, il garde le silence. Elle prend une nouvelle gorgée d'eau, dépose le verre sur la commode puis regarde son amant droit dans les yeux.

— La balle est dans ton camp. Michaël. Et j'attendrai pas longtemps.

Il se lève d'un bond pour la rejoindre, pose ses mains sur ses hanches.

— Laisse-moi jusqu'à la sortie de mon prochain roman, Lee.

Elle a un bref ricanement sans joie.

— Non, Michaël. Parce que si t'as pas le succès que tu espères, tu vas faire quoi ?

Il ne dit rien, déchiré. Le visage de Lee-Ann prend une expression à la fois résolue et inquiète.

— Si tu veux qu'on refasse l'amour, il faudra que tu me donnes une réponse à cette question.

Et elle marche vers la salle de bains, tandis que Michaël demeure silencieux, incapable d'ajouter quoi que ce soit.

◆

Le soir, chez lui, non seulement Michaël n'a toujours pas appelé Wanda, mais il est d'une humeur massacrante avec sa conjointe. Pourquoi donc ? Pour se convaincre qu'il ne l'aime plus ? Pour la pousser à le foutre à la porte ? Ou tout simplement parce que cette

histoire avec Wanda est en train de le rendre dingue ?
Après avoir couché Hubert, Alexandra lui lance :

— Je sais que tu es en pleine révision de ton roman
et que c'est pas facile, mais franchement, Michaël, il
y a des limites à endurer tes états d'âme de créateur.
Alors, replace-toi, s'il te plaît.

Curieusement, elle ne semble ni inquiète ni vraiment triste, mais plutôt agacée et exaspérée, comme
si elle s'adressait davantage à un collègue de travail
qu'à son conjoint. Et Michaël lui-même, au lieu de
s'interroger sur une telle attitude, ne s'en fâche que
davantage et va s'enfermer dans son bureau.

Dis-lui. Dis-lui que tu la quittes. T'auras qu'à vivre
dans ton appartement minable de Montréal, à enseigner
quelques heures par semaine et écrire. Fuck le luxe,
fuck l'écriture à temps plein, fuck le confort ! T'auras
Lee-Ann, comme avant !

Mais il demeure dans son bureau tout le reste de
la soirée. Son nouveau livre doit être un gros succès,
il le faut ! Et il doit le sortir cet automne, pas l'hiver
prochain !

Le visage de Wanda tourne dans sa tête, un visage
souriant et complice. Il gémit en plaquant ses poings
sur ses yeux. Mais pourquoi ne l'appelle-t-il pas ?
Qu'attend-il donc ? Sur son cellulaire, il sélectionne
enfin le numéro de l'ex-détenue, sans savoir exactement
ce qu'il a l'intention de lui dire. Il tombe sur sa boîte
vocale et coupe immédiatement, presque soulagé.

Plus tard, couché dans son lit, il réfléchit plus que
jamais. Il se doute bien des plans de Wanda, il n'est
pas naïf : elle a l'intention de tuer quelqu'un, de le
filmer et de montrer la scène à Michaël. Et même
si cette idée l'horrifie, il ne peut s'empêcher de la
trouver fascinante, obsédante. Elle éliminerait qui ?
Un type au hasard ? Dubuc représentait une menace

pour Michaël, il était donc une cible parfaite. Mais maintenant…

Le visage d'Hugo explose dans la tête de Michaël.

Il se lève d'un bond, sans égard pour Alexandra qui, heureusement, ne se réveille pas, et s'élance dans son bureau. D'une main tremblante, il prend son cellulaire et appelle Wanda. Il tombe à nouveau sur la boîte vocale, mais cette fois il laisse un message.

— Wanda, c'est Michaël. Écoute, je… J'ai un mauvais pressentiment, c'est… Il faut qu'on se parle et vite, d'accord? Mais en attendant, tu… Fais rien! Fais pas de conneries, sinon… Sinon, je te dénonce aux flics! Pour vrai! J'hésiterai pas à le faire, t'as compris? Envoie à ma femme toutes les photos et tous les enregistrements que tu voudras, je m'en fous: fais rien jusqu'à ce qu'on se voie! Rappelle-moi!

Il coupe, à bout de souffle, comme s'il venait de monter un escalier de vingt étages.

Et s'il était trop tard?

Affolé, il s'assoit devant son ordinateur et va sur la page personnelle Facebook de Hugo: rien, aucune entrée depuis le début de la journée. Inquiet, il ouvre la page-fan de l'auteur. Deux entrées dans les dernières quarante-huit heures. La première date de dimanche soir:

> « Demain, je pars m'isoler toute la semaine au chalet pour bûcher sur mon roman, afin de vous l'offrir cet automne, donc quelques mois plus tôt que prévu! Allez, au boulot! »

Pendant un bref moment, l'inquiétude de Michaël est balayée par la frustration, surtout que le statut comporte 2200 « like » et une foule de commentaires du genre: « Ouah, génial, on a hâte! » ou « Cet automne? OMG, j'ai tellement hâte! » Le second message de Hugo a été écrit ce soir, à dix-neuf heures.

« Grosse journée de terminée ! Si tout va bien, je pourrai sans doute partager avec vous un petit extrait à la fin de la semaine. Ce sera mon cadeau de Pâques. »

Et évidemment, encore une pléthore de « like » et de réponses pétulantes ! Vallières annoncerait la météo de la journée que ses fans s'arracheraient les cheveux d'enthousiasme !

Bref, Hugo est toujours de ce monde, ce qui le réjouit. Non, ce qui le soulage. C'est bien différent.

Quand il se recouche, son angoisse n'est que superficiellement apaisée. Il voudrait croire que les menaces servies à Wanda ont porté fruit…

… mais il en doute.

◆

Le lendemain, il passe la matinée à bûcher sur son roman, mais en vain. Il a beau essayer de visualiser les scènes violentes qu'il écrit, il ne les voit pas. Il ne voit rien. Il ne voit que Wanda.

Wanda qui ne le rappelle toujours pas. Qui prépare certainement quelque chose.

Il retourne sur la page Facebook de Hugo : il a écrit un nouveau statut insignifiant ce matin.

À l'heure du dîner, tandis qu'il lit distraitement le journal dans un restau près de son appartement montréalais, il songe qu'il pourrait aller carrément au magasin où Wanda travaille. D'ailleurs, pourquoi ne pas y avoir songé avant ?

Tu attends quoi, au juste ? Qu'il soit trop tard ?

Tout à coup, un fait divers dans le journal lui bloque la gorge au point qu'il ne peut avaler la bouchée de pâtes qu'il mâche depuis quelques secondes.

L'article raconte qu'on a trouvé le corps d'un certain Laurent Dubuc, un journaliste à la pige, dans sa maison de Longueuil, où il habitait seul. Dubuc avait annoncé quinze jours plus tôt, sur son compte Facebook et par une réponse automatique sur sa messagerie, qu'il partait en voyage quelques semaines, mais comme il ne répondait jamais à son cellulaire et qu'il demeurait totalement inactif sur les médias sociaux, quelques amis ont fini par s'inquiéter, dont un qui s'est rendu chez lui. Comme la porte arrière n'était pas verrouillée, il s'est permis d'entrer et a découvert le journaliste mort et horriblement mutilé. Entre autres sévices, les yeux de la victime auraient été crevés et certains membres amputés. De plus, l'ordinateur et le cellulaire de Dubuc ont disparu. L'article soulève certaines questions : si le vol est le mobile, comment expliquer une telle boucherie ? Dubuc envisageait-il vraiment un voyage ou serait-ce l'assassin qui a écrit ce message ? S'agit-il d'un règlement de comptes ? Dubuc était-il impliqué dans des affaires louches ?

Michaël lit le papier deux fois, incrédule. Wanda l'a tué ! Elle craignait donc elle aussi qu'il les dénonce ! Mais au-delà de la mort de Dubuc, ce sont ces mentions de mutilations qui affolent l'écrivain : yeux crevés, amputations… Dieu du ciel ! il n'y avait rien de tel sur la vidéo ! Pourquoi Wanda a-t-elle commis ces atrocités ? Et est-ce que l'enquête de la police remontera jusqu'à lui ?

Le journal tremble entre ses mains et il doit le déposer sur la table. Il remarque que deux ou trois clients le dévisagent. A-t-il l'air si traumatisé ? Cette fois, ça suffit ! Sans terminer son repas, il sort, va à sa voiture et roule vers le magasin Électro Garnier.

Sur place, un homme plutôt âgé lui explique que Wanda ne travaille que demain après-midi.

— Vous êtes son employeur ?

— Oui.

— Vous pourriez me donner son adresse?

L'homme le regarde un peu de travers.

— Je peux pas faire ça, voyons…

Michaël supplie, mais il n'y a rien à faire. Il doit se retenir pour ne pas lui faire avaler sa grosse barbe blanche et préfère partir en maugréant des jurons. Tout en rejoignant sa Spark, il appelle Wanda et laisse à nouveau un message d'une voix qu'il veut menaçante, mais de laquelle suinte la panique.

— Wanda, j'ai lu le journal! Tu m'as menti au sujet de Dubuc! Tu as…

Il se tait, catastrophé: vient-il vraiment de nommer Dubuc? Dans une boîte vocale? Merde, il est en train de perdre la tête? Il se contente de lâcher:

— Appelle-moi! Appelle-moi au plus criss!

Il coupe et allonge le pas, haletant d'angoisse. Et sur son message d'hier, a-t-il révélé des trucs compromettants? Non, il lui semble que non… Il a été assez vague… Du moins, il le croit… Ostie! Il ne s'en souvient pas, il était tellement éperdu! Il s'appuie contre le capot de sa voiture. La panique l'égare, il doit garder son sang-froid, sinon il va gaffer!

Si ce n'est pas déjà fait…

Il tente de se raisonner. Wanda est une pro, elle n'a sans doute laissé chez Dubuc aucune trace qui pourrait les incriminer, elle ou lui.

Elle a tout de même laissé des indices lors du meurtre de son ex puisqu'elle a été condamnée…

Il doit lui parler. Criss, pourquoi elle ne répond jamais? Et pourquoi elle ne le rappelle pas? Pour une fois qu'il veut la joindre, c'est elle qui le fuit!

À son appartement, il cherche son adresse sur Internet, mais ne la trouve pas. Il ferme son ordinateur en jurant. Bordel! il y a sûrement un moyen de découvrir où elle habite! Il se passe les mains sur le visage. Du calme. Il ira la voir demain après-midi, à son travail.

Il nage dans une sorte d'inertie incompréhensible depuis quelques jours, une passivité qu'il n'arrive pas à s'expliquer, mais maintenant, c'est assez! Il doit convaincre Wanda d'arrêter.

Et si elle s'arrête, comment viendras-tu à bout de ton roman?

Il cligne des yeux, subjugué. C'est donc ça que camouflait son inertie des derniers jours? Cette question qu'il n'osait se poser?

Affalé dans son fauteuil, les bras ballants, il fixe son écran vide, incapable de trouver la moindre réponse.

◆

Le lendemain matin, à huit heures trente, alors qu'Alexandra est partie au boulot (c'est Vendredi saint, mais elle a une réunion avec sa partenaire Geneviève) et que Michaël habille Hubert pour l'amener chez sa grand-mère, l'écrivain se fige un moment, fixe son fils qui chantonne puis le serre dans ses bras.

— Qu'est-ce qu'il y a, papa?

— Rien, marmonne-t-il, le visage enfoui dans le cou de son enfant. Je t'aime…

Le gamin rigole et dit que lui aussi. Michaël demeure les yeux fermés quelques secondes, puis la sonnerie de son téléphone retentit. Il consulte l'écran et constate qu'il s'agit de Wanda. En vitesse, il va à la cuisine en lançant à Hubert:

— Essaie de mettre tes bottes tout seul, OK, Hub? C'est un concours!

Hubert, ravi, se laisse tomber sur les fesses et entreprend sa difficile mission tandis que Michaël, maintenant dans la cuisine, répond.

— Pourquoi t'as pris tant de temps à me rappeler ?

— Désolée, mais j'étais occupée. Comment vas-tu ?

Elle lui demande comment il va ! Avec sa voix candide ! Elle le fait exprès ou elle est déconnectée à ce point ?

— Criss, tu m'as menti sur Dubuc ! Tu as...

Il s'interrompt, conscient que son fils est tout près, puis baisse le ton.

— La police va enquêter et... Pourquoi tu l'as... Fuck, pas au téléphone ! Faut qu'on se voie !

— OK, pas de problème. En fait, c'est pour ça que je t'appelais. Viens me rejoindre tout de suite à Saint-Félix-de-Valois.

Il cligne des yeux.

— À Saint-Félix ? Qu'est-ce que tu fais là ?

— Je voulais te rencontrer quelque part proche de chez vous, mais pas dans ta ville, pour pas attirer l'attention.

— Mais pourquoi pas à Montréal ?

— Saint-Félix, c'est ben moins loin de chez vous, vingt minutes à peine. T'es pas content ?

Il ne trouve rien à dire, déconcerté.

— Papa, j'ai fini ! l'appelle son fils.

— Tu veux qu'on parle de Dubuc, oui ou non ? le presse Wanda.

— Papa !

— OK, OK ! T'es où ?

Elle lui donne le nom et l'adresse d'un petit restaurant, Le Coin Relax. Il note le tout sur un bout de papier puis elle coupe la conversation. Michaël rejoint Hubert, qui a enfilé ses bottes à l'envers et qui les a attachées tout de travers, ce qui ne l'empêche pas d'arborer un sourire digne d'un général victorieux.

— J'suis bon, hein, papa ?

— Oui, mon gars. Allez, chez papy et mamy !

Quinze minutes plus tard, il sort de chez ses beaux-parents. Seul dans sa voiture, il réfléchit tout en conduisant. Il a un mauvais pressentiment, comme s'il se jetait dans la gueule du loup. Mais il doit la rencontrer, il n'a pas le choix, il n'y a pas d'autres solutions. Elle l'attend dans un endroit public, elle ne veut sans doute que lui parler.

Mais il n'est pas tranquille. Pas tranquille du tout.

◆

Après un peu moins de vingt minutes, il se gare dans le stationnement en terre battue recouvert de quelques plaques de neige noircie du Coin Relax, situé tout juste à la sortie de Saint-Félix-de-Valois, entouré de boisés et de grands champs. La température est douce, mais quelques nuages menacent le ciel : la météo a annoncé de la pluie verglaçante pour l'après-midi. Il n'y a que trois autres voitures dans le stationnement que Michaël traverse d'un pas rapide, mais le klaxon de l'une d'elles lui fait tourner la tête vers une vieille Honda Civic verte. À l'intérieur, une silhouette lui envoie la main. Incertain, il s'approche : ce serait bien le comble qu'une connaissance le croise ici par hasard ! Mais lorsque la vitre côté conducteur se baisse, il reconnaît Wanda.

— Allez, embarque.

— Mais... pourquoi tu...

— Tu veux qu'on jase dans le restaurant devant plein de clients ?

Il monte dans la voiture côté passager, referme la portière et la considère d'un regard noir. Il ressent de la rancœur pour elle, évidemment, mais pas de manière aussi forte et intense qu'il l'aurait cru, ce qui le déroute quelque peu. Elle lui sourit. Ses yeux pers, aujourd'hui, tirent sur le bleu.

— Pis ? Tu t'es remis de ta soirée de samedi ? T'étais magané pas mal.

Cette évocation éveille l'effroi chez l'auteur, qui demande d'une voix blanche :

— Est-ce qu'on a... est-ce qu'on a fait quelque chose, ensemble, dans ma chambre ?

— Tu t'en souviens pas ? C'est pas très galant de ta part, Michaël.

— Wanda, ostie, arrête de me niaiser ! Je peux... je peux pas croire qu'on a... qu'on a... ?

— Moi, j'ai aucun regret.

Elle prononce ces mots avec un sourire radieux, mais sans romantisme ni tendresse. Juste une immense satisfaction pleine de complicité. L'écrivain en a la chair de poule.

— Ça se peut pas ! Et pas de condom, en plus !

— Inquiète-toi pas, je suis clean. J'avais pas fourré depuis quinze ans, fait que... Pis j'étais pas pantoute dans ma période d'ovulation : je suis réglée comme une horloge.

Il secoue la tête, cherche quelque chose à répliquer, mais en constatant qu'elle met le moteur en marche, il lui agrippe l'avant-bras.

— Qu'est-ce que tu fais ?

Une chanson de Wanda Jackson, fournie par le iPhone branché dans la voiture, envahit l'habitacle tandis que Wanda Moreau, ignorant la prise de son passager, exécute un demi-tour pour se diriger vers la route.

— Tu fais quoi, là ?

— On va jaser en roulant.

— Pas question ! On reste stationnés !

— Tu veux t'en aller ? T'as juste à le dire : je m'arrête et tu t'en vas, sans qu'on se soit parlé.

Elle soutient le regard de Michaël de son air impassible qui la rend candide. La Honda roule en pleine campagne et Michaël, agacé, ferme le son de la radio, sans lâcher le bras de la conductrice.

— Je veux pas que tu m'amènes…

— Que je t'amène où ?

Il se tait, comme s'il craignait d'évoquer un pouvoir dangereux.

— Je te jure, Michaël, que j'ai pas tué personne depuis Dubuc, pis j'ai pas l'intention de tuer personne à matin.

La négligence avec laquelle elle lâche ces mots !

— Je te crois pas, Wanda !

— Je te mentirais jamais, Michaël.

Il ne peut s'empêcher de rire.

— Et à propos de Dubuc, tu m'as pas menti, peut-être ?

Embêtée, elle fronce les sourcils et gonfle les joues, sans quitter la route des yeux.

— Justement, tu voulais qu'on parle de Dubuc, oui ou non ?

— Oui, mais dans le stationnement ! Criss, Wanda, vire de bord, sinon j'appelle la police !

— La police ? Je veux bien croire que tu te fous maintenant que ta femme soit au courant de tes infidélités, mais tu te fous *vraiment* des flics ? Tu vas leur dire que c'est moi qui ai tué Dubuc ? Pis quand ils te demanderont comment tu le sais, tu vas répondre quoi ? Pis quand je vais leur livrer ma version des faits ? Quand je leur raconterai que je t'ai confié des meurtres que j'avais commis il y a longtemps pis que non seulement tu m'as pas dénoncée, mais que tu t'en es servi pour ton livre ? Ils me croiront peut-être pas sur le coup, mais quand ils vont découvrir chez moi l'ordinateur de Dubuc, dans lequel se trouvent toutes les recherches qu'il avait commencées sur toi, tous ses dossiers papier qui montrent les liens qu'il avait faits entre les meurtres à Mont-Laurier et ton premier roman… Tu souhaites vraiment que les flics fouillent là-dedans ? qu'ils remontent jusqu'à notre première collaboration il y a six ans ? En plus, ils vont écouter mes messages téléphoniques, que j'ai gardés. Il y en a un que t'as laissé, hier, dans lequel tu nommes Dubuc et qui pourrait te mettre dans le trouble…

Michaël ne répond pas, blême. Évidemment, il s'était déjà fait tout ce raisonnement auparavant, mais de l'entendre de la voix de Wanda rend cette possibilité encore plus tangible. Vaincu, il lâche le bras de la conductrice. Celle-ci lui jette un bref coup d'œil sincèrement désolé avant de revenir à la route.

— Je dis pas ça pour te menacer, Michaël. Je veux juste te faire comprendre qu'au point où on en est, me dénoncer te ferait beaucoup de tort à toi aussi.

L'écrivain, les épaules voûtées, regarde sans les voir les champs qui se transforment bientôt en forêt. Il se sent glisser dans une spirale qui tourne lentement, une spirale dont il ne distingue pas le fond. Wanda se fait rassurante :

— Sinon, y a pas de raison qu'on s'inquiète : j'ai vraiment tout pris ce qui pouvait être compromettant chez Dubuc, même son ordinateur et son cellulaire. J'ai craqué sa messagerie, tu sais comment je suis forte en informatique… J'ai effacé le courriel que tu lui avais envoyé, ton adresse e-mail…

— Les flics vont quand même fouiller dans ses appels téléphoniques, ses cartes de crédit… Ils vont réaliser qu'il s'est rendu à Mont-Laurier, qu'il a questionné la police et les médecins légistes…

— Pis tout ce monde-là va dire que le journaliste préparait un livre sur les meurtres en région… En quoi ça te concerne ? Tout est sous contrôle, Michaël…

Elle lui met une main sur la cuisse et il ne s'en défend pas, comme s'il s'en rendait à peine compte. Toujours le regard tourné vers la forêt, il marmonne :

— Mais… mais les yeux crevés… l'amputation de certains membres…

— Oui, je lui ai coupé les doigts et la langue… J'ai aussi versé de l'eau bouillante sur tout son corps, pour que les brûlures aient pas l'air de provenir juste du séchoir…

— Mais… pourquoi ?

— Pour pas que ça ressemble trop à ton roman, tu comprends ?

Elle lui lance un clin d'œil en se tapotant la tempe.

— Pas bête, la Wanda, hein ?

L'écrivain secoue la tête, dépassé.

— Mais tu l'as *tué*… et tu me l'as pas dit…

— Parce que t'aurais pas été d'accord. T'étais pas encore prêt à comprendre…

Il pivote vers elle, outré.

— Pas encore prêt ? Mais je le serai jamais, criss ! Jamais !

— T'as pourtant changé ta scène de torture en t'inspirant de ce que j'ai fait à Dubuc. T'as donc collaboré avec moi…

Il ne réplique rien. Elle poursuit :

— T'as fini par écouter l'artiste en toi. Celui qui crée sans se poser de questions morales, comme tu l'as souvent affirmé toi-même…

— Arrête, avec ça ! C'est pas… c'est pas ce que je voulais dire !

— Ah, non ? Pourquoi t'as réécrit ta scène, d'abord ? Pis tu vas me faire croire qu'en l'écrivant, t'as pas trippé ? Tu vas me faire croire que t'as pas aimé retrouver cette force créative ? que maintenant que t'as une vraie perle dans ton manuscrit, t'as pas envie que le livre au complet devienne un trésor ?

Wanda a parlé d'une voix intense et Michaël se tait à nouveau. Car évidemment, il a déjà songé à tout cela, il a déjà compris le potentiel immense, comme en ce moment même, et bien malgré lui, il le sent à nouveau, le touche du bout des doigts. Il fixe la meurtrière et, le temps d'un souffle, ils sont parfaitement sur la même longueur d'onde. Comme si elle l'avait deviné, elle hoche la tête, un étrange rictus aux lèvres, et Michaël la trouve tout à coup très séduisante.

— On est des *partners* pour vrai, Michaël. La meilleure équipe qui soit. C'est ça que t'es en train de comprendre…

Il n'aime pas du tout la sensation qu'il éprouve, celle du joueur de poker qui peut gagner gros, très gros, mais qui doit miser tout son argent, et plus encore… Il effectue alors un geste sec de la main, plein de rage et de rancœur vis-à-vis de lui-même. Il ouvre la bouche pour ordonner à nouveau à la meurtrière de faire demi-tour… mais la voiture croise un panneau qui annonce « Saint-Gabriel-de-Brandon, 5 km ». Il fronce les sourcils. Le nom de ce village le titille soudain, comme s'il était lié à quelque chose qui tenait un rôle important en ce moment… ou plutôt à quelqu'un.

— Qu'est-ce qu'on vient faire ici ?

— Poursuivre notre travail…

Ce qu'il redoutait donc depuis le début de la semaine est vrai : il y a une prochaine victime ! Et tout à coup, il se souvient.

Il est presque convaincu que le chalet de Hugo se trouve à Saint-Gabriel-de-Brandon.

Journal de Wanda

29 MARS 2015

Il est très tard, mais je dois écrire maintenant.

En venant voir Michaël à Trois-Rivières, j'espérais en apprendre un peu plus sur son monde parce que ce monde allait devenir aussi un peu le mien, en tout cas par procuration (un autre nouveau mot que j'aime beaucoup). Je voulais observer sa relation avec ses collègues, en me disant que ça pourrait être instructif. Mais je voulais aussi le confronter au fait que malgré ses paroles, malgré qu'il ait dit qu'il n'avait pas besoin de moi, il avait quand même réécrit la scène de torture dans son roman. Je voulais lui ouvrir les yeux là-dessus. Et lui montrer que j'étais de son bord.

Mais ce que je n'aurais jamais osé souhaiter, c'est qu'on fourre! Moi-même, avant de partir, je ne pensais vraiment pas à ça mais… on l'a fait! Je suis pas sûre qu'il s'en rendait compte à 100 %, il était tellement soûl, mais il a joui, il a joui en moi en criant très fort, alors c'est la preuve qu'il y a quelque chose entre nous deux, qu'on est vraiment fusionnés. Même inconsciemment, je suis certaine qu'il l'a senti lui aussi. Et j'ai eu un orgasme pour la première fois de ma vie. Je veux dire : en fourrant, c'était la première fois!

Est-ce que je l'aime ? Je ne sais pas. Ça ressemble à de l'amour qu'on ressent pour une source quand on a soif... Non, c'est plus que ça. Ce n'est pas de l'amour physique ni romantique. Ce n'est pas de l'amour pour la personne, c'est de l'amour pour le sens qu'il donne à ma vie. Quelque chose du genre.

Aussitôt qu'on a joui, il s'est endormi. On avait fourré, OK, mais je n'étais pas encore sûre qu'il était prêt à 100 %. Il fallait y aller prudemment.

J'ai réfléchi. J'ai repensé à sa bagarre avec Hugo Vallières devant l'entrée de l'hôtel, à tout ce qu'il m'a dit sur lui. Oui, ça pouvait marcher. Comme avec Dubuc, ça ferait deux pierres d'un coup (ou une pierre deux coups ?). Je suis allée à son ordinateur portable sur le bureau, qui demandait un mot de passe. Je me suis dit que ça devait être le même que sur son ordinateur à Montréal, et c'était le cas. J'ai ouvert son carnet d'adresses, j'ai cherché le numéro de cellulaire de Vallières et je l'ai trouvé. J'aurai peut-être à l'utiliser, ça dépend de mon plan. J'en ai profité pour noter une couple d'autres numéros, puis je suis retournée à Montréal.

Alors, voilà, il fallait que j'écrive tout ça avant de me coucher. Mais là, je travaille cet après-midi, il me reste juste une couple d'heures à dormir. Le temps de détruire toutes ces pages, et au dodo.

Lundi, 30 mars 2015 —   *Michaël m'a appelée, mais je n'ai pas répondu. Il voulait peut-être m'engueuler ? Quand j'ai écouté son message, je me suis rendu compte que j'avais raison. Pauvre lui ! Il est tellement énervé qu'il ne réalise pas qu'il dit des affaires pas mal compromettantes dans son message. Rien de super précis, mais quand même. De toute façon, je ne lui en veux pas. C'est sûr que ça me fait un peu de*

peine qu'il réagisse de même, mais c'est normal : ça
fait partie du processus.

Mardi, 31 mars 2015 —   *Ça fait deux jours que
je fouille sur Internet à lire plein d'anciennes entrevues
avec Hugo Vallières pour trouver des informations sur
lui qui pourraient m'aider à monter un plan. Et je
pense que je tiens quelque chose.*

*Dans une interview qu'il a donnée il y a une couple
d'années, il explique que lorsqu'il est dans le sprint
final d'un manuscrit, il va s'isoler dans son chalet à
Saint-Gabriel-de-Brandon, pendant deux ou trois
semaines. Il voit sa femme et ses enfants la fin de
semaine, mais il n'a aucune visite durant les jours
qu'il écrit. Il raconte que c'est le même rituel chaque
fois : écriture le jour, dîner et souper au restaurant
Chez Maryse (il précise dans l'entrevue qu'on le
connaît maintenant tellement dans ce restaurant que
les serveuses font des paris entre elles sur ce qu'il va
commander, puis, entre parenthèses, c'est écrit « rires »,
comme si c'était bien drôle), puis repos le soir.*

*Michaël m'a dit que Vallières était pas mal dans les
derniers milles de son roman. Donc, il est sûrement
dans son chalet toute la semaine, seul. Mais faut que
j'en sois sûre. Je l'ai appelé tout à l'heure, sur son cellulaire. J'ai pas pris de chance, j'ai utilisé une cabine
téléphonique (c'est rendu aussi rare que de la marde
de pape, des cabines téléphoniques !). Je me suis pré-
sentée comme une recherchiste de l'émission* Plus on
est de fous, plus on lit. *Il n'a pas eu l'air surpris que
je le contacte directement : le monde de la radio doit
bien le connaître. Je lui ai demandé s'il pouvait venir
à l'émission pour parler de ses coups de cœur littéraires
de la dernière année. S'il avait accepté, j'aurais coupé*

tout de suite, mais il m'a répondu ce que j'espérais : qu'il était enfermé dans son chalet toute la semaine pour écrire comme un reclus (je ne sais pas c'est quoi un reclus, mais ça ne doit pas sortir souvent). Je lui ai dit qu'on se reprendrait et j'ai raccroché. OK, ça s'annonçait bien. Jeudi, je commence à travailler juste à cinq heures et j'ai congé Vendredi saint. Ça me laisse le temps.

Jeudi, 2 avril 2015 — *Je suis arrivée à Saint-Gabriel-de-Brandon autour (autour ? aux alentours ?) de onze heures et je n'ai vraiment pas eu de misère à trouver le restaurant Chez Maryse. Je me suis stationnée et j'ai attendu en écoutant du Wanda Jackson. J'ai beau essayer d'autre musique, ça ne marche pas : je trouve ça insignifiant. C'est la seule affaire de bien que ma mère m'a donnée : le plaisir d'écouter cette grande chanteuse. Il paraît que quand j'étais bébé, elle en faisait jouer à longueur de journée dans ma chambre.*

À midi et dix, j'ai reconnu Hugo Vallières qui sortait d'une auto et entrait dans le restau. J'ai continué d'attendre (d'attendre ? à attendre ?). Mon téléphone a sonné : encore Michaël. Je n'ai pas répondu ce coup-là non plus. Pauvre Michaël, il doit s'imaginer que je le niaise. Mais c'est pas ça. Je vais l'appeler tout à l'heure.

Vers une heure moins quart, Hugo est sorti. Je le regardais marcher vers son char. Quand je pense que c'est ce grassouillet pas trop beau qui est la grosse vedette du roman noir. Je comprends Michaël de l'haïr. Il a du talent, c'est sûr, mais jamais autant que quand Michaël et moi on écrit ensemble.

Je l'ai suivi d'assez loin. Il a roulé jusqu'à la fin du village, on s'est retrouvés sur une route de campagne et il a tourné dans un petit chemin dans le bois. J'ai arrêté mon auto, je suis sortie puis j'ai suivi le petit chemin à pied. Je suis arrivée à un chalet, pas mal beau, et la voiture de Vallières était là. J'ai observé de loin ce qui se trouvait autour de la maison et j'ai vu ce qu'il fallait pour mettre au point mon plan. Parfait. Perfecto, *comme disait Diane en prison. Elle était tellement drôle, elle. Moi, je ne riais pas tellement, mais comme toutes les autres filles se pissaient dessus, j'imagine qu'elle devait être comique.*

Je suis retournée à mon auto et je me suis mise en route. Il ne fallait pas que je donne rendez-vous à Michaël à Saint-Gabriel : s'il sait où est le chalet de Vallières, il va se douter de quelque chose. Le village le plus proche était Saint-Félix-de-Valois et j'y ai trouvé un petit restau, Le Coin Relax. J'ai noté l'adresse et je suis repartie.

J'ai écouté le message de Michaël : il capote, il dit que je lui ai menti, il dit qu'il a lu le journal et qu'il doit absolument me parler. De quoi il parle ? Je me suis arrêtée dans un dépanneur pour acheter le journal. J'ai compris : la police a retrouvé le corps de Dubuc. Bon, évidemment, c'était juste une question de temps. Mais le fait que ça arrive justement cette semaine n'est peut-être pas une mauvaise chose. Ça va me donner des arguments pour convaincre Michaël de venir me rejoindre. D'ailleurs, je vais l'appeler juste demain matin, finalement, pas avant. Il n'aura pas le choix de réagir rapidement.

Je me trouve pas mal bonne, franchement. C'est de valeur que j'écris (écris ? écrive ?) pas bien, parce que je trouve que je suis douée pour manigancer des affaires et préparer des plans. Quand Michaël va arrêter de résister et qu'il va réaliser tout ce que je fais pour lui, il va être impressionné. C'est sûr que ce sera pas facile pour lui, mais c'est normal de souffrir quand on est un grand artiste. J'ai déjà lu ça quelque part.

13

— Vire de bord !

Fébrile, Michaël porte sa main à la poignée de la portière. Il n'est jamais allé au chalet de Hugo, mais il en a entendu parler quelques fois et il croit se souvenir qu'il se trouve à Saint-Gabriel.

— Tout de suite, Wanda !

— Du calme, Michaël, tout va bien.

L'écrivain s'imagine saisir le volant pour tourner, ou écraser lui-même les freins… mais cette bousculade serait dangereuse, elle risquerait de les précipiter dans le fossé ou contre un arbre. La Honda, qui n'a pas atteint encore le village, décélère et s'engage dans un petit sentier de terre battue qui s'enfonce dans la forêt. Michaël considère Wanda d'un air menaçant.

— Je te préviens, je te laisserai pas faire ! Tu m'as compris ?

— Tu sais même pas ce que je veux faire…

La Honda s'arrête. Surpris, Michaël regarde devant lui. À trente mètres, une grande clairière à la neige déblayée apparaît, et au centre se dresse un chalet en bois rond, vaste et bien entretenu. Une Audi est garée près de l'entrée. Michaël ressent une vive douleur dans la poitrine : il reconnaît l'automobile, il ne s'est donc pas trompé. Wanda est sans doute venue plus tôt ce matin pour attacher Hugo sur une chaise, comme elle l'a fait avec Dubuc…

— Non, Wanda, non !

— Michaël…

— Je serai pas témoin de… de… Tu vas le détacher et tu vas…

Il s'interrompt : Hugo a évidemment vu Wanda ! Même si elle le libère, il préviendra les flics et…

La spirale tourne plus vite, se creuse…

Sans réfléchir, Michaël sort de la voiture dans l'intention de rejoindre la route principale et de se sauver, le plus loin possible. Mais avant qu'il puisse se mettre en mouvement, une voix masculine s'élève derrière lui :

— Bonjour… Je peux vous aider ?

Michaël, tout à coup transi de froid malgré la douce température, se retourne. Hugo, qui a enfilé une veste en laine sur son t-shirt, chaussures de course aux pieds, franchit la porte du chalet et s'avance dans la mince couche de neige aplatie. Il ralentit le pas.

— Mike ?

Rapidement, la surprise cède la place à l'aigreur : depuis leur altercation à Trois-Rivières, les deux auteurs ne se sont pas revus. Hugo s'arrête et croise les bras, le visage fermé.

— Qu'est-ce que tu viens faire ici ?

Michaël ne dit rien, stupéfait de trouver Hugo libre, sain et sauf. À ce moment, Wanda sort à son tour de la voiture et Hugo la toise avec curiosité… Elle range son iPhone dans son manteau et lance en approchant du propriétaire des lieux :

— Bonjour. Je m'appelle Wanda. Je suis l'agente de Mike.

Michaël écarquille les yeux. Hugo, les bras toujours croisés, considère la femme avec curiosité, sans doute étonné de n'avoir jamais rencontré cette agente littéraire.

— Mike m'a parlé des problèmes qu'il a avec vous, poursuit Wanda sans l'ombre d'une nervosité. Je me suis dit que ce serait cool si vous pouviez régler ça.

Et elle lui tend une main gantée, un sourire plaqué sur les lèvres.

— Enchantée, Hugo.

— Vous êtes montés ici juste pour ça ? demande-t-il en lui serrant distraitement la main. À neuf heures et demie du matin ? (Puis, à Michaël :) Franchement, t'aurais pu me téléphoner.

Michaël est paralysé. Il a l'impression d'être un acteur qui, pendant une représentation, réalise qu'il n'est pas du tout dans la bonne pièce. Merde, qu'est-ce qui se passe ? Où veut en venir Wanda ? Celle-ci s'écarte sur la droite de Hugo et désigne son protégé.

— C'est ça que je lui ai dit, mais il tenait absolument à vous voir. On peut entrer ?

— Je pense pas, non, rétorque sèchement Vallières, les bras à nouveau croisés. Si tu veux me dire quelque chose, Mike, dis-le-moi tout de suite. Je dois écrire au maximum avant que Marianne et les enfants arrivent après-midi.

Wanda jette des coups d'œil vers le chalet, comme si elle réfléchissait à quelque chose. Michaël songe alors qu'il a peut-être paniqué inutilement : Wanda souhaiterait-elle vraiment que Vallières et lui trouvent une entente ? Il effectue deux pas, s'humecte les lèvres, puis :

— Écoute, Hugo, je veux sortir mon roman cet automne…

Hugo roule des yeux.

— Mike, parle de ça avec Charles ! Moi, je n'en peux plus ! Là, faut que je retourne travailler. Salut !

Il tourne les talons et remarque avec étonnement que Wanda, mine de rien, s'est approchée de quelques pas de l'habitation. Avant que Hugo puisse réagir, elle commente :

— Je pense que le problème est plus grave que ça. Mike m'a dit que si vous acceptiez pas, il monterait une campagne de salissage contre vous dans les médias sociaux. D'ailleurs, il a déjà commencé.

— Quoi ?

Hugo pivote vers son collègue et celui-ci vacille d'incompréhension.

— Hein ? Ben non, voyons !

— Merde, Mike, es-tu en train de virer fou ? s'écrie Vallières en effectuant quelques pas vers Michaël. Tu réalises que tu vas te mettre tout le milieu à dos ?

— J'ai pas fait ça, elle dit n'importe quoi ! Elle…

Il pivote vers Wanda… et se tait, la bouche grande ouverte. L'ex-prisonnière, durant ces dernières secondes, a bondi vers la maison, a attrapé une pelle appuyée contre le mur et revient maintenant à toute vitesse en la brandissant sur le côté.

— Wanda, non, non, ostie, *non* !

Hugo se retourne au moment où Wanda, tout près de lui, balance la pelle. Le tranchant percute son tibia droit, ce qui produit instantanément l'effondrement de Hugo, dont la chute est accompagnée d'un cri bref mais intense. Michaël sursaute, lève les bras en l'air et même s'il ouvre la bouche pour hurler, aucun son ne franchit ses lèvres. Vallières roule sur le dos et se tord de douleur en tenant sa jambe meurtrie, gémissant, les yeux fermés.

Michaël avait deviné juste, ostie ! il le savait ! Et cette folle croit qu'il va la laisser faire ? Il s'élance, mais l'explosion qui éclate tout à coup devant lui le paralyse. L'ex-détenue, après avoir enfilé rapidement les écouteurs de son iPhone dans ses oreilles, assène vivement une série de coups de pelle dont le tranchant fend à répétition les cuisses et les tibias de Hugo, déclenchant des cris qui, à chaque impact, deviennent de plus en plus longs, de plus en plus brisés. Et pendant qu'elle frappe avec la régularité d'un pendule, Wanda, dont les yeux sont passés du bleu au vert, demeure impassible, si ce n'est une légère crispation de la mâchoire qui accuse les efforts qu'elle déploie à chacun de ses mouvements. Michaël, les deux paumes sur la tête, est incapable d'avancer, comme si l'écho de cette violence insensée créait un mur impossible à franchir. Il retrouve la voix et hurle de toutes ses forces :

— Arrête, Wanda, arrête, ça suffit, arrête tout de suite !

Wanda donne un quatrième coup qui s'enfonce dans la jambe droite de Vallières en produisant un son grinçant qui transperce le crâne de Michaël. Celui-ci s'élance enfin dans l'intention de la maîtriser, mais Wanda, haletante, légèrement courbée vers le sol, tourne le regard vers Michaël en redressant la pelle ensanglantée, menaçante. L'écrivain s'immobilise. Oserait-elle ? Malgré toute l'admiration qu'elle a pour lui ? Il effectue deux pas de plus, les mains tendues pour l'attraper, mais elle balance l'outil devant elle et Michaël, effrayé, doit bondir vers l'arrière pour éviter le coup.

— Si t'approches, Michaël, je vais te frapper. J'ai pas envie, mais je vais le faire.

Elle prononce ces mots d'un ton calme, le visage impassible, mais l'éclat qui brille dans ses yeux verts convainc Michaël qu'elle n'hésiterait pas. Il ne bouge plus, impuissant.

— T'es folle, ostie, t'es complètement folle !

Elle enlève les écouteurs de ses oreilles, arrête le iPhone dans la poche de son manteau et rejette vers l'arrière une mèche de ses cheveux qui s'est détachée de sa queue-de-cheval.

— Je te l'ai dit que j'aime pas ça quand tu me traites de folle...

Michaël entend un marmonnement et, dévasté, il baisse le regard vers son collègue. Le pantalon de Hugo est en lambeaux et laisse voir les atroces blessures desquelles coule un sang rouge vif qui teinte de manière indécente la neige aplatie. Il a les paupières closes, ses deux bras sont allongés de chaque côté de sa tête et il ouvre et ferme les doigts faiblement. De sa bouche tremblotante émergent des mots plaintifs, que Michaël finit par discerner :

— Je le sortirai pas... Je le sortirai pas...

Sur le coup, Michaël ne saisit pas de quoi il s'agit, puis il comprend : il ne sortira pas son livre cet automne. Il croit qu'on le bat pour cette raison ! À cette idée, et pendant une fulgurante seconde, le sentiment de la victoire lui balaie l'esprit, mais cette sensation l'effraie au point qu'il recule d'un pas comme pour s'éloigner d'une telle pensée. Hugo ouvre des yeux emplis de souffrance et d'affliction, puis balbutie encore :

— Je le sortirai pas... mais qu'elle arrête de me faire mal... *Qu'elle arrête, par pitié...*

Les derniers mots sont déformés par un sanglot. Michaël secoue la tête.

— Mais c'est pas moi qui voulais ça ! C'est pas moi, Hugo, c'est elle ! C'est elle !

Il se tourne vers Wanda en brandissant vers elle un doigt accusateur.

— Ostie, tu m'as dit que tu tuerais personne !

— Pis je t'ai pas menti, répond posément Wanda qui s'est retirée de quelques pas, la pelle toujours bien en main dans une attitude de défense. Je le tuerai pas.

Michaël ne comprend pas. Elle ajoute comme s'il s'agissait d'une évidence :

— Je voulais juste pas qu'il puisse se sauver. Ce sera plus simple comme ça.

Michaël blêmit. Son estomac lui remonte soudainement le long de l'œsophage, exactement comme s'il se trouvait à l'intérieur d'un ascenseur en chute libre. Il secoue très lentement la tête et sa voix a la lourdeur de la négation absolue.

— Non, Wanda…

Tenant l'outil d'une seule main, Wanda extirpe de son manteau une paire de gants d'hiver noirs et les tend à l'écrivain.

— Mets ça.

— Je vais pas… y est pas question que je…

Il se tourne vers Hugo et remarque que ce dernier, toujours sur le dos, a sorti son cellulaire de sa poche de pantalon. Wanda, qui a suivi son regard, s'approche de sa victime et balaie la pelle devant elle. L'outil percute violemment la main de Vallières et le téléphone effectue un court vol plané avant de rebondir au sol. Vallières, en gémissant, entoure de sa main indemne ses doigts cassés, mais il pousse un nouveau cri déchirant lorsque la pelle s'enfonce dans son flanc gauche, dans le creux entre le coccyx et les côtes. Michaël chancelle, les deux paumes sur la tête, pris de panique. La spirale tourne maintenant tellement vite que tout se confond, le rationnel comme l'irrationnel, la logique comme l'absurde, la réalité comme le cauchemar. Il songe de nouveau à sauter sur la femme, mais la vue de l'arme sanglante lui enlève tout courage, et lorsque Wanda lui tend derechef les gants, il se penche vers l'avant comme s'il vomissait ses mots :

— Je ferai pas ça, Wanda, tu comprends ? Je ferai pas ça !

— Michaël, écoute-moi. Que tu aies été témoin de la scène de torture, l'autre jour, c'est bien, mais c'est pas l'idéal. C'était une première étape avant la vraie affaire. Dans ton roman, Dumas oblige Soulières à éliminer quelqu'un, même si Soulières en a pas envie. Aujourd'hui, tu vas pas te…

— Ta gueule…

— … tu vas pas te contenter d'être juste témoin : tu vas vivre pour vrai ce que ressent ton personnage. T'es rendu là.

— Ta gueule, ostie, *ta gueule* !

— Tu voulais que tout vienne de toi ? Ben, ça va être le cas.

— Arrête de manipuler ce que je dis, ça marchera pas !

— En tout cas, moi, je le tue pas.

Et elle jette sur le sol la pelle qui atterrit aux pieds de Michaël. Celui-ci bondit vers l'arrière comme si l'instrument, tel le bâton de Moïse, s'était métamorphosé en serpent. Il lève les yeux vers Wanda, désormais sans défense. Il pourrait maintenant l'assommer et appeler la police… Non, pas la police, il est trop impliqué. Wanda raconterait tout. Les dents serrées, il tourne la tête vers Hugo : celui-ci a réussi à se mettre sur le ventre et rampe péniblement vers le chalet, haletant, s'aidant de ses avant-bras, son flanc blessé et ses jambes inertes laissant derrière lui une traînée sanglante comme un escargot monstrueux. Wanda, qui observe aussi la scène avec une sorte de fatalisme détaché, commente :

— Il doit y avoir un téléphone dans la maison. Va falloir que tu te décides.

Michaël fixe un moment l'immonde reptation de son collègue, fasciné. Hugo est maintenant tout près de la porte ouverte du chalet, qu'il atteindra dans quelques instants. Michaël pourrait bondir et refermer la porte, mais il n'ose pas : la simple idée de s'approcher de l'écrivain l'emplit d'épouvante, comme si se tenir loin de lui altérait l'horreur de la situation.

Poussé par un instinct de survie irrationnel, il tourne les talons et se dirige vers le sentier qui mène à la route, le pas ferme malgré son air hagard. Il n'a qu'à partir, voilà tout. Marcher jusqu'à ce que quelqu'un le prenne en stop. Que Wanda se démerde. Les flics s'arrangeront avec cette dingue, tant pis pour elle.

Et elle leur déballera tout, preuves à l'appui.

Michaël s'arrête, les bras de chaque côté du corps comme s'il cherchait son équilibre, puis il se retourne, son regard soudain dur dirigé vers l'ex-détenue.

Tue-la. Et sauve Hugo.

Et les photos, les enregistrements, les messages téléphoniques, tout le dossier que Dubuc a monté sur Michaël et que Wanda a conservé ? Les flics trouveront tout cela chez elle, dans sa boîte vocale, dans son ordinateur et celui de Dubuc…

Et tu ne peux pas tuer ta partner…

Cette réflexion est si saugrenue qu'il chancelle, comme si on venait de le frapper. Étourdi, il tourne la tête vers Hugo, mais celui-ci n'est plus visible : la traînée de sang franchit le seuil de la porte et disparaît à l'intérieur. Le cœur de Michaël bat à tout rompre. Wanda, les mains dans le dos, adopte une moue incertaine.

— J'imagine qu'il va atteindre le téléphone d'ici une ou deux minutes…

Michaël effectue quelques pas vers le chalet, tel un androïde détraqué, mais la voix de Wanda l'arrête.

— Mets ça.

Et elle lui lance la paire de gants. Par réflexe, il les attrape avec la même grimace que si on lui avait jeté le cadavre d'un animal.

— Tes empreintes sont pas fichées, mais faut pas prendre de chance.

Elle désigne la pelle sur le sol.

— Ensuite, tu pourras te servir de ça.

Michaël contemple l'outil avec effroi, songe un instant à le ramasser, mais renonce, comme s'il s'agissait d'un acte de résistance.

Et tu résistes à qui ? À Wanda ou à toi-même ?

Tenant la paire de gants, il se remet en marche vers la maison. Sur le seuil, il s'arrête pour évaluer l'intérieur : la traînée écarlate s'allonge sur trois mètres dans un petit vestibule, puis tourne dans une pièce à gauche, hors de vue. Michaël est saisi d'une brève défaillance et s'appuie de la main gauche contre le chambranle. Il songe alors à ses empreintes et retire vivement sa main. Fébrile, il frotte avec sa manche le cadre de porte et, avec répugnance, s'oblige à enfiler les gants. Enfin, après avoir respiré à fond, il franchit le porche. Il progresse lentement, comme s'il désirait arriver trop tard, comme s'il espérait trouver Hugo déjà au téléphone. De cette façon, le destin aurait statué pour lui. Ce serait tellement plus simple ainsi. Moins impliquant. Sinon, il devra prendre une décision. Et peu importe laquelle, elle ne pourra être que mauvaise.

Il continue d'avancer. Des halètements parviennent jusqu'à lui, mais il ne lève pas la tête. Il tourne le coin, comprend qu'il entre dans une cuisine, puis s'arrête. Ses yeux suivent la traînée sanglante jusqu'au corps de Hugo. Celui-ci, incapable de bouger ses jambes brisées, se hisse péniblement contre un comptoir, sa main intacte mais tremblante tendue vers un téléphone posé sur son chargeur. Michaël observe la scène dans une paralysie tragique. Hugo, le souffle court, déploie autant d'efforts que s'il grimpait l'Everest sur les genoux, et ses doigts ne sont qu'à quelques centimètres de l'appareil.

Ne fais rien. Laisse-le appeler. Ne lutte pas contre la spirale.

Mais il s'élance vers le comptoir, prend le téléphone et le jette vers la salle à manger. Hugo pousse une longue plainte de désespoir et retombe au sol. Michaël recule de quelques pas et, les dents serrées, regarde son collègue pleurer face contre terre.

— Je voulais pas ça, Hugo! C'est elle, c'est pas moi! C'est *elle*!

Il se met à arpenter la cuisine en gémissant, ses mains gantées sur les tempes. La voix de Vallières s'immisce alors à travers sa tempête mentale.

— Appelle une ambulance, Mike…

Michaël s'arrête et roule des yeux fous vers Hugo. Celui-ci a réussi à pivoter sur le dos, les bras relevés de chaque côté de sa tête comme ceux d'un nourrisson, ses pupilles emplies de larmes tournées vers le plafond.

Laisse-le mourir. Coupe la ligne téléphonique et laisse-le mourir. Il ne pourra prévenir personne.

Et combien de temps cela prendra-t-il? Il a les jambes cassées et une blessure dans le flanc, mais rien de fatal. De plus, sa femme et ses enfants vont venir le rejoindre dans quelques heures, il ne sera pas mort d'ici là.

Deux choix: il sauve Hugo, et sa carrière est terminée, sa vie foutue. Ou alors il sauve sa propre peau et descend dans la spirale…

Il lève la tête vers le ciel, les yeux grands ouverts, comme s'il attendait la fin du monde. C'est d'ailleurs peut-être exactement ce qu'il attend.

Il n'y a pas de bonnes décisions. Que des mauvaises.

Il pousse un long hurlement rauque, et il aimerait que ce cri traverse non seulement l'espace, mais surtout le temps, qu'il recule six ans plus tôt, alors que Michaël lisait la première histoire de Wanda; un cri qui l'ébranlerait tant qu'il jetterait la nouvelle et démissionnerait immédiatement pour fuir le plus loin possible de cette muse maudite. Et lorsqu'à bout de souffle, son cri s'éteindrait, il ne serait plus ici dans cette cuisine face à son collègue meurtri, mais chez lui, serein, la conscience tranquille.

Mais le cri s'éteint, et il n'est pas chez lui. Et Hugo, sur le dos, répète toujours péniblement :

— Appelle une ambulance…

L'œil égaré, Michaël cherche quelque chose de massif, n'importe quoi : s'il prend le temps de choisir, il n'osera pas, il n'osera plus. Pas un couteau, il serait incapable de l'enfoncer dans la poitrine, il aurait trop peur de manquer le cœur… Ses yeux tombent sur un gros grille-pain en acier inoxydable, tout près. Il l'agrippe en entrant les doigts de sa main droite dans les deux fentes à pain et étudie l'appareil comme s'il s'agissait d'un objet inconcevable.

— Appelle la police, balbutie Hugo, et… et je te mêlerai pas à ça… Je… je le jure…

— Ça changera rien ! Tu peux pas comprendre ! Même si tu l'impliques juste elle, je suis dans le… Je vais être…

Hugo bat des paupières, le visage couvert de sueur. Il s'humecte les lèvres et, même à cette distance, Michaël peut voir à quel point sa langue est sèche.

— Je l'impliquerai pas non plus… Je le jure…

Alors Michaël ne peut s'empêcher d'émettre un bref ricanement, moqueur et fataliste, totalement déjanté.

— Tu me prends pour un con, Hugo ?

Il commence à tourner autour de son collègue, telle la spirale qui l'aspire en lui retirant de plus en plus le contrôle de ses réactions.

— Non seulement tu penses que je suis un écrivain imposteur, mais tu me prends pour un *ostie de con* ?

Et tandis qu'il parle, il agite le grille-pain au bout de son bras, et son ton monte jusqu'aux cris.

— C'est de ta faute, aussi ! Si t'avais accepté de pas sortir ton roman cet automne, si tu m'avais pas humilié durant la table ronde, je me serais pas plaint à Wanda, j'aurais fermé ma gueule, pis elle t'aurait pas choisi comme prochaine inspiration !

Hugo ferme les yeux et secoue lentement la tête, comme si le délire de son confrère l'amenait à comprendre qu'il est foutu.

— C'est de ta faute ! aboie Michaël.

Et il allonge un coup de pied dans le flanc de Hugo, réalisant à peine qu'il percute ainsi la plaie causée par la pelle. Vallières se cambre et pousse un cri de douleur affaibli, mais très long, comme si ce dernier contenait toute l'impuissance du monde.

Tout à coup, Michaël enfourche son collègue, ses jambes pliées de chaque côté de son corps, et lève le grille-pain au-dessus de sa tête, les yeux écarquillés, la tête bourdonnante. Les pupilles de Vallières explosent de terreur.

— Mike... Mike, non...

Il tente de frapper son agresseur de sa main indemne, mais sa faiblesse rend ses coups inefficaces.

— *Ta faute !* crache Michaël une ultime fois.

Et, de toutes ses forces, il abat le grille-pain sur le visage de son collègue. Un bruit métallique de fêlure retentit et l'appareil craque. Hugo se raidit et ses bras commencent à tressauter sur le plancher, comme un oiseau aux ailes brisées incapable de s'envoler. Michaël relève son arme et l'abaisse à nouveau en poussant un cri, atteignant cette fois le front. Des parcelles de l'appareil cèdent et le fond se détache, provoquant une irradiation jusque dans l'épaule de l'agresseur. Mais ce dernier ne voit rien, ne distingue pas le carnage qu'il est en train de produire : il ne voit que la spirale qui déforme tout. En meuglant, il frappe une troisième et une quatrième fois, en sentant vaguement le sang gicler sur sa main. La moitié du grille-pain casse, s'éparpille en morceaux autour de la tête de la victime et Michaël, même s'il s'est arrêté, éructe encore trois cris brefs, comme s'il voulait cracher jusqu'au bout les caillots de sa propre abjection. Les bras de Hugo se sont immobilisés. Plus aucune respiration ne soulève sa poitrine.

Michaël remarque enfin la douleur à sa main droite. Confus, il réalise que le grille-pain est en miettes et que certaines pièces, en se brisant, ont meurtri ses doigts à travers les gants. D'un mouvement de somnambule, il lâche l'appareil, qui choit au sol en émettant un bruit de ferraille. Il demeure à califourchon sur le cadavre, les bras le long du corps, le faciès figé en un masque hébété. Il voit enfin le visage mutilé de sa victime et il arrive à peine, dans cet amas de chairs sanguinolentes et d'os saillants, à reconnaître celui qui fut Hugo Vallières. Mais il ne gémit pas. N'émet aucun son.

Des pas derrière lui. Puis une main sur son épaule, en un geste de compassion.

— Je suis sûre que ç'a été difficile, Michaël. Ben difficile.

Wanda s'arc-boute près de lui. Elle a un sourire triste mais plein d'espoir.

— Mais si tu te sers de tout ce que t'as ressenti, ça aura valu la peine. Crois-moi.

Michaël fixe toujours le visage de l'homme qu'il a tué.

Et la spirale, qui tourne désormais avec une lenteur hypnotique, l'entraîne tout au fond.

◆

En réalisant qu'il est debout devant sa Spark, Michaël cligne des yeux et regarde autour de lui, puis vers le restaurant Le Coin Relax. A-t-il perdu conscience entre le moment où Wanda lui a mis la main sur l'épaule et maintenant? Non, il était éveillé, sauf qu'il a évolué dans un état second, la spirale annihilant toute prise sur le présent. Quelques bribes d'événements et de discussions flottent tout de même dans son esprit, tels les effluves persistants d'un marais nauséabond.

Il se souvient qu'il avait mal à sa main qui tenait le grille-pain et que Wanda avait vérifié que le gant n'avait pas été troué.

Il se souvient que Wanda avait écrit quelque chose sur le mur de la cuisine, mais il était trop sonné pour lire de quoi il s'agissait.

Il se souvient très vaguement de s'être retrouvé dans la Honda: un ou deux flashs sur la campagne qui fuyait de chaque côté, si belle qu'elle en devenait ironique, indécente.

— Michaël...

Il tourne mollement la tête. La Honda est à une vingtaine de mètres plus loin, mais Wanda est tout près de lui: elle l'a accompagné jusqu'à sa voiture, comme on aide un vieillard à traverser la rue. Elle hésite, fronce les sourcils et gonfle ses joues, puis:

— Encore une fois, je suis désolée de te faire ce genre de chantage, mais dis-toi que j'aime pas ça non plus...

Et elle lève son cellulaire vers Michaël. Sur l'écran de l'appareil défilent trois photos de Michaël, les traits grimaçants, en train d'écraser le grille-pain sur le visage de Hugo. L'écrivain penche la tête sur le côté, l'air totalement drogué. C'est donc à cela qu'il ressemblait tandis qu'il assassinait son camarade?

Wanda range le téléphone dans sa poche puis prend Michaël par les bras. Il n'oppose aucune résistance.

— Si tu veux pas l'avoir tué pour rien, tu sais ce que t'as à faire.

Puis, avec un petit sourire d'encouragement :

— On progresse, Michaël. C'est dur, c'est souffrant, mais on progresse vraiment.

Elle retourne à sa voiture. Michaël la suit des yeux. Elle ne lui a pas dit qu'elle le rappellerait, ou qu'elle le tiendrait au courant, ni quoi que ce soit du genre. Cela allait de soi, désormais. Qu'il le veuille ou non.

Le ciel est lourd et menace de crever d'une minute à l'autre. Après que la Honda a disparu de son champ de vision, il ne bouge toujours pas. Son esprit ne tangue plus.

Maintenant qu'il est tout au fond, la spirale a cessé de tourner.

MWM

14

Il ne sait pas comment il a trouvé la force d'y aller.
Ou le courage. Non, il ne peut s'agir de courage. D'inconscience, peut-être ?

Mais maintenant qu'il est devant Radio-Canada, il
se dit qu'il est venu uniquement par prudence. Il aurait
pu prétexter un autre engagement, mais il devait sauver
les apparences. Bref, il a accepté malgré lui. De toute
façon, ça ne pourra pas être pire que ce qu'il vit depuis
cinq jours.

En effet, dès son retour à la maison vendredi, il
s'est enfermé dans sa chambre sous prétexte qu'il était
malade et y est resté toute la soirée. Le lendemain,
alors que sa femme était sortie avec leur fils, il a
résisté longtemps avant d'ouvrir son ordinateur pour
consulter les nouvelles du jour. Son cellulaire a sonné
huit fois, la petite clochette indiquant qu'il recevait
un texto lui a percé les tympans durant toute la matinée,
mais il résistait toujours. À midi, il a pris une grande
inspiration et s'est enfin branché sur Internet. Sur son
fil Facebook, on ne parlait que de *cela* et, les tempes
palpitantes de fièvre, il a cliqué sur les liens qui
menaient aux articles : la conjointe de Hugo qui a

découvert le corps en arrivant au chalet vers seize heures trente, la violence du meurtre lui-même perpétré à coups de pelle puis de grille-pain (ce dernier détail laissant la police et les journalistes horrifiés et déconcertés), puis ces mots tracés au feutre noir sur le mur et dont Michaël ignorait jusqu'ici l'existence : *Celui qui vit par la violence meurt par la violence.* Il a donc répondu à plusieurs statuts pour faire bonne figure – y allant de quelques « C'est horrible, incompréhensible ! » et « Je suis catastrophé ! » – ainsi qu'à quelques textos (dont ceux de Lee-Ann et de Charles) par un laconique : « Je suis trop dévasté pour vous rappeler, désolé. » Lorsque Alexandra est revenue, il lui a appris la nouvelle, en n'ayant aucune difficulté à affecter le bouleversement. Sa femme a poussé un cri incrédule et s'est réfugiée dans les bras de son mari pour verser quelques larmes, provoquées moins par son attachement à Vallières (elle ne l'avait croisé qu'à quelques reprises) que par l'abomination de l'acte.

Michaël n'est pas sorti du week-end. Dimanche, il a déployé un effort surhumain pour que son fils passe une Pâques festive, mais malgré son jeune âge, Hubert a bien compris que son père n'était pas dans son état normal.

Lorsque la police a sonné à sa porte lundi matin, il a vraiment cru qu'il allait piquer une crise cardiaque, mais les deux flics ne l'accusaient de rien : manifestement, ils visitaient tous les écrivains qui avaient fréquenté Hugo. Les deux enquêteurs ont demandé depuis combien de temps il connaissait la victime, s'ils étaient des amis proches, si Vallières avait des ennemis... Michaël a expliqué qu'il l'avait vu pour la dernière fois au Salon de Trois-Rivières, la semaine prédécente. Son pouls a accéléré quand on a voulu savoir où il se trouvait vendredi, entre neuf heures et midi, question à laquelle il a répondu qu'il travaillait dans son appartement de Montréal, comme il le fait presque chaque jour. Même un Vendredi saint ? s'est étonné l'un des flics. Eh bien, oui, pourquoi pas ? Seul ? a insisté l'enquêteur. Oui, évidemment, seul.

— Une ou deux personnes de votre entourage prétendent que vous étiez jaloux du succès de Hugo Vallières et que, depuis quelque temps, il y avait une certaine tension entre vous deux. C'était le cas ?

Michaël s'est demandé qui pouvaient bien être les salauds qui avaient raconté ça, mais il a répondu d'un air accablé :

— Oui, un peu, je l'avoue. Vous pouvez vous imaginer comment je me sens d'autant plus coupable aujourd'hui d'avoir eu de telles pensées.

Et cette affirmation était plus près de la vérité que jamais les policiers ne pourraient le soupçonner. Pour donner le change, l'écrivain a voulu savoir s'ils avaient découvert de nouvelles pistes sur le meurtre. Ils lui ont poliment rétorqué que c'était confidentiel, puis ils sont repartis. Une fois seul, Michaël, pris d'une fulgurante faiblesse, s'est littéralement affaissé sur les genoux.

Et les heures se sont écoulées comme les grains d'un sablier noir et impitoyable. Comment vivrait-il avec ça ? Il se sentait aussi malade que s'il allait mourir, convaincu que ses organes internes pourrissaient graduellement, ayant même l'impression d'en respirer les effluves de putréfaction.

Il était demeuré la majeure partie des journées de mardi et mercredi couché sur le divan, incapable de la moindre action. Le soir, Alexandra tentait de lui remonter le moral, mais maladroitement, sans insister, comme si elle-même nourrissait ses propres préoccupations. Michaël était trop tourmenté pour s'en rendre compte. Et malgré son esprit aussi houleux qu'une mer en pleine tempête, l'horreur qu'il ressentait se trouvait altérée par une émotion sourde, insidieuse, qui n'osait encore se révéler clairement, mais qui se glissait sournoisement dans chaque interstice que le remords et le désespoir créaient entre leurs attaques inlassables, qui lui murmurait d'ouvrir son ordinateur pour travailler. Car l'assassinat de Hugo se répétait sans répit dans sa tête, ainsi que chaque sensation vécue durant l'acte lui-même.

Devant la tour de Radio-Canada, en ce jeudi après-midi, il n'entre toujours pas, aussi angoissé qu'un damné aux portes de l'Éternité. Évidemment, on ne l'a pas convoqué pour sa célébrité, mais parce qu'il publie aussi chez Parallèle et qu'il écrit le même genre de littérature que Vallières. Il soupire. Tandis qu'il songe qu'il n'est pas trop tard pour fuir et inventer un prétexte, par exemple qu'il s'est fracturé la jambe alors qu'il était en route pour l'émission (criss! il est prêt à se la casser réellement, s'il le faut!), il entend une voix l'interpeller : c'est Charles Tagliani qui s'approche, cigarette à la main, aussi invité pour l'occasion. Spontanément, le visage ravagé, il ouvre les bras et Michaël comprend qu'il est censé l'enlacer. Ce qu'il fait. Outre l'odeur insupportable de vieux tabac, il sent le réel désarroi de son éditeur, qui étouffe un sanglot en le serrant avec force et, pendant une seconde, Michaël espère que Charles l'écrase, le broie jusqu'à le réduire en mille morceaux. Ils se séparent enfin.

— Comment tu vas, Mike ?

— C'est... je suis complètement assommé.

Charles hoche la tête, les yeux pleins d'eau. Il a vieilli de dix ans.

— Je suis en contact avec Marianne. Quand elle l'a découvert dans le chalet, les enfants étaient avec elle. Tu imagines, Mike ? Ses deux filles !

Michaël est pris d'une nausée violente, mais très brève, qui disparaît en une seconde pour faire place à un vide émotionnel déroutant.

— La police lui a expliqué qu'ils avaient pas encore de preuves tangibles. Il semble que l'assassin, avant de quitter la maison, a lavé le plancher pour pas laisser d'indices. Et il y a eu de la pluie verglaçante une couple d'heures après le… le drame ; ç'a dû enlever pas mal de traces à l'extérieur…

Étrangement, la nervosité de Michaël s'estompe peu à peu depuis l'arrivée de Charles, comme si une sorte d'engourdissement le gagnait graduellement.

— Marianne est dans un état épouvantable, poursuit Charles en lissant ses rares cheveux, plus gris que jamais. Elle m'a dit que puisque c'est un meurtre, ils vont garder le… le corps une bonne semaine avant de le remettre aux pompes funèbres. Et il paraît que… comme son visage est très endommagé, ça va prendre un certain… (Il a un geste horrifié.) Bref, il sera pas exposé avant lundi prochain, après le Salon de Québec.

— L'ambiance va être terrible, à Québec, tu imagines ? Plusieurs participants vont sûrement annuler leur présence. Même moi, je t'avoue que…

— Non, justement ! le coupe l'éditeur avec conviction. On est en train d'organiser un hommage à Hugo, ça va être samedi soir. Le directeur du Salon est tout à fait d'accord. Il faut qu'on soit tous là, par solidarité. Et toi le premier.

Michaël hoche la tête, le faciès neutre. Charles regarde sa montre, jette sa cigarette et dit qu'ils doivent entrer. L'écrivain prend une grande respiration et tous deux franchissent les portes.

Quinze minutes plus tard, dans le studio 18, l'animatrice Marie-Louise Arsenault résume en ondes le meurtre aussi sordide qu'incompréhensible du célèbre auteur Hugo Vallières, puis présente ses trois invités : Charles Tagliani, Mike Walec ainsi que le critique littéraire Jean Fugère. Ce dernier explique en une minute à quel point Vallières était non seulement un excellent écrivain de thrillers, mais un excellent écrivain tout court. Puis, Charles, très ému, relate les débuts de Hugo chez Parallèle et comment son succès s'est construit. Michaël écoute les deux hommes sans aucune réaction. L'engourdissement singulier et brumeux qui s'est saisi de lui à l'arrivée de son éditeur, tout à l'heure, l'enveloppe de plus en plus. Entendre parler de Vallières au passé produit sur lui un effet énigmatique, comme s'il n'avait jamais existé. Ou comme s'il était un personnage. Oui, c'est ça, un personnage de roman noir.

Arsenault s'adresse alors à lui :

— Mike Walec, vous êtes auteur de thrillers et vous publiez aussi chez Parallèle. Donc, vous connaissiez bien Hugo Vallières. Parlez-nous un peu de lui.

Michaël débite les hommages d'usage, témoigne de son amabilité, de son humilité, de son incroyable talent… Sa voix est calme, presque détachée ; il s'en rend compte et s'en étonne, mais d'un étonnement clinique, comme s'il y assistait plus qu'il ne le ressentait.

— Notre première rencontre a eu lieu au Salon du livre de Trois-Rivières il y a six ans. J'étais en train de rédiger le manuscrit de *Sous pression*. Il m'a encouragé à écrire, il a été très gentil, pas snob pour deux sous.

Depuis trois jours, chaque fois qu'il évoque ce souvenir, une bouffée de remords lui remonte jusque dans la gorge, mais aujourd'hui il la sent à peine ou, alors, de manière très diffuse.

— On pourrait donc dire qu'il était votre mentor ? demande l'animatrice.

Michaël tique, agacé, et réplique de sa voix désincarnée :

— Même si Hugo a publié avant moi, j'ai connu le succès avant lui. Alors, je sais pas qui était le mentor de qui, au juste…

En constatant l'étonnement d'Arsenault et de Fugère, de même que l'air catastrophé de son éditeur, Michaël réalise ses paroles. Le pire, c'est qu'il n'arrive pas vraiment à les regretter. Tout de même, il ajuste :

— Mais c'est vrai qu'il était un exemple à suivre pour tout auteur de romans noirs, aucun doute là-dessus.

La discussion se poursuit, on rappelle la carrière de Vallières, les grandes forces de son œuvre, puis, au bout d'une dizaine de minutes, l'animatrice prend un ton prudent :

— Maintenant, même si c'est délicat, on peut difficilement passer sous silence la… disons… la violence de ce crime. De plus, l'assassin a écrit un message sur un des murs : « Celui qui vit par la violence meurt par la violence. » Ce qui laisserait croire que le tueur serait une sorte de… heu… de justicier fou qui punit ceux qui…

— C'est un peu tôt pour sauter à ce type de conclusions, la coupe poliment Charles.

— Bien sûr, mais ça ramène tout de même cette vieille question : est-ce que de tels romans peuvent inciter les gens à la violence ? Mike Walec, vous qui en écrivez, vous en pensez quoi ? Est-ce qu'un meurtre aussi horrible vous ébranle en tant qu'auteur de ce genre ?

La colère monte aussitôt en Michaël, mais, encore une fois, de manière désincarnée, comme si elle appartenait à un double de lui, un double qui étudie la scène.

— Pourquoi ça devrait m'ébranler ?

— Eh bien, vous avez souvent affirmé en entrevue qu'un artiste n'avait pas à s'interroger sur ce qui est bien ou mal lorsqu'il créait… Est-ce que vous croyez toujours que…

— Pourquoi mon opinion changerait ? Pourquoi les écrivains de romans de genre, ceux qui font de la « paralittérature », comme disent les intellos, devraient se sentir concernés par ce type de questions, mais pas les « littéraires » ? Quand un *vrai* écrivain comme Sade décrit des viols et des tortures, on trouve cela audacieux et subversif. Mais quand on parle d'auteurs de petits livres de divertissement, il faut qu'ils soient responsables et moralisateurs, c'est ça ?

— Ce n'est pas ce que j'ai…

— Un littéraire peut s'inspirer d'actes amoraux, et on va considérer que c'est de l'art ! Quand Jean Genet, dans son œuvre, se complaît dans le mal, on crie au génie, à l'ouverture intellectuelle et à la liberté créatrice ! William Burroughs a tué sa femme par erreur, il s'est servi de cet événement malheureux dans ses romans et on se pâme d'admiration ! Mais si un auteur de polar faisait ça, hooooo ! que ce serait malsain ! Que ce serait amoral !

Un silence de quatre longues secondes – ce qui, à la radio, représente une éternité – s'installe dans le studio. Jean Fugère se racle la gorge et précise d'une voix calme :

— Je pense que ce que Mike veut dire, c'est que la question de la responsabilité des écrivains, en ce qui a trait à la violence de notre société, a été maintes et maintes fois débattue et…

Michaël n'écoute plus. Il se trouve à nouveau dans la cuisine du chalet de Hugo. Il le frappe à coups de grille-pain. Il le tue. L'horreur est toujours là mais décalée, comme s'il la ressentait à la manière d'un comédien qui joue cette émotion.

Trois minutes après, l'entrevue se termine. Dans la régie, alors que tout le monde salue et remercie Charles et Fugère, on dévisage Michaël avec rancœur, mais ce dernier le réalise à peine. Il se retrouve, sans trop savoir comment, à l'extérieur du bâtiment, accompagné de son éditeur qui maugrée en attachant son manteau :

— Tu y es allé fort tout à l'heure… Je comprends que tu sois bouleversé, et je le suis aussi, mais va falloir que tu fasses attention…

Michaël conserve le silence. Ils se mettent en marche vers le stationnement et Charles, tout en s'allumant une cigarette, rappelle à son auteur que l'hommage à Hugo, au Salon de Québec, aura lieu samedi en soirée. Michaël hoche la tête, l'air ailleurs. Charles s'arrête près de sa voiture et soupire, à nouveau atterré.

— Il me disait que son prochain roman serait sans doute son meilleur… et il aura même pas eu le temps de le finir.

Michaël réagit enfin, comme s'il se réveillait.

— Donc, vous le sortirez pas cet automne ?

— Il avait pas terminé son premier jet. Pis ses plans ont toujours été incompréhensibles, on pourra jamais savoir comment son histoire devait se conclure…

— T'as pas l'intention de publier une version posthume incomplète ?

Clope entre les lèvres, Charles a une moue de réprobation.

— Franchement, ce serait… de très mauvais goût et très opportuniste.

— Alors, tu vas pouvoir sortir mon roman ?

Subjugué, l'éditeur reprend sa cigarette entre ses doigts.

— Criss, Mike, je peux pas croire que tu penses à ça en ce…

— Tu vas le sortir, oui ou non ?

Charles le dévisage longuement. Un mélange de tristesse et de mépris crispe ses traits tandis qu'il avale une touche.

— OK, Mike. Tu veux la jouer business et écarter le côté humain? Parfait. Je te donne un mois pour m'envoyer ton manuscrit. Pas un premier jet: une version finale, qui nécessitera presque pas de retouches. Et ç'a besoin d'être bon. Aussi bon que *Sous pression*. Sinon, tu te trouves un autre éditeur, je t'en passe un papier!

Il jette son mégot et monte dans sa voiture. Michaël se penche et lui met la main sur l'épaule.

— T'auras jamais rien publié d'aussi fort.

Charles pose un regard dédaigneux sur la main de l'écrivain, qui la dégage et se redresse. La portière se referme et le véhicule s'éloigne. Michaël, abasourdi par ses dernières paroles, reste planté dans le stationnement quelques secondes, jusqu'à ce que son cellulaire vibre. Il lit le texto: celui-ci provient de Wanda.

« Excellente entrevue à la radio ce matin. Tu avais raison sur tout. »

Il lit le message sans aucune surprise, puis lève les yeux en direction du boulevard René-Lévesque. Il regarde les voitures, le ciel, les quelques piétons. Quelque chose a changé. Soit l'air, soit la couleur, soit la perspective… Peut-être pas l'extérieur. Peut-être pas, non… Il songe aux paroles que lui a dites Wanda après le meurtre de Hugo.

Si tu veux pas l'avoir tué pour rien, tu sais ce que t'as à faire.

Le visage amolli par une apaisante résignation, il se met en marche vers sa voiture.

Quinze minutes plus tard, il entre dans son appartement montréalais et s'installe devant son ordinateur. Il ouvre le dossier de son manuscrit et se rend à la scène où Soulières est obligé de tuer un homme s'il ne veut pas que Dumas, le flic véreux qui le contrôle, l'arrête pour un autre délit. Il relit les quelques pages. Soulières poignarde d'un seul et banal coup de couteau sa victime ; ses remords et son dégoût sont décrits avec lyrisme et style, mais le meurtre est lisse, sans horreur, sans force.

Michaël, assis, fixe l'écran. Ses traits sont tendus, ses doigts sont posés sur les touches du clavier, mais ne bougent pas. Il sait exactement comment réécrire la scène, il le *sait* jusqu'au plus profond de ses tripes.

Alors, vas-y. Fais ton écrivain. C'est ce que tu es, non ? C'est ce que tu désires être ?

Il respire un peu plus fort, mais demeure calme. Ses doigts sont toujours paralysés, mais il les sent gonflés d'électricité.

Il entend la porte de son appartement s'ouvrir, des pas qui progressent, s'approchent. Mais rien de tout cela ne suscite en lui la moindre réaction, pas plus que la sensation d'une présence qui s'arrête tout près de son fauteuil. Il ferme les yeux un moment, les rouvre puis commence à écrire.

— C'est bien, Michaël, articule une voix féminine derrière lui. T'as compris. Tu convertis ta souffrance en art. Comme tout grand auteur.

Michaël ne modifie pas l'arme du crime : il s'agit toujours d'un couteau. Le transformer en grille-pain ou même en un autre appareil domestique serait trop louche. De toute façon, ce n'est pas l'arme qui compte, mais la violence de l'acte et ce que vit le meurtrier. Derrière lui, la voix poursuit, aérienne, presque extatique.

— As-tu idée à quel point t'as changé ma vie ? Ma vie qui, avant notre rencontre, était vide… Moi qui m'intéressais à rien d'artistique, sauf à la musique de Wanda Jackson…

Jamais Michaël n'a été si concentré en écrivant. Toutes les émotions en lui – horreur, abjection, peur, folie – sont jetées dans le texte et absorbées par son personnage. Les gestes brutaux de Soulières, les réactions de sa victime, la précision des actions, tout se noue avec un naturel admirable. Chaque lettre de chaque mot vibre d'intensité, comme si Michaël les inscrivait à coups de machette. Et il entend clairement les paroles de Wanda, elles s'intègrent parfaitement à ce qu'il vit, nourrissent son ardeur, cimentent la scène même du manuscrit.

— Il fallait qu'on se rencontre, c'était notre destin. L'un sans l'autre, on y arrive pas, on y arrivera jamais. Mais ensemble, tout est possible. Ensemble, on peut créer la vie et la mort.

Deux mains se posent sur les épaules de Michaël. Mais il ne les rejette pas. Il a plutôt l'impression que ce sont ses mains à lui qui se sont dédoublées pour l'encourager, et l'énergie qu'il sent à travers ces doigts l'immerge davantage dans son texte, le plonge plus profondément dans le sang et les cris, dans l'abomination vécue par son personnage, dans sa propre excitation d'être conscient qu'il écrit quelque chose de grand, quelque chose d'atrocement parfait...

— Pis même si c'est juste toi qui récoltes la gloire, je m'en fous. Ma gloire, c'est de faire partie du livre, de faire partie de toi.

Les mains caressent maintenant ses épaules avec fermeté, et Michaël respire de plus en plus fort, le front en sueur, tandis que ses doigts enflammés produisent un cliquetis rythmant la violence des mots qui explosent à l'écran. Plus Soulières s'enfonce dans l'horreur, plus l'effervescence de Michaël vibre dans chaque cellule de son être. Il a presque terminé, ses mains sont engourdies, ses yeux écarquillés et dilatés comme ceux d'un saint face à une révélation divine, et la voix, tout près de son oreille, susurre :

— La réussite de l'œuvre est tellement importante que je serais prête à mourir pour qu'on y arrive. La mort vaut la peine si elle me permet d'avoir ressenti autant de vie, même si ç'a pas duré longtemps.

Michaël appuie sur la dernière touche du dernier mot de la scène, avec autant de force que l'ultime coup porté par Soulières, puis laisse tomber ses bras de chaque côté de son fauteuil, sonné. Pendant quelques instants, il a autant l'impression d'avoir écrit sa vie que d'avoir inventé cette scène, totalement en apesanteur entre la réalité et la fiction, entre le personnage et le créateur, et cette sensation lui procure un tel vertige qu'il ferme les yeux en gémissant. Les doigts sur ses épaules se retirent.

— Il reste juste deux morts dans ton histoire. Après, tu pourras terminer notre chef-d'œuvre.

Il entend les pas s'éloigner, la porte s'ouvrir, puis se refermer. Il relève enfin les paupières, son étourdissement toujours présent mais moins intense. Il se retourne : plus aucune trace de Wanda. Il revient à son écran, avance la tête en essuyant ses lèvres du revers de la main et relit les quelques pages.

C'est tordu, puissant, troublant, parfait. Vrai.

Aucune parcelle de culpabilité ne réussit à se faufiler en lui. L'excitation qu'il ressentait tout à l'heure ressurgit avec force. Il sauvegarde son manuscrit puis quitte rapidement son appartement.

Quinze minutes plus tard, il stationne sa voiture dans le Mile-End et pénètre dans l'édifice des éditions Persona. La réceptionniste le salue d'un amical « Allô, Mike » puis, avec un sourire affligé, lui demande comment il va, en faisant évidemment allusion à la mort de Hugo. Mais il répond presque avec agacement :

— Ça va, ça va... Tu peux me rappeler où est le bureau de Lee-Ann ?

— Heu... L'avant-dernier dans le couloir de droite. Tu veux que je la...

— Pas la peine, merci.

Il marche dans la direction indiquée et, sans même s'annoncer, entre dans le bureau. Lee-Ann, qui pianote sur son ordinateur, tourne la tête, ses yeux bridés tout arrondis par la surprise.

— Michaël ? Crime, tu pourrais frapper, tu m'as fait une de ces peurs !

L'écrivain referme la porte derrière lui et s'approche. Lee-Ann pousse un soupir triste.

— Comment tu vas ? C'est tellement épouvantable, j'arrive pas encore à y croire. J'imagine que t'es au courant qu'on lui rend hommage samedi, au Salon de Québec...

Mais cesseront-ils tous de lui parler de Vallières ? Il contourne le bureau et se plante devant elle. Elle dresse la tête, incertaine.

— Tu fais quoi, là ?

Il la prend par les épaules et l'oblige à se lever. Elle obéit, est sur le point de répéter sa question quand il plaque sa bouche contre la sienne. Elle résiste une seconde avant de se laisser faire, vaguement amusée.

— Mike, pas ici, franchement... Et je t'ai dit que j'arrêtais tout jusqu'à...

Il la retourne puis la penche par en avant. Elle appuie ses deux mains sur le bureau, stupéfaite, et regarde derrière elle.

— Michaël, voyons !

Il relève la jupe de sa maîtresse jusqu'à dégager son cul. Elle tente de se retourner en scandant des « non, non, pas ici ! », mais il baisse d'un geste sec son string jusqu'à mi-cuisses. La directrice commerciale émet un petit rire, à la fois émoustillée et anxieuse.

— T'es fou, Mike ! Arrête !

L'écrivain ne profère toujours aucun mot, la respiration sifflante, délirant d'excitation, mais d'une excitation dont la source est autant Lee-Ann que la puissance de ce qu'il vient d'écrire. Il s'agenouille sur le sol et colle sa bouche contre le sexe de la femme. Celle-ci ricane encore un peu, mais d'un gloussement plus langoureux. Michaël détache son pantalon, extirpe son membre déjà dur et commence à se masturber. Penchée en avant, les avant-bras contre le bureau, l'Asiatique ne rit plus et gémit doucement. Elle tente d'écarter davantage les jambes pour mieux exposer son cul, mais le string l'en empêche. Agacé, il le déchire à deux mains. Lee-Ann ouvre les cuisses et son partenaire peut ainsi engloutir toute sa chatte humide. Elle pousse de longs soupirs, puis Michaël caresse de ses doigts le clitoris gonflé tout en léchant son anus et en s'astiquant. Les râles de son amante deviennent plus rauques et elle pose son front sur le meuble, ondulant sa croupe lentement. Il est sur le point de jouir, toutefois ce n'est plus le sexe proprement dit qui l'intéresse tout à coup, mais la démonstration de sa victoire, l'éjaculation comme preuve de sa réussite et de la puissance de son art. Sans cesser de frotter le clitoris de sa main gauche, il se lève et éclabousse les fesses de Lee-Ann, qui jouit presque simultanément en serrant les lèvres pour ne pas crier. Puis, toujours contre le bureau, elle tourne légèrement la tête avec un sourire vicieux et désorienté.

— Criss, Michaël, t'es ben horny, aujourd'hui !

Mais Michaël n'est pas rassasié pour autant : après cette explosion narcissique, il se sent maintenant allumé par Lee-Ann elle-même. Il semble enfin la voir réellement et réalise qu'ils sont dans son lieu de travail, et cet aspect risqué et illicite l'excite en un clin d'œil. Il a maintenant l'habitude du danger, non ? Ce danger qu'il défie désormais sans crainte ! Pour se le prouver, à nouveau bandé, il pénètre son amante qui, surprise, lâche dans un souffle :

— Mike, voyons, c'est assez, tu vas pas...

Mais le reste de ses paroles se perd dans des soupirs lascifs tandis que Michaël la pistonne avec rage, ses deux mains bien crispées sur ses fesses. Ses mouvements sont si brutaux que le bureau, sous l'Asiatique, tressaille dangereusement, au point que ciseaux, bibelots et feuilles de papier tombent au sol à chaque coup de hanches de l'écrivain. Lee-Ann, à nouveau relevée sur ses avant-bras, les yeux fermés, les traits chavirés par le plaisir qui monte, respire de plus en plus vite... et soudain, on cogne à la porte qui s'ouvre : une femme dans la trentaine entre en commençant une phrase, dossier en main, mais se fige net en apercevant la scène. Presque aussitôt, elle tourne les talons et s'empresse de sortir en refermant derrière elle.

— Merde ! halète Lee-Ann, la voix tremblotante plus de volupté que de panique. C'était... c'était Laura ! Elle nous a... hooooooooofff !... elle nous a vus...

Mais qu'est-ce que Michaël en a à foutre ? La tête délirante, il sent qu'il va jouir à nouveau. Qu'est-ce qu'il en a à crisser, qu'on le surprenne en train de baiser ? Croit-on qu'il s'arrêtera pour ça ? Il a assisté à la torture d'un homme, en a tué un autre de ses propres mains, et rien ne lui est arrivé ! Au contraire ! Alors, il peut bien fourrer où il veut, ce sera toujours de la bonne inspiration pour une future scène de roman ! Et lorsqu'il enfonce son pouce mouillé de salive dans l'anus de Lee-Ann, il l'entend pousser un long râle en laissant retomber son front sur le bureau. Moins d'une minute après, elle jouit de nouveau, la main contre la bouche, et Michaël, stupéfait par cette incroyable vitalité qu'il n'a pas connue depuis ses vingt ans, éjacule une seconde fois.

Épuisé, il se repose contre le dos de son amante. Tous deux recouvrent leurs esprits, puis Lee-Ann souffle :

— On est fous, ostie... Mais qu'est-ce qui t'a pris ?

Il l'embrasse dans le cou et marmonne :

— Je suis prêt à vivre en couple avec toi.

Elle se redresse et redescend sa jupe, les joues encore rouges de plaisir, mais le regard interrogateur.

— Je vais quitter Alexandra. Donne-moi une semaine ou deux, maximum.

Prise de court, elle le dévisage tandis qu'il remonte son pantalon.

— C'est vrai ? Et si ton prochain roman est pas un succès ?

— Il va en être un. J'en suis si convaincu que je suis prêt à déménager avec toi d'ici un mois.

Cette assurance la désarçonne et l'émeut à la fois. Par contenance, elle ramasse l'un des bibelots tombés sur le sol, le replace distraitement, puis :

— C'est tellement soudain. Faut que j'y pense un peu pour...

— Penses-y.

Il s'avance et l'embrasse.

— On s'en reparle à Québec.

Il sort, le front encore moite de sueur, la queue collante de sperme dans son caleçon. Dans les couloirs, il croise Laura, qui lui décoche un regard complice.

Dans sa voiture, tandis qu'il roule sur la 40 Est, il prépare la discussion qu'il doit avoir avec sa femme. Il est convaincu qu'elle arrivera au même constat que lui : leur couple s'est transformé en union utilitaire et amicale, sans passion. Ce sera difficile, mais ils doivent l'admettre. Il en a assez de vivre en lâche. De toute façon, son bouquin fera un malheur cet automne.

Au prix de la mort de deux hommes...

Derrière le volant, il s'assombrit. Pendant quelques heures, il a réussi à ne pas y songer, du moins il n'a

pas laissé ces funestes pensées s'immiscer en lui…
Espérait-il donc y échapper pour toujours? Uniquement
parce qu'il a écrit une bonne scène cet après-midi?

Tandis que sa voiture dépasse la dernière sortie de
Repentigny, il se remémore le film de Woody Allen,
Crimes and Misdemeanors, dans lequel un ophtal-
mologiste fait assassiner sa maîtresse parce qu'elle
risquait de foutre son couple en l'air en révélant tout.
Pendant des mois, il se sent tellement coupable qu'il
n'en dort plus et vit en pleine paranoïa. Mais avec le
temps, non seulement il n'a subi aucune conséquence
pour son acte monstrueux, mais sa vie ne s'en porte
que mieux. La culpabilité et le remords le quittent
donc peu à peu. Lui arrivera-t-il la même chose?

Pas sûr, puisque le succès de son roman, malgré
ses belles paroles, n'est pas encore tout à fait dans la
poche. Un second et dernier meurtre survient dans
son histoire, celui qui clôt le livre: Soulières, qui a
torturé une femme et tué un homme sous la menace
de Dumas, refuse de poursuivre cette existence sous
le joug du flic malade et, dans un accès de haine, élimine Dumas à coups de bâton de golf, convaincu
qu'il sera enfin libre, alors que c'est finalement la
prison qui l'attend. C'est la scène la plus importante
du bouquin.

Autant Michaël nageait dans l'enthousiasme quinze
minutes plus tôt, autant l'angoisse déferle une nouvelle
fois sur lui avec la violence d'une douche froide. Car il
est persuadé que Wanda prépare autre chose. Pourquoi
agirait-elle autrement? D'ailleurs, elle le lui a dit, cet
après-midi, avant de quitter son appartement: il reste
un meurtre dans le manuscrit.

Il fronce un sourcil. En fait, non, elle n'a pas dit un,
mais deux. N'est-ce pas? Pourquoi donc? Soulières
doit tuer Dumas, et c'est tout. Il tente de se rappeler

les mots exacts de Wanda, puis cela lui revient avec précision : *Il reste juste deux morts dans ton histoire, ensuite tu pourras terminer notre chef-d'œuvre.* Elle n'a pas dit deux meurtres, mais deux morts… Qui d'autre meurt donc dans son histoire ? À un moment, Dumas fait allusion à un dealer de drogue qu'il a éliminé il y a des années, mais on ne voit pas cet assassinat dans le bouquin. Et il y a aussi…

Tout à coup, il comprend, et la révélation est si aveuglante et si douloureuse qu'il pousse un cri étouffé, comme si on l'avait frappé non dans le ventre mais dans le cœur. Provoquant une série de klaxons derrière lui, il s'aligne sur le bas-côté de l'autoroute, zigzague quelques secondes puis réussit à immobiliser la Spark. Là, au fond de son siège, les deux mains agrippant son volant comme s'il voulait l'arracher, les yeux écarquillés sur une vision d'horreur, il tente en vain de retrouver le souffle qu'il a perdu il y a quelques secondes.

Il y a bien un autre décès dans son histoire, auquel il n'avait pas songé puisqu'il ne s'agit pas d'un meurtre. De plus, cet événement ne concerne pas Soulières. C'est la seule scène écrite du point de vue de Dumas, au tout début du bouquin, un flash-back du temps où il était un bon flic. Le policier est témoin de la mort accidentelle de quelqu'un qui brûle sous ses yeux dans l'incendie d'une maison. C'est ce drame atroce qui l'a rendu dingue. Et Michaël, pour la première fois depuis qu'il a imaginé cette intrigue, comprend qu'il pourrait lui-même perdre l'esprit s'il vivait la même tragédie.

Car dans le roman, la victime de l'incendie est la femme de Dumas.

15

Agacée, Alexandra lâche des yeux sa tablette électronique qu'elle tient contre ses cuisses.

— Mais qu'est-ce que t'as, encore ?

Michaël, qui jetait un coup d'œil à l'extérieur par la grande fenêtre du salon, tourne la tête vers elle.

— Hein ?

— T'as passé la soirée à regarder dehors. T'attends quelqu'un ou quoi ?

L'écrivain considère sa femme en silence.

En fait, Alexandra, oui, j'attends quelqu'un. Une folle dingue qui va venir foutre le feu à notre maison. Si c'est pas ce soir, ce sera à un autre moment. J'en suis presque certain, j'en ai eu la révélation cet après-midi. D'ailleurs, il faut que je t'en parle : je me suis mis dans la marde, Alex. La grosse marde, t'as pas idée.

— Non, j'attends personne. Je trouvais que ça sentait la tempête de neige aujourd'hui et je me demandais quand ça allait commencer à tomber…

— Voyons donc, ils annoncent pas de tempête, juste quelques flocons demain !

Michaël, tout en revenant s'asseoir dans le divan, hausse les épaules. Il prend le roman qu'il feint de lire depuis qu'ils ont couché Hubert il y a quarante minutes et le fixe sans le voir. Sa femme, installée dans le fauteuil face à lui, paraît indécise. Il n'est que vingt heures dix et elle a déjà enfilé sa robe de chambre, ce qu'elle ne fait jamais avant vingt-deux heures. Ce détail aurait dû titiller Michaël, mais l'esprit de ce dernier est totalement accaparé par des inquiétudes d'un tout autre ordre. Alexandra dépose sa tablette sur la petite table près d'elle, puis, malgré son air grave, parle doucement.

— J'ai remarqué ton attitude depuis quelque temps... Ta nervosité, ton humeur... Ton éloignement de moi...

Michaël ne réagit pas, son regard vide toujours dirigé vers son livre. Alexandra continue, sans détourner les yeux, prête à assumer ses paroles.

— Et quand j'y pense, je me dis que ça fait un bon moment que tu es loin de moi. Et si c'est pire depuis quelques temps, c'est peut-être parce que... parce que t'es en train de prendre la décision de me quitter. Et juste d'y penser, ça me terrifie... Du moins, ça me terrifiait il y a quelque temps...

Michaël tourne enfin la tête vers elle, stupéfait. Elle passe une main nerveuse dans ses courts cheveux, puis croise ses doigts sur ses genoux.

— Mais j'ai moins peur, on dirait, depuis deux jours... Parce que j'ai beaucoup réfléchi et je dois admettre que moi aussi je me suis éloignée de toi. J'ai pas voulu le voir, je mettais ça sur le dos de la job, de notre jeune fils... Et puis j'étais pas malheureuse, loin de là : on a un enfant qu'on adore, ma clinique va bien, je crois en ton talent, on se chicane pas... On s'aime bien, quoi. Mais c'est peut-être ça, le problème. Maintenant, on s'aime *juste* bien.

Son mari garde le silence, la gorge nouée. L'ironie est des plus cruelles. Alors qu'il avait prévu lui annoncer son intention de la quitter, il avait décidé, après sa révélation de cet après-midi, de reporter cette discussion à plus tard. Et voilà que c'est Alexandra, celle qui semblait pourtant heureuse de son sort, qui aborde le sujet. Les yeux de cette dernière s'emplissent de larmes, mais elle demeure digne et sa voix tremble à peine. Seules ses mains se crispent sur ses genoux.

— C'est tellement facile, confondre amitié et amour. Quand on est pas malheureux, on voit pas vraiment que la vie pourrait nous apporter davantage. Je pense juste que... que tu l'as compris avant moi... Je me trompe?

Elle lui présente l'occasion sur un plateau d'argent. Il n'a qu'à dire: « Oui, tu as raison! » et tous deux pourraient régler cette histoire simplement, en adultes consentants et intelligents qui ne veulent pas gâcher les années d'amour vrai qu'ils ont partagées. Mais voilà qu'il n'est plus convaincu. En quelques heures, depuis qu'il sait que la vie d'Alexandra est menacée, il a réalisé qu'il lui est attaché beaucoup plus qu'il ne le croyait, que ces liens entre eux se révélaient finalement plus profonds que ceux du quotidien et du respect. C'est donc avec prudence qu'il articule:

— Je sais pas, Alexandra, je suis... très confus, mais je pense... je pense qu'il faut rien précipiter...

Elle hoche la tête, les lèvres serrées, les yeux de plus en plus vitreux. Il ajoute:

— C'est pour ça que ce week-end, j'irai pas au Salon de Québec... pour qu'on réfléchisse ensemble...

Et surtout, pour lui permettre de trouver une solution au danger qui menace sa femme... Mais la réponse de celle-ci le prend de court:

— Non, pas question que tu manques ton Salon. Annuler à deux jours d'avis, ça fait pas professionnel. Et il y a l'hommage à Hugo samedi soir, tu aurais l'air de quoi?

— Notre couple est plus important, Alex, je crois que...

— Justement. Tu conviens toi-même qu'il faut réfléchir, et je veux le faire loin de toi, pour avoir de la perspective. Comme tu pourras le faire toi aussi ce week-end. Je pense que... qu'on doit s'accorder ces trois jours de distance pour avoir une introspection dégagée.

— Je suis pas sûr que c'est...

— Écoute, *moi,* j'ai besoin de cet éloignement, Michaël. Si tu pars pas au Salon demain, c'est moi qui m'en irai quelques jours.

Elle le dit sans rancœur ni agressivité. Au contraire, elle est presque suppliante, comme si elle lui déclarait qu'il s'agissait là de l'ultime marche à suivre pour donner une chance à leur couple. Il ne sait comment réagir, tiraillé, puis finit par balbutier que c'est d'accord. A-t-il le choix ? Même s'il reste, elle s'arrangera pour partir.

Après deux longues minutes de silence, elle se lève, aussi lasse que si elle avait passé une nuit blanche, puis annonce qu'elle va se coucher. Presque malgré lui, il lance :

— Je t'aime, Alex.

Et il le sent. Du moins, il croit le sentir. Merde, il ne sait plus. Alexandra lui adresse un sourire mélancolique.

— On s'aime tous les deux, Mike. Mais faut se demander si on est encore en amour.

Elle sort du salon. Seul, Michaël réfléchit, déboussolé par les mots qu'il vient de prononcer. Est-il sincère lorsqu'il dit qu'il l'aime ou son jugement est-il faussé par le danger qui la guette ? Il s'empresse de retourner à la fenêtre : là, quelqu'un qui approche dans la rue ! Mais dans la pénombre, il reconnaît

Jean-Martin, son voisin, qui promène son chien. Michaël se frotte furieusement le cuir chevelu. Peut-être qu'il se raconte des histoires. Peut-être que Wanda ne songe pas à brûler sa femme dans un incendie… Pourtant, ce serait absolument logique avec son plan de match.

Il doit lui parler. Mais c'est hasardeux : si elle n'a pas l'intention de tuer Alexandra, cette discussion pourrait lui en donner l'idée. Tant pis, il n'a pas le choix. Il l'appelle, mais il tombe sur sa messagerie : elle fait sans doute exprès pour ne pas lui répondre. Et pas question qu'il laisse dans sa boîte vocale un autre message qui pourrait lui nuire ! Il raccroche donc. Et de toute façon, croit-il vraiment que son intervention serait suffisante pour qu'elle modifie ses projets ? Il a essayé plusieurs fois de la raisonner auparavant, toujours en vain. Cette démente est convaincue qu'elle aide réellement Michaël.

Et jusqu'à maintenant, elle n'a pas vraiment eu tort.

Il pousse le fauteuil jusqu'à la fenêtre. Il n'a pas le choix : il n'arrivera pas à dormir en sachant que Wanda peut apparaître à tout moment.

Pourtant, dans un incendie, tu peux mourir toi aussi, non ?

Oui, mais dans le roman de Michaël, Dumas est témoin du sinistre et tente vainement de sauver sa femme. Wanda est assez dingue pour courir le risque.

Et Hubert ?

Il secoue la tête en gémissant. Criss ! il ne va quand même pas passer le reste de ses nuits à surveiller les alentours de sa demeure ?

La police. Seule solution raisonnable. Mais appeler la police signifie accepter sa propre perte.

Il fixe les ténèbres extérieures, comme s'il contemplait son propre avenir.

◆

Au milieu des décombres de sa maison, Alexandra flambe comme une torche, debout, illuminant la nuit autour d'elle. À travers le feu qui mord les chairs, Michaël, assis devant elle, distingue parfaitement sa bouche noire hurlante, ses pupilles qui éclatent, la souffrance et l'incompréhension de ses traits cramoisis. Et malgré l'horreur que ressent l'auteur, il ne peut s'empêcher d'écrire la tragédie qui se déroule sous ses yeux.

— Je suis désolé! crie-t-il à sa femme qui s'agite telle une marionnette enflammée. Je suis désolé, désolé, désolé!

Et il pleure, et il gémit, mais il n'arrête pas d'aligner les mots et, bon Dieu! que cette scène va être bonne! La meilleure qu'il aura jamais produite! Et il entend la voix de Wanda, près de son oreille, qui marmonne:

— C'est douloureux, mais ça vaut la peine, hein, *partner*?

Il s'éveille en sursaut: il est toujours dans le fauteuil, près de la fenêtre. La dernière fois qu'il a consulté sa montre, il était quatre heures moins quart du matin. Il est maintenant cinq heures dix. Il a dormi une heure et demie! Ce qui aurait donné amplement le temps à Wanda de venir foutre le feu à la maison!

Mais ce n'est pas arrivé, criss de parano, alors du calme!

Il se met sur pied, fébrile malgré la fatigue. Il n'a même pas pu résister totalement au sommeil pour une seule nuit! Et aujourd'hui? Car sa conjointe bosse toute la journée à la clinique: même si, dans le roman, la tragédie a lieu au domicile du couple, rien n'empêche que Wanda déclenche le feu dans le milieu de travail d'Alexandra. Que l'incendie frappe à un endroit ou un autre ne changera rien.

Il enfonce ses poings contre ses yeux en gémissant. Il doit trouver une solution. Aller la menacer sur son lieu de travail ? La supplier ?

La tuer ? Malgré toutes les preuves qu'elle possède sur lui ?

Réfléchir, prendre le temps de réfléchir. Mais s'il reste à la maison tout le week-end, Alexandra s'en ira ailleurs pour la fin de semaine, elle le lui a dit.

Ce qui n'est peut-être pas une mauvaise chose...

Il se rassoit lentement. Une idée commence à prendre forme.

◆

Michaël lui explique son idée pendant le déjeuner et, tandis qu'elle termine son café, Alexandra réfléchit, comme si l'idée faisait son chemin. Ses yeux cernés indiquent qu'elle a peu dormi elle aussi. Michaël insiste :

— Écoute, ça fait des mois que ta sœur t'invite à passer un week-end chez elle, à Laval, c'est le moment parfait, non ? Tu veux être tranquille pour réfléchir, sortir de ton quotidien pour voir clair sur notre situation, ce serait l'occasion. Tu pourrais laisser Hubert chez tes parents, ils adorent l'avoir une couple de jours. Et tu pourrais te confier à elle...

Alexandra grimace.

— Non, j'ai pas envie de lui raconter nos problèmes, Lisette est tellement intense... Mais c'est vrai que ça me permettrait de réfléchir avec une certaine distance, loin de la maison...

Michaël attend, pianotant de sa main libre sur le bord de la table, puis il a le soulagement de l'entendre répondre sur un ton mitigé :

— Oui... Oui, pourquoi pas... Mais à la dernière minute, je sais pas si elle sera disponible...

— Voyons, elle a rien d'autre à faire dans la vie ! Appelle-la dès ce matin.

— OK. Je te tiens au courant.

Peu après, devant la porte d'entrée, alors qu'elle est sur le point de partir au boulot, ils se retrouvent l'un près de l'autre, mais n'osent se toucher.

— T'as vraiment l'air magané, remarque-t-elle.

Il n'a aucune difficulté à la croire. Il se contente d'esquisser un léger sourire sans joie et de lui prendre la main. Devrait-il l'embrasser ? Embarrassée, elle semble se poser la même question. Finalement, ils échangent un baiser, les lèvres fermées, mais avec une sincère affection. Enfin, elle sort.

Une demi-heure plus tard, Michaël amène Hubert à la garderie et, avant de repartir, lui fait un très long câlin, ému aux larmes. Une fois dans sa voiture, il réfléchit. Croit-il vraiment que Wanda va venir foutre le feu à la clinique d'orthodontie en plein jour ? Pourtant le but est qu'il soit témoin de l'incendie... Mais elle est assez folle pour tout filmer et le lui montrer par la suite. Donc, aucun risque à prendre : il roule vers la clinique de sa femme, gare sa Spark au fond du stationnement et surveille le bâtiment en buvant du café à même le thermos pour se garder réveillé. De toute façon, ce n'est que pour un court moment, le temps de se faire confirmer certaines choses.

Michaël se frotte les yeux. Bon Dieu, que s'est-il passé au cours des dernières années ? Que lui est-il arrivé ? Il a l'impression de marcher sur un chemin qui s'effondre sur son passage, d'abord plusieurs mètres derrière lui, puis de plus en plus près, et que l'accélération est telle que cet écroulement menace d'apparaître sous ses pieds avant même qu'il puisse accomplir le pas suivant.

À neuf heures quarante-cinq, sa femme l'appelle et lui confirme que c'est arrangé avec sa sœur. Elle l'attend ce soir même. Alexandra quittera donc un peu plus tôt le travail aujourd'hui, s'occupera de reconduire Hubert chez papy et mamy puis filera chez sa sœur par la suite, à Laval. Michaël retient un soupir de soulagement, puis dit qu'il partira à Québec en début d'après-midi. Il veut ajouter « je t'aime », se demande à nouveau si c'est vrai, et finalement souffle :

— Je tiens à toi, Alex. Vraiment.

— Moi aussi.

La voix de sa femme vacille et elle raccroche avant de pleurer. Parfait : Alexandra sera en sécurité tout le week-end, c'est l'essentiel. Car le but de tout cela est de prendre le temps de réfléchir et de trouver une solution. Évidemment, il pourrait demeurer à la maison, mais s'il ne va pas au Salon, ce sera louche auprès du milieu littéraire : Mike Walec, collègue et ami de Vallières, n'est pas là pour lui rendre hommage ? Il est vrai que Walec agissait de manière étrange, depuis quelque temps, et qu'il démontrait une certaine froideur envers Hugo, pour ne pas dire de l'hostilité. Étrange, non ? Et, comme par hasard, il n'est pas présent pour l'hommage ? Il est malade ? Quel hasard ! Et tout cela après l'étrange entrevue qu'il a donnée à Radio-Canada avec son éditeur...

Non, il ira au Salon et prendra le temps de réfléchir : il ne sortira de sa chambre d'hôtel que pour ses séances de signatures et pour l'hommage à Hugo. Le reste du temps, il cherchera une solution. De toute façon, personne n'aura la tête à la fête. Et puis, Wanda réalisera bien qu'il n'y a personne chez lui, elle ne mettra pas le feu à une maison vide. Mieux encore : elle croira que Michaël, par sécurité, a emmené Alex avec lui à Québec.

Mais avant que lui et sa femme ne reviennent à Joliette dimanche, il aura trouvé une solution.

Avant de partir à Québec, il doit cependant s'assurer que Wanda n'aura aucune idée de l'endroit où sera Alexandra.

À dix heures treize, il s'engouffre dans une cabine téléphonique et compose un numéro.

— Électro Garnier, bonjour?

Il reconnaît la voix de Wanda et raccroche, en se félicitant de sa prudence. Contrairement à hier, il ne veut pas lui parler, du moins tant qu'il n'aura pas une solution solide. Le but de cet appel était de s'assurer qu'elle se trouvait au boulot. Il peut donc cesser de surveiller la clinique.

Quarante minutes plus tard, il est à Montréal, garé près du magasin d'électronique, et ne quitte pas le commerce des yeux. À midi, Wanda sort et s'éloigne, ses écouteurs sur les oreilles. Elle est habillée d'un jeans et d'une blouse blanche, porte son éternelle queue-de-cheval juvénile et Michaël songe encore une fois à quel point elle paraît totalement inoffensive. Elle entre dans un fast-food et Michaël, toujours dans sa Spark, en profite pour manger un sandwich qu'il a acheté en chemin. À treize heures, la meurtrière retourne travailler. Tandis que les heures s'allongent avec une lenteur désespérante, Michaël se demande comment les détectives privés, qui passent leurs journées à épier différents endroits, ne deviennent pas totalement lobotomisés par l'ennui.

À dix-sept heures dix, Wanda monte dans sa Honda garée dans une petite rue parallèle et démarre. Michaël la suit, soudain inquiet, et, utilisant son système mains libres, il appelle sa femme.

— Tu es en route vers chez ta sœur?

— Je viens tout juste d'aller reconduire Hubert chez mes parents, il était vraiment content.

— Et là, tu fais quoi ?

— Je fais ma valise, je pars dans quinze minutes. Tu me surveilles ou quoi ? On s'est dit qu'on se laissait du temps sans se contacter pour réfléchir, tu...

— Tu as raison, désolé. Bon week-end.

Il coupe. Devant lui, Wanda emprunte un itinéraire qui, jusqu'à maintenant, pourrait très bien la mener à la métropolitaine. Si elle se rend directement à Joliette, Alexandra aura tout le loisir de quitter la maison avant son arrivée, mais il ne veut courir aucun risque. Ils atteignent le quartier Parc-Extension, la Honda s'engage dans une rue tranquille et s'arrête devant un petit immeuble vétuste. Michaël se gare un peu plus loin et regarde dans le rétroviseur. Il voit Wanda sortir de sa voiture et entrer enfin dans l'édifice par l'une des deux portes.

Michaël s'extirpe de sa Spark et s'approche. La faible neige tombée la veille a déjà disparu de la chaussée. L'immeuble est un duplex miteux, détaché des deux bâtiments qui l'encadrent. La première porte mène à une boutique de vêtements qui, si l'on se fie à la vitrine, ne suit pas la mode depuis au moins dix ans. La seconde porte monte à l'étage. En consultant les adresses, Michaël comprend que la boutique occupe tout le rez-de-chaussée et qu'il n'y a qu'un seul appartement en haut. Il recule de quelques pas et lève la tête vers les fenêtres sales. C'est donc là qu'habite Wanda.

Va-t-elle passer la soirée chez elle ? Peut-être n'est-elle venue que pour récupérer un bidon d'essence avant de repartir dans quelques minutes vers Joliette...

Michaël retourne dans sa voiture et attend. Mais au bout d'une heure, Wanda n'a toujours pas quitté l'immeuble. L'écrivain prend son cellulaire, veut appeler sa femme, puis songe que cela la mettrait en

rogne. Il cherche le numéro de Lisette Parent, sa belle-
sœur, puis le sélectionne. On répond après deux
coups.

— Salut, Lisette, c'est Michaël. Alexandra est chez
toi ?

— Oui, depuis une dizaine de minutes. Je te la
passe ?

— Non, non, je voulais juste… C'est parfait, merci.
Je vous souhaite un bon week-end.

— Ah ? Heu, merci, Michaël… Toi aussi…

Il interrompt la communication en poussant un long
soupir de soulagement. Le soleil disparaît derrière
les immeubles. Alors qu'il a la main sur la clé, prêt à
mettre le moteur en marche, il lance un dernier coup
d'œil sombre vers le duplex… puis plisse les yeux.
L'appartement de Wanda est là, devant lui, sans voisins.
Et dans ce logement se trouvent toutes les preuves
qu'elle possède contre lui : les recherches de Dubuc,
les photos tandis qu'il tuait Hugo…

Mais Wanda est trop prudente : elle doit avoir des
copies de tout cela un peu partout, sur son ordinateur
au travail, sur iCloud ou ailleurs…

Il pourrait aller lui parler, maintenant… mais pour
lui dire quoi ? Il regarde autour de lui, en essuyant sa
bouche comme si ses lèvres goûtaient une saleté.

*Tu as voulu prendre le week-end pour penser à
une solution intelligente, alors n'agis pas sous une
impulsion.*

Il met le moteur en marche et la Spark reprend la
route. Une fois sur la 40, il contacte Benoît et dit qu'il
ne pourra être là pour la séance de signatures de dix-
neuf heures : il vient juste de quitter Montréal, retenu
par une obligation familiale. L'exposant, contrarié, lui
rappelle son absence de dimanche dernier au Salon
de Trois-Rivières, et Michaël se confond en excuses.

— Mais en fin de semaine, je serai à toutes mes séances, promis.

Il coupe le contact et fixe le chemin, qui s'assombrit de plus en plus.

Relaxe, maintenant. Alexandra est en sécurité chez sa sœur, alors relaxe.

À nouveau, il se demande si cette bouffée de tendresse qu'il ressent pour sa femme est provoquée par l'amour ou la culpabilité.

Il s'engage dans une sortie qui annonce un restaurant. Il est affamé et il doit boire un café s'il veut se rendre jusqu'à Québec sans s'endormir au volant.

◆

Sur la route vers Québec, il réfléchit à différentes solutions. Prévenir la police étant synonyme de s'inculper lui-même, il rejette définitivement cette idée. Peut-être qu'il pourrait rencontrer Wanda dès dimanche soir (quitte à se rendre directement chez elle si elle persiste à ne pas répondre à ses appels) pour lui annoncer qu'il a eu une autre idée et que finalement, la femme de Dumas ne mourra pas, ni dans un incendie ni ailleurs. Et pour être certain qu'elle le croie, il pourrait effectivement écrire une nouvelle scène. Mais cela ne règle pas tout. Cette solution sauve Alexandra mais ne le débarrasse pas de Wanda. Il revient donc à l'idée de la tuer, mais comment s'assurer d'effacer toutes les preuves contre lui, peu importe où elles se trouvent? Il connaît un type, Langlois, un crac de l'informatique qui a écrit un bouquin là-dessus. Il sera au Salon ce week-end, il pourrait peut-être l'aider. Michaël pourrait lui poser des questions, mine de rien…

Bon Dieu, il est trop fatigué pour réfléchir clairement. Il doit allumer la radio au maximum pour ne pas s'endormir.

Vers vingt et une heures quarante-cinq, lorsqu'il entre au Hilton, l'hôtel à côté du Centre des congrès de Québec où se déroule le Salon, il espère ne tomber sur aucune connaissance. Il s'enregistre au comptoir puis, évitant le bar de l'hôtel, s'élance vers les ascenseurs, s'engouffre dans l'un d'eux et appuie sur 6. Au moment où les portes se ferment, un homme se glisse à l'intérieur de justesse et choisit le cinquième étage. Il s'agit de Jérémie Marineau, toujours aussi échevelé, et, quand il reconnaît Michaël, sa bouche forme une moue condescendante.

— Tiens, monsieur Walec…

— Bonsoir, grommelle Michaël, bourru.

— Vous n'avez pas l'air en forme.

L'écrivain garde le silence. L'autre ajoute :

— C'est dur, vendre moins de livres, n'est-ce pas ?

Michaël le foudroie des yeux. Ce guignol n'a donc aucun filtre ? Marineau, les mains croisées devant lui, soutient son regard avec un sourire triomphant.

— Et vous, Jérémie, les infirmiers de l'hôpital psychiatrique vous ont toujours pas retrouvé ?

— La bête que vous avez créée, vous et les autres vendeurs du temple, et que vous nourrissez aveuglément, est sur le point d'éclater. L'industrie tremble et vous le savez.

Michaël soupire en secouant la tête. Le mieux est de ne pas lui répondre. La porte de l'ascenseur s'ouvre et Marineau sort sans un mot. Michaël l'envoie mentalement se faire foutre.

Cinq minutes plus tard, il est dans sa chambre et contemple, par la fenêtre, le château Frontenac qui se découpe au loin dans la nuit. Il imagine les copains qui prennent un verre quelque part dans la rue Saint-Jean ou dans le quartier Saint-Roch, soirée sans doute marquée par le sceau de la tristesse et hantée par le fantôme de Hugo…

S'ils savaient que l'assassin est un des leurs…

Jérémie Marineau l'a traité de « nourrisseur de la bête », tout à l'heure. Il n'arrive pas à s'arracher cette image de la tête.

Ne pense pas à ça. Alexandra est en sécurité, c'est l'essentiel pour l'instant.

Il commence à défaire sa valise.

16

Lorsqu'il se réveille, Michaël constate avec étonnement qu'il est dix heures trente. Heureusement, sa séance de signatures n'est qu'à quatorze heures. Vers onze heures trente, alors qu'il est douché et habillé, il recommence à s'inquiéter pour Alexandra et tente de se raisonner : impossible que Wanda découvre qu'elle est chez sa sœur.

Elle a pourtant bien découvert que Hugo écrivait à son chalet…

Ce n'est pas pareil : Hugo est une vedette, il a sans doute déjà parlé de son chalet en entrevue… Tout de même, Michaël angoisse. Il trouve rapidement une cabine téléphonique dans l'hôtel et appelle chez Électro Garnier. C'est un jeune homme blasé qui prend la ligne. L'auteur demande si Wanda est là et on lui répond qu'elle ne commence qu'à treize heures. Michaël ne peut donc s'empêcher d'envoyer un texto à sa femme :

« Ça va ? »

Vingt minutes s'allongent avant qu'elle ne réponde :

« Pas pire. Inquiète-toi pas pour moi, Michaël. On se reparle dimanche, d'accord ? »

Aux alentours de midi, il jette un coup d'œil vers le restau-bar, souhaitant ne connaître personne afin de manger un morceau, mais évidemment quelques amis lui font signe et il doit les rejoindre. Pendant près d'une heure, il écoute ses collègues partager leur désespoir et leur incrédulité, en s'interrogeant sur les raisons d'un tel carnage.

— Il paraît que le meurtrier a écrit que ceux qui vivent par la violence meurent par la violence, rappelle l'auteure Geneviève Jannelle.

— Ouin, ça vous fait pas peur, ça, tous les deux ?

C'est Martin Balthazar, vice-président du groupe d'éditions Ville-Marie, qui pose la question à l'auteur François Lévesque et à Michaël. Lévesque, qui évolue aussi dans le roman noir, secoue la tête.

— C'est un cas isolé. Faut pas s'empêcher d'écrire pour ça.

— Toi, Mike ? demande Balthazar.

Michaël fixe son assiette à peine entamée.

— Mike ? insiste Roxanne Bouchard. T'es avec nous ?

— Hein ?… Je… je sais pas, c'est… François a raison, faut pas se laisser intimider. Sinon, la disparition de Hugo serait gratuite et inutile. Moi, je veux que cette mort-là devienne une motivation, qu'elle serve mon écriture.

Il regrette ses paroles, mais il s'étonne de voir tous les visages approuver silencieusement. India Desjardins marmonne, touchée :

— C'est beau, ce que tu dis, Mike… Hugo serait content.

Tous les autres hochent la tête et Michaël doit se mordre les lèvres pour ne pas éclater de rire, un rire qui sonnerait tellement incongru et malsain que lui-même préfère ne pas l'entendre. Il se lève, sort un vingt dollars de sa poche et le jette près de son assiette :

— Ouf! je viens de voir l'heure et j'ai des trucs à faire. Allez, à plus!

Il s'éloigne et monte dans sa chambre. Là, il tente de rédiger un petit mot pour l'hommage de Hugo qui aura lieu ce soir, mais en vain. Il recommence plutôt à songer à un moyen de se débarrasser de Wanda sans danger pour lui. Premièrement, il pourrait rencontrer Langlois, comme il y a songé hier. Mais comment lui poser des questions sur le piratage informatique sans avoir l'air louche? Il pourrait prétendre que c'est de la recherche pour un roman en cours. Oui, pas mal... Il essaiera de lui parler dès ce soir...

Quatorze heures moins dix. Il doit aller signer... C'est la dernière chose au monde dont il a envie.

Sans enfiler de manteau (le Centre des congrès n'est qu'à trente mètres de l'hôtel et le printemps explose de douceur), il traverse au Salon du livre. Au kiosque de Parallèle, Benoît, atterré par la mort de Hugo, ressemble à un zombie et répond aux visiteurs d'une voix mécanique. Les rares lecteurs qui viennent rencontrer Michaël en profitent pour partager leur désolation face à la tragédie.

— Il était tellement bon! Le meilleur!

Michaël approuve, le visage sombre. Il songe toujours à son projet de tuer Wanda. Comment s'y prendra-t-il? Couteau? Étranglement? En sera-t-il capable? Criss! comment peut-il en douter après avoir tué Hugo avec... de manière si atroce?

À un moment, Charles s'approche.

— T'as préparé un petit hommage pour ce soir, j'espère?

Michaël hésite, puis répond par l'affirmative. Charles hoche le chef, distant et froid, puis tourne les talons sans un mot. Manifestement, depuis leur dernière rencontre à Radio-Canada, il ne voit plus son auteur du même œil.

Michaël entend d'autres visiteurs affirmer à Benoît que Hugo était leur auteur préféré et, chaque fois, il ne peut s'empêcher de serrer les poings. Quand il sortira son nouveau roman, on verra bien qui est leur auteur préféré !

Mais s'il tue Wanda, comment terminera-t-il son roman ?

Il fronce les sourcils et se tord les mains, embêté. Peut-être devrait-il changer uniquement la scène de son roman, comme il y a d'abord songé hier ? Ce ne serait plus la femme de Dumas qui mourrait, mais quelqu'un d'autre. Ainsi, Wanda pourrait…

Il cligne des yeux et cesse de respirer.

Bon Dieu, est-ce que tu réalises à quoi tu es en train de penser ?

Au même moment, il entend une femme expliquer à Benoît, pendant qu'elle achète un bouquin de Hugo :

— C'est le seul auteur que je lisais, vous imaginez ?

Michaël, derrière sa table de signatures, pivote la tête vers elle et lâche d'un ton tranchant :

— Oui, mais là, il est mort, alors va falloir commencer à lire d'autres écrivains !

Offusquée, la lectrice s'empresse de s'éloigner, tandis que Benoît, contenant difficilement sa colère, propose d'un ton polaire :

— Je pense que tu peux arrêter ta séance tout de suite, Mike. Il reste juste dix minutes de toute façon…

Sans même s'excuser, Michaël lève le camp. Comme c'est samedi après-midi et que le Salon est surpeuplé de visiteurs, il a du mal à se faufiler entre les hommes, les femmes et les enfants qui envahissent les allées. À un moment, la mascotte Monsieur Propropre l'intercepte et fait mine de lui essuyer le visage avec sa sempiternelle guenille. Michaël le pousse brutalement en maugréant un « Décrisse, ostie ! », ce qui lui vaut une dizaine de regards scandalisés. Mais l'auteur n'en a cure et poursuit son chemin, les oreilles bourdonnantes. Il passe devant l'une des petites scènes du Salon et aperçoit Lee-Ann qui met en place sa présentation des bouquins publiés chez Persona. Elle le reconnaît dans la foule et lui fait signe d'approcher. Après hésitation, il s'exécute.

— Tu t'en vas signer ?

— Non, je viens de finir...

Elle replace une mèche de ses cheveux noirs en regardant autour d'elle pour s'assurer qu'aucun collègue ne les entend, puis :

— Écoute, j'aimerais ça qu'on se parle... À propos de ce que tu m'as dit, cette semaine, au bureau.

Elle ajoute :

— À propos de nous deux...

Merde, tout va trop vite, tout arrive en même temps...

— Oui, mais pas maintenant, je...

— Je peux pas maintenant moi non plus, je fais ma présentation dans cinq minutes... Mais je te texte plus tard...

— OK.

Elle sourit, puis retourne à ses préparatifs. Michaël marche vers la sortie du Salon, confus. En quelques jours, ses sentiments totalement chamboulés vis-à-vis d'Alexandra l'ont amené à se demander si, au fond, il n'aimait pas toujours sa femme, et il n'a fallu que deux minutes en présence de sa maîtresse pour remettre toutes les pièces du puzzle aux bons endroits : il aime Lee-Ann, inutile de se mentir là-dessus. Il a cette fille dans la peau depuis qu'il l'a revue il y a six ans... En fait, il l'a dans la peau depuis qu'il l'a rencontrée à l'université il y a vingt ans. C'est aussi simple et aussi dingue que ça.

Et tu réalises tout cela pendant qu'Alexandra est en danger...

Non, non, merde ! elle est en sécurité chez sa sœur. Pour se le prouver, il attrape son cellulaire et, tout en composant le numéro d'Alexandra, franchit la sortie du Salon et se retrouve dans le très long hall d'entrée où la foule des visiteurs va et vient dans un joyeux brouhaha. L'appareil contre l'oreille, il se dirige vers les grandes fenêtres qui donnent sur la basse-ville et a la satisfaction d'entendre sa femme répondre presque aussitôt.

— Tu respectes pas le contrat, Michaël, on est pas supposés se parler.

Mais il perçoit bien de l'apaisement dans sa voix, sans doute rassurée que son mari ressente le besoin de la contacter si souvent. La culpabilité reflue en lui, telle la bile d'une mauvaise digestion.

— Je voulais savoir si tout allait bien.

— Oui, très bien.

— T'as parlé à Lisette de nous deux ?

— Non, je t'ai dit que je le ferais pas... De toute façon, elle est trop occupée à regarder par la fenêtre depuis ce matin.

— Heu... De quoi tu parles ?

Alexandra prend un ton vaguement amusé et il comprend qu'elle s'adresse autant à lui qu'à sa sœur, sûrement pas très loin d'elle.

— Ce matin, elle a vu une voiture s'arrêter devant la maison pendant une dizaine de minutes. La voiture est repartie, mais là, Lisette se demande qui c'était et surveille la rue. Hein, Liz ? Si tu vois l'auto, appelle la police, hein ? Ben oui, je ris de toi, qu'est-ce que tu penses ?

Un léger vertige souffle sur Michaël. Il tente de se convaincre qu'il est provoqué par le panorama en hauteur de la basse-ville qui s'étend à ses pieds.

— Une voiture ? Quel genre de voiture ?

— Comment tu veux que je le sache ! T'es aussi parano que ma sœur ou quoi ? Écoute... (elle devient plus sérieuse) je te laisse et on se voit demain. Je... je t'embrasse.

— Je... je t'embrasse aussi, dit-il d'une voix incertaine.

Elle coupe, mais il garde le cellulaire contre son oreille, planté devant la grande vitre. Une automobile que Lisette ne replace pas, alors qu'elle habite dans un petit quartier de banlieue où elle connaît à peu près tout le monde. Mais ça ne signifie rien, ça peut être un visiteur ou un voisin qui s'est acheté une nouvelle automobile. Sa belle-sœur a toujours eu beaucoup d'imagination. Et puis, Wanda ne peut pas savoir qu'Alex est là-bas.

Pour se donner bonne conscience, il appelle chez Électro Garnier. Il enfonce la main gauche dans sa poche et poursuit sa contemplation de la basse-ville, en feignant une allure décontractée pendant qu'il tente d'ignorer la peur qui ricane dans son ventre. Une voix d'homme âgé répond.

— Oui, bonjour, est-ce que Wanda travaille aujourd'hui ?

— Elle devait être ici à treize heures, oui, mais elle est toujours pas arrivée.

La grande fenêtre semble tout à coup se teindre, comme des lunettes fumées... à moins que ce ne soit un nuage qui croise le soleil... Pourtant, le ciel est bleu à perte de vue.

— OK, je vous remercie...

Tandis qu'il range son téléphone dans sa poche, il se rend compte qu'il s'est mis en mouvement, sans même l'avoir décidé de manière consciente. Il marche vers la sortie du bâtiment d'un pas un peu trop rapide. Il se faufile entre les innombrables visiteurs, tout en tentant de se raisonner. C'est un hasard, juste un hasard. Wanda n'est pas au boulot parce qu'elle a une indigestion et la voiture arrêtée devant la maison de Lisette peut être n'importe qui. Pourtant, ses pas augmentent de vitesse à la même cadence que son rythme cardiaque.

Tu vas faire quoi ? Rouler pendant trois heures jusqu'à Laval ? Ça donne le temps à Wanda de brûler le quartier au complet !

Dehors, il court vers l'entrée du Hilton.

Appelle la police !

Et s'il se trompe ? Comment justifiera-t-il tout cela aux flics ? Et à Alexandra ?

De la marde ! Appelle la police !

Il se plante devant le voiturier de l'hôtel et sort déjà son téléphone en exigeant d'une voix fébrile :

— Je veux ma voiture.

— Vous avez votre ticket ?

Michaël, sur le point de composer le 9-1-1, lève la tête.

— Mon… ? Non, non, il est dans ma chambre.

— J'ai besoin de votre ticket, monsieur.

— Écoutez, c'est une Chevrolet Spark, grise…

De sa main libre, il tend ses clés vers le voiturier. Ce dernier ne les prend pas et a un sourire conciliant.

— Désolé, monsieur, sans le ticket, je…

— Criss, une Spark grise ! Je vais descendre avec vous au parking pour…

Son cellulaire, qu'il tient toujours dans sa main droite, sonne. Surpris, il consulte l'afficheur : c'est Wanda ! Il s'éloigne de quelques mètres de l'entrée de l'hôtel puis répond, déployant un effort suprême pour ne pas crier.

— Je vais appeler la police, Wanda, t'entends ? Alors vire de bord tout de suite parce que les flics seront là dans dix minutes !

Très court silence, puis la voix de l'ex-détenue, étrangement assourdie, comme si elle parlait à travers un filtre :

— Bonjour, Michaël. Toute une façon de répondre.

— Si tu touches à ma femme, je... tu... Je suis sérieux, Wanda : je raccroche et je préviens la police à l'instant !

— Ah ! Ta femme !... C'est ça qui te chicote ! Je trouvais que t'avais l'air bizarre en câline à ta séance de signatures, aujourd'hui...

Il cligne des yeux, hébété, et tourne sur lui-même en regardant vers l'entrée du Centre des congrès, à une trentaine de mètres, où circulent des dizaines de personnes.

— T'es... T'es à Québec ? Au Salon ?

— Je me doutais ben que tu saisirais mal mes intentions. Je l'ai compris quand je t'ai vu, hier soir, devant mon appartement. Pas génial comme quartier, hein ? Mais quand on a pas d'argent...

Il garde le silence, estomaqué d'avoir été déjoué si facilement. Wanda reprend :

— Mais j'avoue que ta mauvaise interprétation de la situation m'a aidée... Pis au bout du compte, ça va t'aider toi aussi. Oublie pas, Michaël : tout ça, je le fais pour notre livre...

Il avance de quelques pas, toujours en tentant de dénicher Wanda dans la foule, entreprise aussi absurde que de trouver un ami dans un stade de baseball.

— Mais de quoi tu parles, criss ?

— Ton flic psychopathe dans ton manuscrit, Dumas, qui voit sa femme mourir dans un incendie au début de l'histoire...

— Oui, j'ai compris ce que tu veux faire ! J'ai compris en ostie !

— Michaël, Michaël...

Son ton est à la fois maternaliste et désolé.

— Si Dumas est traumatisé en regardant sa femme brûler, c'est pas parce que c'est son épouse... c'est parce que c'est la fille qu'il aime le plus au monde.

Agacé, il ouvre la bouche pour lui demander où elle veut en venir, mais il se tait et s'immobilise, le téléphone sur l'oreille. Quelque chose se déplace en lui, comme un rail de chemin de fer que l'on alignerait sur une autre voie, et le cliquetis produit par la manœuvre lui déchire la cage thoracique. La voix grave de Wanda articule :

— Pense au roman, Michaël.

Elle coupe la communication.

Michaël tente de ranger d'un mouvement incertain son cellulaire dans sa poche, doit se reprendre trois fois avant d'y parvenir, puis se met en marche vers le Centre des congrès, le visage blanc, d'abord d'un pas normal, puis de plus en plus rapide. Il rejoint la foule, se fraie un chemin, puis commence à bousculer les visiteurs qui le dévisagent, outrés. Il ne s'excuse pas, au contraire : il accélère le pas, le souffle court. À la guérite, il montre son laissez-passer, puis se met à courir, les traits si inquiets qu'on s'écarte sur son passage. Bon Dieu ! que la porte de la salle d'exposition est loin ! Quelle idée aussi de construire un hall si long ! Enfin, il entre dans le Salon, rempli à craquer, et il ne peut s'empêcher de pousser un juron en apercevant cette mer humaine qui s'étend devant lui telle la lave en fusion d'un volcan. Il plonge et recommence à bousculer des gens, tandis que sa voix intérieure tente de le raisonner : Lee-Ann est en train de livrer sa présentation de bouquins, il ne peut rien lui arriver en ce moment même !

N'empêche, *si Wanda t'a appelé maintenant, ce n'est pas pour rien ! C'est pour que tu t'inquiètes et que tu accoures ! Pour que tu sois témoin !*

Sa respiration est haletante et les battements de son cœur l'assourdissent. Quand même, pas ici ! Pas en plein Salon !

Au-dessus de la foule, à une cinquantaine de mètres, il distingue enfin la petite scène devant laquelle sont rassemblés une trentaine de curieux et sur laquelle Lee-Ann exhibe un livre de Persona tout en parlant dans un micro-casque. Tout va bien : elle livre sa performance comme d'habitude, elle maîtrise la situation. Pourtant, il suffoque presque et il continue à se creuser un chemin pour s'approcher tandis qu'il entend peu à peu, perçant le brouhaha général, la voix de l'Asiatique sortir des modestes haut-parleurs :

— … c'est le premier roman de cet auteur qui possède déjà un univers unique dans le paysage littéraire québécois et qui…

Alors que Michaël est à une quarantaine de mètres de sa maîtresse, la mascotte Monsieur Propropre grimpe sur la scène et, tout en gambadant de manière enfantine, sa grosse tête de plastique figée dans son perpétuel sourire, il envoie la main aux gens en brandissant son vaporisateur et sa guenille. L'assistance rigole tandis que Lee-Ann, avec un sourire crispé, articule :

— Ah, on a de la visite, on dirait… Bon, alors, comme je disais…

Mais Monsieur Propropre, loin de repartir, projette de légers jets d'eau sur Lee-Ann. Les gens rient encore plus fort, mais on comprend que la directrice commerciale déploie de grands efforts pour ne pas se fâcher.

— Merci, monsieur Propropre, mais j'ai pris ma douche ce matin… Maintenant, j'ai une présentation à faire, d'accord ?

Mais la mascotte asperge maintenant les livres et le mur en toile. Michaël voit alors Lee-Ann porter ses bras à son nez et froncer les sourcils, comme s'ils dégageaient une drôle d'odeur... et il remarque que Monsieur Propropre, juste avant de descendre de la scène, fouille dans sa poche... et il note que malgré la salopette ample du personnage, sa silhouette est plutôt féminine, tout comme ses mains...

Cette fois, la peur en lui ne se contente pas de s'aligner sur une autre voie : elle déraille complètement, en produisant un affreux grincement qui se décline en un cri bref :

— Lee !

Au même moment, Monsieur Propropre lance un Zippo allumé au sol. Une langue de feu suit le chemin de l'essence sur le plancher et s'allonge à toute vitesse vers Lee-Ann qui, ahurie, lève un visage affolé vers la foule, vers cette voix qui l'a interpellée. Pendant une seconde, son regard et celui de son amant se rencontrent, une seconde d'atroce compréhension et de désespoir ultime.

Puis Lee-Ann se transforme en torche humaine.

Michaël hurle et se propulse vers l'avant comme s'il tentait de transpercer un mur de briques, mais l'assistance, effrayée, recule en poussant des cris, et l'écrivain est emporté dans le mouvement arrière. En jurant, il résiste, menace, frappe et, péniblement, se remet à avancer, insensible aux coups de coude que lui assènent aveuglément les spectateurs en déroute que deux gardiens de sécurité n'arrivent pas à contrôler. Malgré la confusion et sa vision trouble, il voit Lee-Ann, ou plutôt cette silhouette enflammée qui hurle et tourne sur elle-même, tandis que le feu s'attaque maintenant à la pile de livres. Mais Michaël continue de lutter : il refuse de croire qu'il est trop tard ! Il va sauter sur la scène et recouvrir Lee de la grande toile ! Et elle guérira ! Elle sera brûlée, mais... Alors qu'il atteint presque son but, la toile s'embrase à une vitesse prodigieuse en produisant un souffle sombre et victorieux mêlé à la rumeur qui s'élève de plus en plus dans la salle. L'intensité est telle que l'auteur, sur le point de bondir, recule de quelques pas en se protégeant le visage et en vociférant des « non » hystériques. Le flambeau humain s'agite toujours, mais lentement, oscille sur place en effectuant des mouvements de plus en plus erratiques, puis s'écroule sur les genoux. Elle ne crie plus, le feu ayant sans doute envahi sa bouche. Michaël croit apercevoir à travers les flammes (mais peut-être l'horreur le fait-elle délirer) les traits de Lee-Ann, qui, malgré les chairs qui fondent et s'écoulent en bouillonnant, expriment la plus insupportable des souffrances. Cette vision enlève le peu de bon sens qui reste à l'écrivain et, tout en repoussant un gardien qui tente de le retenir, il commence à grimper sur l'estrade incandescente. Au même moment, les tréteaux qui tenaient les toiles et les panneaux s'affaissent en produisant une explosion d'étincelles qui s'élèvent et s'éparpillent partout. Soufflés, Michaël et le gardien sont propulsés vers l'arrière et atterrissent au sol. L'écrivain se dégage du gardien inconscient qui le recouvre et se relève d'un bond, ignorant la douleur aiguë dans le bas de son dos. Quelque chose de chaud grésille sur sa tête et, en s'en rendant à peine compte, il se frappe le crâne à deux mains pour éteindre les langues de feu qui couraient dans sa chevelure. Devant lui, la scène n'est plus que ruines au cœur desquelles il croit reconnaître la forme de son amante, gisant sous les décombres. Il fixe la catastrophe, anéanti, et inconsciemment, un moteur intérieur se met en marche, comme pour enregistrer tout ce qu'il voit, tout ce qu'il ressent. Pour la première fois, il remarque les effluves de chair grillée et grimace, dégoûté autant par l'odeur que par l'idée qui lui traverse l'esprit.

Le camping! Wanda avait raison : ça sent le feu de camping!

La peau de son visage et de ses bras chauffe avec une telle intensité qu'il n'a d'autre choix que de reculer. Mais après quelques pas, il se retrouve dans la foule affolée et hurlante. Le brasier de la petite scène a maintenant atteint les deux stands les plus près et se propage à toute vitesse, nourri par les milliers de livres exposés mais aussi par les panneaux de carton, de plastique, de contreplaqué qui forment tous les kiosques de l'immense salle... et peut-être par des giclures d'essence que Wanda aura pris soin de vaporiser un peu partout... Au plafond, les gicleurs, inexplicablement, ne s'actionnent pas. Les centaines de visiteurs courent vers la sortie, tout près sur la gauche, en pleine panique, et se mêlent en une masse compacte devant les portes trop étroites pour un tel raz-de-marée. Ils foncent, se frappent, crient, se piétinent, écartent les gardiens impuissants... Michaël, bousculé de tous côtés, observe le chaos d'un œil fasciné...

... et le moteur tourne toujours dans sa tête... tourne et enregistre...

Tout à coup, il se ressaisit. En tant qu'habitué du Salon, il connaît une issue réservée aux employés, à l'autre bout de la salle à gauche, que les visiteurs n'empruntent jamais. Il s'y précipite, en circulant à contre-courant. Il ne cesse de gueuler « Par ici, suivez-moi! », mais très peu de gens l'écoutent, la terreur les poussant instinctivement vers la porte principale. Michaël joue des coudes, puis reçoit un coup de poing au visage et s'écroule sur le plancher. Tandis qu'il reprend ses esprits, agenouillé au sol, il constate que la fumée s'épaissit, que la rumeur des flammes s'intensifie et que la chaleur devient infernale. Dans la cacophonie, une voix se détache, amplifiée par des haut-parleurs, qui hurle avec une joie mauvaise des paroles encore inaudibles. Michaël se relève. Il est au milieu de la salle, presque plus personne ne le croise ou ne le dépasse : la foule se compresse devant l'entrée, là-bas, en une bouillie informe et grouillante, même si deux ou trois gardiens crient de se diriger vers le fond, vers l'autre sortie que Michaël tente lui-même d'atteindre.

— Par ici ! s'époumone-t-il à nouveau.

Son appel se dilue dans le chaos et il est clair que tous n'arriveront pas à sortir à temps. Il se remet à galoper vers l'autre bout de la salle. Le tiers du Salon est maintenant livré à l'incendie qui s'étend à vue d'œil. Michaël voit un gardien combattre vainement le sinistre à l'aide d'un extincteur, croit distinguer un ou deux corps gisant sur le sol, peut-être trois... Mais pourquoi les gicleurs ne se déclenchent-ils pas ? Il frôle un stand en flammes de si près qu'il sent son veston prendre feu. Affolé, il l'enlève et le jette au loin avant de poursuivre sa course, penché par en avant. Et il comprend enfin les mots crachés par les haut-parleurs, telles les vociférations de l'ange exterminateur qui vomit sa victoire aux damnés :

— Qu'ils brûlent, les vendeurs du temple ! Qu'ils brûlent !

Les pupilles embrouillées et douloureuses, frappé d'une quinte de toux incontrôlable, Michaël passe près de la grande scène du côté gauche de la salle, que le feu vient tout juste d'atteindre. Au centre, devant un micro sur pied, Jérémie Marineau clame ses anathèmes, les deux mains dressées au-dessus de sa tête hirsute. Les flammes avalent déjà ses pieds, mais il hurle toujours, les yeux fous, la bouche tordue en un rictus triomphant :

— Qu'elle brûle, la pute littéraire qui a livré son âme au diable !

Michaël étouffe, pris de vertige. S'il ne trouve pas d'air frais d'ici quelques secondes, il va s'évanouir. Tout à coup, l'éclairage lâche et presque instantanément, des lumières de sécurité plus faibles plongent la salle dans une pénombre lugubre déchirée par l'incendie. Michaël avance sans relâche, la démarche incertaine, et il reconnaît enfin la porte discrète des employés, cachée en partie par un stand qui n'a pas encore été touché. Il s'y précipite : un gardien, déjà présent, tient la porte ouverte et interpelle les visiteurs en déroute qui s'agitent dans la fumée, tels des fantômes cherchant vainement l'issue de leur cauchemar ; il perçoit les hurlements lointains et diffus de la masse qui se presse devant la sortie principale, là-bas.

Enregistre… enregistre… enregistre…

Il tourne la tête vers la grande scène qui, au centre de la pénombre, ressemble maintenant à un bûcher de l'Inquisition. Marineau est désormais entièrement dévoré par les flammes, mais il demeure debout, solide, ses deux bras transformés en flambeaux toujours dressés au ciel, et sa voix gargouillante et rauque tonne dans la salle sulfureuse :

— Qu'elle crève, la bête, ainsi que tous ceux qui la nourrissent ! *Qu'ils crèvent tous !*

Après un ultime regard vers l'enfer, Michaël franchit la porte.

Il émerge dans la seconde partie du hall immense, celle qui communique avec la sortie du bâtiment, et dans laquelle plane une fumée moins dense. Une multitude de visiteurs courent vers l'extérieur dans un silence terrassé qui contraste de manière sinistre avec l'apocalypse de la salle. Penché vers l'avant, appuyé sur ses deux cuisses, il avale de grandes goulées d'air.

Retiens ça : les gens, lorsqu'ils fuient une catastrophe, ne crient pas.

Il crache au sol, pour se débarrasser autant de la fumée que de l'idée qui vient de le traverser, puis file vers la sortie de l'immeuble. Même s'il y a des dizaines d'individus, tous réussissent à franchir les portes et, moins d'une minute après, il se retrouve enfin dehors, sous le soleil, dans la fraîcheur et l'air pur. La place entre l'hôtel et le Salon grouille de personnes fébriles, de même que le trottoir tout près. Sur le boulevard René-Lévesque, les voitures arrêtées créent un bouchon de plus en plus compact, et les automobilistes contemplent avec ahurissement la foule en déroute. Des sirènes de pompiers et de police s'élèvent, puis des agents apparaissent.

— Reculez ! Reculez tout le monde !

Michaël suit le mouvement vers la rue maintenant barrée, sans quitter des yeux le bâtiment. Il sent une vague douleur lui courir sur tout le corps, ses jambes sont molles, mais il est trop sonné pour réellement assimiler ces sensations. On ne voit toujours pas de flammes, mais la fumée est de plus en plus opaque. Tout se déroule à toute vitesse, dans la confusion la plus totale : tandis que les pompiers se précipitent, boyaux en main, on transporte des blessés vers des ambulances. Michaël remarque que les gens sortant de l'immeuble sont de moins en moins nombreux. Pourtant, il en restait beaucoup dans la salle, il s'en souvient. Comme pour confirmer ses craintes, un son assourdi, mais sinistre, semblable à celui que générerait l'effondrement d'une structure métallique, retentit de l'intérieur et paralyse la foule pendant quelques secondes.

Retiens ce son. Retiens sa texture macabre, l'effet produit sur la multitude autour.

Comment peut-il penser à cela alors que des êtres humains flambent en ce moment même dans ce brasier ?

Lee-Ann... Mon Dieu, Lee-Ann qui voulait discuter avec lui après sa prestation, qui voulait lui parler d'eux, de leur éventuel couple... et qui est morte, qui l'a appelé de ses yeux quelques secondes avant que les flammes ne les éteignent à jamais...

Les larmes coulent sur ses joues, il hoquette quelques sanglots secs, et le désespoir l'ébranle tant qu'il doit agripper un poteau pour ne pas s'écrouler. Son cellulaire vibre dans sa poche et, en gémissant, il le consulte : c'est Alexandra. Bon Dieu, il doit répondre ! Il essuie ses yeux, racle sa gorge et, pour la première fois, remarque que sa main est légèrement brûlée et couverte de cendres. Il répond d'une voix tremblante.

— Michaël ! Mon Dieu, je suis sur Internet en ce moment et je vois que... Le feu au Salon ! C'est épouvantable, est-ce que t'es...

— Je suis sain et sauf, Alex. Je suis OK.

— Seigneur, ta voix est vraiment... Est-ce que... Il y a des victimes ? Des gens que tu connais ?

Oui, Alexandra, la femme que j'aimais est morte. La femme pour qui je songeais à te quitter, mon ancienne blonde que j'ai retrouvée il y a six ans et avec qui je te trompe depuis des mois, parce que j'ai fini par comprendre et assumer que je l'aime encore, que je l'aime depuis vingt ans, criss ! Cette femme, l'amour de ma vie, est morte, elle a brûlé sous mes yeux et je n'ai rien pu faire, rien sinon la regarder souffrir et crever !...

... et enregistrer...

Il plaque sa main sur sa bouche pour étouffer un cri et souffle si fort que la salive déborde de sa paume.

— Michaël ?

— Je... je sais pas encore, c'est... Écoute, Alex, je peux pas te parler, c'est le chaos ici, on essaie de... de se retrouver, de s'aider, de...

— Je comprends. C'est épouvantable ! Je… je te rappelle dans une couple d'heures pour…

— Je sais pas si je pourrai répondre, c'est tellement le bordel ici… Je vais te rappeler quand ce sera plus calme, OK ? Et contacte mes parents pour leur dire de pas s'inquiéter et que je vais bien. C'est vraiment…

Les larmes se remettent à couler, sa voix déraille. La foule désorganisée, les blessés évacués, les pompiers en mouvement, les corps qui brûlent en ce moment même à l'intérieur… et Lee-Ann, qui ne doit plus être qu'une carcasse noircie…

— C'est vraiment horrible, Alex… Y a pas d'autres mots… C'est horrible…

Le ton d'Alexandra devient larmoyant.

— Je pense à toi, Mike… De tout mon cœur…

Sans rien ajouter, il coupe et examine les alentours avec détresse : il va craquer, il le sent. Tout à coup, dans la masse, il aperçoit une femme, de dos, qui tient une grosse tête en plastique hilare entre ses bras… Ce qui vacillait dans l'esprit de l'écrivain se stabilise soudain en une cible sanglante. Il se dirige vers la femme, le regard aussi flamboyant que l'incendie qu'il vient de quitter, puis la retourne brusquement : elle doit avoir trente-cinq ans et écarquille les yeux de stupeur.

— Où vous avez trouvé ça ? crie Michaël de sa voix encore rocailleuse.

— Heu… Derrière le Centre, près des marches… C'était abandonné, avec une salopette… Mon fils est un fan de Monsieur Propropre, je voulais… C'était juste pour…

Elle le dévisage avec épouvante.

— Vous… vous êtes OK ? Vous devriez voir un ambulancier, vous avez l'air…

Michaël se désintéresse d'elle et erre dans la foule. Il imagine Wanda arriver au Centre des congrès ce matin… Wanda qui, lors des derniers Salons, a remarqué la prestation que Lee-Ann donnait l'après-midi… Wanda qui a aussi relevé l'omniprésence de la mascotte… qui a découvert (peut-être depuis un bon moment) l'identité du type qui interprète Monsieur Propropre… qui a suivi ce gars jusque dans la pièce où il enfile son costume… qui l'a assommé… qui a remplacé l'eau dans le gros vaporisateur par de l'essence… Michaël se souvient alors de la voix étrangement sourde de Wanda lorsqu'elle l'a appelé tout à l'heure : c'est parce qu'elle était costumée. Elle se dirigeait déjà vers la scène où Lee-Ann présentait ses livres… Tout cela était prévu depuis longtemps… Sans doute qu'elle avait déjà trouvé la valve qui alimentait les gicleurs de la salle et qu'elle avait réussi à la fermer ce matin… Cette sorcière en est capable, cette démone est capable de tout.

Une sinistre fébrilité monte en lui. Au milieu de la foule, il appelle Wanda ; après plusieurs sonneries, le message d'accueil de la boîte vocale s'enclenche, mais l'écrivain coupe avant la fin. D'un œil fiévreux, il cherche la meurtrière, en serpentant dans la cohue malgré une soudaine faiblesse qui apparaît graduellement et qui le ralentit inconsciemment. L'auteur Benoît Bouthillette l'interpelle de loin, mais il ne lui prête aucune attention. L'éditrice Véronique Fontaine s'approche de lui, les cheveux défaits, en pleine panique.

— Mike, je trouve pas Stéphane ! Il était en séance de signatures quand l'incendie a commencé, pis je… je le trouve pas !

— Je sais pas, Fonfon, je sais pas, répond évasivement Michaël en fouillant partout du regard. Excuse-moi, mais faut que je…

Et il continue à se frayer un chemin dans la foule cacophonique et déroutée, obsédé par l'idée de retrouver Wanda. De la retrouver et de la tuer.

Car c'est ce qu'il va faire. C'est ce qu'il aurait dû faire hier soir, lorsqu'il surveillait son appartement. Et s'il l'avait fait… s'il l'avait fait…

Il ressent enfin la douleur et la fatigue qui se contentaient de l'émousser depuis tout à l'heure. Simultanément, il réalise que Wanda ne peut plus être ici. Elle s'est évidemment sauvée à toutes jambes tout de suite après avoir jeté le briquet sur la scène. Alors que les premiers visiteurs fuyaient, elle se trouvait sans doute déjà dehors, cachée derrière l'édifice, en train de se débarrasser de son costume. Quand les gens ont commencé à sortir du Centre des congrès, elle devait monter dans sa voiture stationnée près d'ici. Et maintenant, elle roule sans doute vers Montréal… À moins qu'elle se dirige vers un lieu pas très loin, pour donner rendez-vous à Michaël plus tard… Serait-elle assez malade pour cela ? pour croire qu'il pourrait encore la retrouver sans l'étrangler ?

— Monsieur ?… Monsieur ?…

Il se retourne, hagard, les jambes molles. Un ambulancier le considère avec sollicitude et lui prend doucement l'épaule.

— Venez avec moi, monsieur, on va s'occuper de vous…

La douleur que l'écrivain ressent décuple d'un coup. Il étudie ses mains cendreuses et rougies, puis le reste de son corps : sa chemise lilas est toute noircie, déchirée par endroits. Il touche de ses doigts tremblants son visage : outre les larmes qui coulent toujours, il sent quelques brûlures sur son nez, son front, ses oreilles… Et ses cheveux… Mon Dieu, ils sont tellement courts !

— Je… je vais bien, merci, articule-t-il dans un sanglot.

Et il sombre dans les bras de l'ambulancier.

17

Michaël entre dans l'appartement alors que Lee-Ann étudie pour son examen du lendemain. Elle dénote tout de suite sa mauvaise humeur et elle s'enquiert de ce qui ne va pas.

— Le magazine refuse de publier ma nouvelle. Ils disent que c'est bien écrit, que c'est intéressant, mais qu'il faudrait rendre ça un peu plus rassembleur, un peu plus mouvementé.

— Pis toi, tu veux pas, évidemment.

— J'écrirai pas ce que le monde veut, criss! Je veux écrire ce qui me semble le meilleur!

Grognon, il se laisse tomber dans leur vieux divan usé. Elle hausse les épaules en refermant son livre de marketing.

— T'as même pas encore publié pis tu joues déjà les auteurs purs et durs.

— Le milieu littéraire est sûrement la dernière industrie culturelle qui est restée pure.

Elle ricane en s'étirant.

— Et c'est exactement son problème! Un écrivain qui vend trop, c'est louche! Créer des produits dérivés à partir d'un roman, c'est méprisable! Faudrait que le monde de l'édition s'ouvre un peu plus à la réalité d'aujourd'hui...

Michaël, plus calme, esquisse un sourire amusé.

— C'est quand même incroyable que toi pis moi, on soit ensemble, alors qu'on voit tellement pas l'art de la même manière...

Elle se lève et le rejoint sur le divan, où elle lui passe la main dans les cheveux.

— On est jeunes. On va changer. On va suivre la route pis on sait pas ce qui va arriver.

— Quelle route ?

Le regard de l'Asiatique devient lointain.

— On se tient à l'extrémité d'une route pis pendant longtemps, il est pas question qu'on aille ailleurs. Mais à la suite de certains événements, de certaines expériences, on finit par bouger, par faire quelques pas sur le chemin, on l'explore pis on marche de plus en plus vers l'autre bout. On s'y rend pas tout le temps, mais on atteint souvent le milieu.

Michaël la dévisage, pas convaincu de comprendre. Toujours en jouant dans son épaisse crinière frisée, elle poursuit :

— Toi pis moi, même si on sort ensemble, on est chacun à une extrémité d'un chemin. Peu à peu, on va le descendre chacun de notre bord. Pis à un moment donné, on va se rencontrer au centre, comme si on arrivait devant un miroir. Devant un reflet, très proche de nous, à la portée de la main.

Elle regarde Michaël.

— Cette rencontre-là, c'est pas juste avec notre amoureux que ça peut se produire, mais avec n'importe qui. Avec n'importe quelle personne, un « Autre » qui, au départ, se tenait à l'extrémité opposée.

Indécis, Michaël réfléchit un instant.

— Mais... c'est une bonne chose, cette rencontre-là, non ?

— Ça dépend… On a tous un reflet familier qu'on aime… Mais au milieu de la route, l'Autre peut révéler un reflet qu'on connaissait pas. Qui peut être lumineux ou sombre.

Michaël esquisse un rictus perplexe. Il enlace sa blonde et susurre :

— En tout cas, notre rencontre à nous deux, au milieu du chemin, elle sera lumineuse !

Le sourire de Lee-Ann se teinte d'incertitude.

— On le sait pas. Ça va soit nous fusionner, soit nous séparer…

Michaël prend un air outré.

— Je suis pas inquiet ! Pis même si on change, mon amour pour toi, lui, il changera jamais !

Et il l'embrasse. Elle répond avec passion et sans que leurs lèvres ne se quittent, ils commencent à se déshabiller. Il garde les yeux fermés et lorsqu'il la devine nue, il relève ses paupières.

Entre ses bras gît un squelette noirci et fumant.

◆

Il se réveille en s'étranglant sur un cri d'effroi. Déboussolé, il regarde autour de lui. Il est dans un lit d'hôpital, vêtu d'une jaquette. L'horloge indique dix-huit heures cinquante. Il sent sur son corps de légères brûlures qui provoquent une vague douleur fort tolérable. Quelques-uns de ses doigts sont entourés de pansements, mais rien pour l'empêcher d'utiliser ses mains. Il trouve un petit miroir sur la table de chevet et hausse les sourcils, ahuri. Il fait peur à voir : pansements sur son front, son nez et son oreille gauche. Son épiderme est rougi, comme s'il avait hérité d'un solide coup de soleil. Il est cerné et ses yeux sont injectés de sang. Ses cheveux ont brûlé, ce qu'il en reste est très effiloché, et il devine même la peau écarlate du crâne à certains endroits.

Il laisse retomber sa tête sur l'oreiller en gémissant. Il revoit le Salon en flammes, la foule hurlante, Lee-Ann qui brûle… Lee-Ann qui meurt…

Car tu as tout enregistré. Absolument tout.

Il ferme les yeux de toutes ses forces, la gorge nouée.

Un homme entre. C'est un inspecteur de police. Il explique que deux témoins ont affirmé l'avoir reconnu parmi les gens qui ont assisté au déclenchement de l'incendie. Est-ce qu'il pourrait raconter sa version des faits ? Michaël songe un moment à l'envoyer au diable, mais se dit que plus vite il collaborera, plus vite on le laissera tranquille. D'une voix amorphe et éteinte, comme s'il se sentait totalement à l'extérieur de son corps, il résume ce qu'il a vu, mais rien de plus. Le flic hoche la tête et confirme que son témoignage s'accorde avec les autres. Il précise que le personnificateur de Monsieur Propropre n'était pas le même que d'habitude : parmi les cadavres en état d'être identifiés, on a retrouvé André Ouellet, le gars qui personnifie normalement la mascotte. Il gisait dans le local où il avait coutume d'enfiler son costume.

— Avez-vous une idée de qui aurait pu prendre sa place pour jouer la mascotte ?

— Non.

— Des témoins ont dit que la silhouette était plutôt féminine. C'est votre perception aussi ?

— Peut-être. Je sais pas.

— Vous connaissiez madame Lee-Ann Muzhi ?

Courte hésitation, serrement de gorge.

— Oui.

— Vous pensez que quelqu'un souhaitait sa disparition ?

— Non.

— Vous pensez que le ou la pyromane visait madame Muzhi ou le Salon au complet ?

— Comment voulez-vous que je le sache, ciboire ?

Le policier, peu impressionné, le remercie et Michaël, avant que l'inspecteur ne sorte, lui demande s'il y a eu beaucoup de victimes. Le flic répond que le chiffre précis n'est pas encore établi, mais il y aurait au moins une dizaine de morts, peut-être plus. Michaël, apathique, ne le salue pas lorsqu'il quitte la chambre.

Au moins dix morts. Dont peut-être des collègues. Et Lee-Ann.

C'est de ta faute si elle est morte.

Il éclate enfin en sanglots. Il a l'impression de s'enfoncer dans le lit, comme si celui-ci se transformait en sables mouvants. Oui, indirectement, c'est de sa faute. Mais à la pensée de la vraie responsable, ses pleurs s'atténuent et des picotements se mettent à lui parcourir tout le corps. Il voit son cellulaire sur la table de chevet et le prend, les yeux humides mais le visage dur.

Une douzaine de textos. La plupart en provenance de collègues qui lui demandent des nouvelles (on sait qu'il est hors de danger puisque quelques amis l'ont aperçu à l'extérieur du Salon, mais on veut savoir où il est) ; il y a aussi Véronique Fontaine qui écrit avoir retrouvé Stéphane sain et sauf. Il ne répond à aucun de ces messages, sauf à celui d'Alexandra, qu'elle a envoyé vers dix-sept heures :

« Tu vas bien ? Si tu reviens à la maison ce soir, je peux y être aussi, Lisette comprendrait. »

Il lit le message, réfléchit un très bref moment, puis l'appelle. Il lui explique qu'il va bien, que la police l'a questionné et que tout est correct. Mais il est trop crevé pour rentrer à Joliette, il a l'intention de se coucher très tôt et de quitter Québec au matin. Non, il ne sait pas s'il y a des victimes. Non, c'est inutile qu'elle le rejoigne à Québec, il a juste besoin de se reposer. Il la rappellera demain dès qu'il se lèvera. Il réussit à lui parler ainsi d'une voix pondérée et lorsqu'il coupe la communication, il pousse un long soupir. Presque tout ce qu'il vient de dire à sa femme est faux.

Il consulte la boîte vocale. Parmi les entrées, un seul numéro attire son attention et se greffe sur ses pupilles : celui de Wanda, qui remonte à dix-huit heures pile, il y a donc un peu plus d'une heure. La chaleur de ses brûlures augmente soudain d'intensité, comme si l'incendie se ravivait dans son corps.

— Comment allez-vous ?

Une infirmière est entrée. Rapidement, elle lui explique que ses brûlures sont superficielles et qu'il pourra quitter l'hôpital ce soir. Elle l'informe que le médecin le verra dans une demi-heure, lui demande de ne pas utiliser son cellulaire dans la chambre puis elle sort. Le visage de marbre, Michaël ignore la consigne et sélectionne le message de Wanda sur son téléphone avant de le porter à son oreille. La voix de l'ex-détenue est posée, sans aucune trace d'excitation ou de regret.

— Salut, Michaël. Je sais que j'ai couru un risque, que t'aurais pu mourir dans l'incendie, mais c'était le seul moyen pour que tu ressentes vraiment l'émotion de ton personnage. En plus, je viens d'appeler à l'hôpital pis on m'a dit que t'étais endormi mais hors de danger. Tu vas même pouvoir sortir ce soir, ç'a l'air. Je te laisse donc un message pour que tu l'écoutes comme il faut avant de partir.

Elle prend une grande respiration. Michaël attend, son regard noir fixé sur l'abîme qui s'ouvre devant lui.

— Je suis sûre que tu m'haïs en câline. Mais je t'avais prévenu, Michaël, que ça allait être difficile. Pis c'est pas facile pour moi non plus parce que c'est hyper souffrant d'être détestée par toi. C'est la première fois que je souffre vraiment, pis c'est pas le fun. Mais on a pas le choix, Michaël. Pis je suis sûre que pendant l'incendie, même si tu capotais, même si tu trouvais ça horrible, tu retenais tout ce qui se passait. Tu t'imbibais des images pis des sensations. Je me trompe pas, hein, *partner*?

La bouche de Michaël s'assèche. Mais il ne bronche pas, continue d'écouter.

— Maintenant, il reste juste une scène dans ton manuscrit que t'as pas encore vécue. Le dernier meurtre. Lorsque Soulières, rendu presque fou à force d'être manipulé par Dumas, décide de le tuer à coups de bâton de golf pendant qu'il dort. En ce moment, tu veux sûrement rien savoir, mais si tu prends la peine d'y penser, tu vas changer d'idée. Parce que dans ta scène, Soulières haït Dumas. Il le haït au point de le tuer sans aucun remords, avec une joie féroce. C'est ça que tu dois ressentir toi aussi, Michaël. Tu cliques ça?

L'écrivain plisse les yeux. Devant lui, l'abîme s'ouvre toujours, mais plus rien de menaçant ne s'en dégage, au contraire. Saisit-il bien ce que son interlocutrice insinue? Déchiffre-t-il vraiment ce qu'elle suggère? La voix de Wanda se teinte de douceur, comme celle d'une amoureuse tragique.

— À part Wanda Jackson, t'es la seule personne au monde qui m'a permis de connaître vraiment des émotions, Michaël. As-tu la moindre idée de ce que ça signifie pour moi? Pour ça, tu mérites de retrouver le succès, à n'importe quel prix. Même si je ne suis pas là pour en profiter. Je te l'ai déjà dit, d'ailleurs.

Oui, elle le lui a déjà dit. Mercredi dernier, alors qu'il écrivait et qu'elle lui parlait, juste derrière lui. Il s'en souvient très bien.

La réussite de l'œuvre est tellement importante que je serais même prête à mourir pour qu'on y arrive tous les deux. La mort vaut la peine si elle me permet d'avoir ressenti autant de vie, même si ç'a pas duré longtemps.

L'abîme continue de grandir devant Michaël, telle une révélation… ou une libération…

Wanda émet un léger soupir. Son ton change encore, empreint de fatalisme, et pourtant, une grande paix intérieure s'en dégage.

— Voilà, c'est ce que je voulais te dire. Là, j'ai eu une journée épuisante, tu t'en doutes ben. Alors, je vais entrer dans mon appartement, là où se trouvent toutes les preuves qui t'impliquent… preuves dont toutes les copies sont ici, pis pas ailleurs…

Elle insiste sur ces mots et Michaël fronce les sourcils.

— … pis je vais me coucher ben de bonne heure, je pense… Au revoir, mon…

Elle hésite, comme si elle se ravisait, et conclut d'une voix tendre :

— … mon *partner*.

Le message se termine ainsi. Michaël baisse lentement son cellulaire. Le gouffre devant lui l'appelle toujours, désormais tentant. Car peut-être s'agit-il, en fait, d'une sortie de l'abîme dans lequel il se débat depuis un mois et demi… Une sortie qu'il envisage depuis hier, mais que par prudence il hésitait à franchir.

Maintenant, prudence, risques et danger sont les dernières de ses préoccupations. En fait, ils n'existent plus. Sa haine les a pulvérisés, de manière si définitive qu'il n'a aucun souvenir qu'ils aient déjà été pris en considération.

Il se lève et enfile son pantalon sale, sa chemise trouée, ses bas et ses souliers noircis. Il a mal un peu partout, mais c'est le dernier de ses soucis. Tandis qu'il marche dans le couloir de l'hôpital vers l'ascenseur, une infirmière le rattrape.

— Attendez, le médecin va vous voir pour s'assurer que...

— Je vais très bien, je vous remercie.

— Il faut attendre au moins quatre heures après le réveil pour être sûr que...

— Vous voulez m'empêcher de partir ? Allez-y, arrêtez-moi.

Elle s'immobilise, impressionnée par l'expression malsaine qu'elle lit sur les traits meurtris du patient. Michaël poursuit son chemin.

Dans le taxi, les textos continuent d'entrer : des collègues bouleversés qui lui demandent des nouvelles. Il ne répond qu'à deux d'entre eux : « Trop anéanti pour parler ou voir qui que ce soit. » Puis il coupe le son du téléphone. Voilà, ils transmettront le message aux autres.

Il descend du taxi et marche vers le Hilton. La nuit est douce. Juste en face de l'hôtel, des cordons de sécurité entourent l'entrée du Centre des congrès et la scène est éclairée par des projecteurs installés pour l'occasion. Il y a peu de signes concrets du drame, si ce n'est les grandes fenêtres cassées et, sur le ciment, quelques traces noirâtres laissées par la fumée. On a manifestement maîtrisé l'incendie avant qu'il ne se propage hors de la salle du Salon. Quelques dizaines d'individus sont toujours sur place (policiers, journalistes, curieux) et Michaël craint que certains de ses amis soient parmi eux, mais ils sont sans doute enfermés dans leur chambre pour pleurer, ou réunis dans un bistrot, en état de choc, en train d'échanger sur la tragédie. Il s'empresse d'entrer dans l'hôtel et marche vers l'ascenseur en passant le plus loin possible du bar. Dans sa chambre, il ne prend que le ticket de parking. De retour en bas, il descend directement au stationnement, sans passer par le voiturier, trouve son auto et démarre.

Durant tout le voyage, il écoute la radio. On n'y parle que de l'incendie : certains avancent le chiffre de vingt-cinq morts, d'autres, plus prudents, réduisent ce nombre à quinze. On explique que le système des gicleurs avait été fermé avant le sinistre, sans doute par le ou la pyromane, ce qui lance un débat sur les lacunes de sécurité de nos grands bâtiments. Michaël écoute ces nouvelles en boucle, la respiration lente et profonde. Il ne songe même pas qu'outre Lee-Ann, il a peut-être perdu d'autres amis dans cette tragédie : la haine prend toute la place dans son cœur. Son regard d'encre est vissé à la route qui s'allonge et qui mène à la porte de sortie qui s'ouvre devant lui.

À vingt-deux heures trente-cinq, il roule dans le quartier Parc-Extension et retrouve sans difficulté l'appartement de Wanda. Il se gare un peu plus loin, puis marche vers le logement. La rue est peu éclairée, la boutique du rez-de-chaussée est évidemment fermée. La haine monte d'un cran, se répand maintenant hors de son cœur et coule dans ses membres. Il ne lève même pas la tête vers les fenêtres de l'appartement et s'approche de la porte qui mène à l'étage. Wanda se trouve en haut. Prête à l'aider une dernière fois. Tout à coup, la voix de la raison tente un ultime avertissement.

Ne prends pas cette porte de sortie. Si tu la tues, tu quitteras un abîme pour en habiter un autre.

Peut-être. Mais, au moins, il aura choisi son abîme.

Il tourne la poignée, qui ne résiste pas, et monte l'escalier. Chaque marche gravie augmente sa certitude et sa haine. En haut, une seconde porte s'ouvre aussi aisément et il la franchit.

Il se trouve dans un salon. Le seul éclairage provient du lampadaire dans la rue qui jette une lumière blafarde par la fenêtre et Michaël devine un divan, un fauteuil et un petit bureau sur lequel trônent un ordinateur ainsi que d'autres accessoires électroniques. C'est là que se terrent toutes les preuves l'incriminant... les preuves dont il n'existe aucune copie ailleurs...

Une musique parvient jusqu'à lui. Il reconnaît la voix de Wanda Jackson qui chante un rockabilly romantique.

Right or wrong, I'll be with you
I'll do what you ask me to
For, I believe that I belong
By your side, right or wrong

À quelques mètres, il devine l'ouverture vers la cuisine. Juste à côté, l'entrée d'une autre pièce. Sans doute la chambre à coucher. C'est de là que provient la musique. Il regarde autour de lui, à la recherche d'un instrument qui pourra l'aider. Il voit alors, appuyé contre le mur, un bâton de golf. Pas du tout étonné, il l'attrape et approche le bout de ses yeux pour réussir à bien le voir dans la noirceur : un fer 7. Comme dans son manuscrit. Travail d'équipe jusqu'au bout.

Bâton en main, il inspire profondément puis se dirige vers la seconde pièce. Il n'a plus du tout conscience de la douleur de ses brûlures et de son dos. Il n'a pas peur. Il n'hésite pas. Il enregistre l'émotion, l'emmagasine.

« *Soulières s'avance vers la chambre de Dumas, fer de golf en main, sans peur ni hésitation...* »

Il franchit le seuil et s'arrête. Il s'agit effectivement de la chambre à coucher. Les rideaux sont tirés et une petite veilleuse branchée dans le mur fournit un faible éclairage rougeâtre. La musique de Wanda Jackson provient d'un diffuseur MP3 sur le bureau.

Always you, always me
Won't you take me along
To be with you right or wrong?

Michaël perçoit Wanda couchée sous les draps. Elle lui tourne le dos et ne bouge pas. Ses cheveux blonds

« *cheveux noirs de Dumas sont éparpillés sur* »

l'oreiller, détachés. Elle fait semblant de

« *il dort à poings fermés et* »

dormir, attend, consentante.

Travail d'équipe jusqu'au bout.

La haine qui montait en lui atteint maintenant le degré ultime d'ébullition ; elle ne peut plus être contenue, elle doit fuser, gicler. Il lève le fer de golf très haut. La porte ténébreuse est désormais grande ouverte et aspire tout autour d'elle, y compris l'écrivain. Tandis qu'il abat le bâton, Michaël

« *Soulières a l'impression qu'il n'a jamais déployé autant de force et de* »

rage dans un mouvement, comme s'il voulait non pas fracasser la

« *tête de Dumas, mais Dieu en personne, ce Dieu cruel et cynique qui se fout de sa gueule depuis des semaines. Le fer atteint* »

le crâne de Wanda avec une violence inouïe, en produisant un bruit sec mais assourdissant, semblable à une noix de coco qui se casserait en deux. Le fer rebondit et le corps de la meurtrière tressaille un très bref moment, pris d'un long frisson, mais

« *Soulières porte déjà un second coup, aussi puissant que le premier. Et cette fois, le fer s'enfonce* » davantage et le son sec est suivi d'un bruit plus spongieux. Cette sensation, loin d'écœurer Michaël, lui procure une euphorie enivrante et, la bouche tordue en un rictus malsain, il

« *relève le bâton de golf, galvanisé par l'idée qu'il tue enfin cet homme, ce monstre, ce malade qui pourrit sa vie et* »

(qui t'aide malgré tout à écrire le meilleur roman de ta vie)

Michaël secoue la tête, déstabilisé, comme si pendant une seconde il ne savait plus dans quelle réalité il évoluait, mais la vue des cheveux blonds ensanglantés rallume sa haine et, en criant, il abat le bâton derechef. Cette fois, ça gicle jusque sur ses mains, et ce contact

« *le fait râler de satisfaction : après que ce salaud de Dumas l'a obligé à verser le sang d'innocents, c'est maintenant le sien qui fuse de toutes parts, et cela l'excite tellement qu'il* »

frappe deux nouvelles fois, en poussant un halètement victorieux à chaque descente du bâton, stupéfait de constater à quel point la haine rend le meurtre simple et chaque coup plus facile, jusqu'à ce que le

« *fer reste coincé dans le crâne fracassé. Soulières joue avec le manche, l'agite de gauche à droite puis réussit enfin à* »

l'extraire de l'infâme bouillie, mais les cheveux poisseux de sang s'enroulent autour du fer et s'élèvent en une unique houppe blonde.

Michaël cesse tout mouvement et, le bâton dressé, fixe d'un air interloqué la perruque – car c'est bien de ça qu'il s'agit – collée à la pointe de son arme. Il abaisse son regard vers le corps dans le lit. La tête fracassée, toujours tournée de l'autre côté, présente maintenant une chevelure brune. Gluante d'hémoglobine et de cervelle pulvérisée, mais brune. Et plutôt courte.

All my love, all the way
For, I believe that I belong
By your side, right or wrong

La chanson se termine en même temps que toute trace d'excitation et de haine se volatilise de l'esprit de l'écrivain, remplacée par un doute affreux, tellement inadmissible qu'il songe un moment à fuir sans même regarder. Mais il sait qu'il ne fuira pas. Parce qu'il a traversé la porte sombre et qu'il se retrouve maintenant dans de nouveaux abîmes.

Dans le silence absolu, il se penche, agrippe l'épaule éclaboussée puis retourne le torse. Malgré la pénombre, il reconnaît sans difficulté Alexandra. Les lèvres tordues. Un œil fermé et l'autre à moitié ouvert.

Il reste incliné vers elle, sans sursaut d'horreur. Une blancheur immaculée se répand dans sa tête, une absence totale, comme si son cerveau faisait une pause de quelques secondes, trop traumatisé pour réagir immédiatement. Il se redresse avec lenteur. Dans le néant qui l'habite, une vague pensée surnage. Il veut reculer. Il veut revenir dans ses anciennes ténèbres et ne pas franchir la porte. Mais il sait que c'est impossible. Et c'est cette lucidité qui rallume peu à peu son corps, remet le courant en marche, forge le cri qui naît dans son ventre, qui monte dans sa gorge et surgira dans quelques secondes, tellement définitif qu'il tuera tout ce qui subsiste de lui. Mais juste avant que le hurlement n'atteigne ses lèvres, une voix murmure derrière lui :

— Inquiète-toi pas, je suis sûre que personne savait qu'elle venait ici.

Michaël, toujours son bâton ensanglanté en main, se retourne par à-coups, comme si sa mécanique interne était déréglée. Wanda se tient dans l'embrasure de la porte de la chambre, ses cheveux blonds en queue-de-cheval, son visage formant un ovale blême troué par ses yeux qui, ce soir, sont plutôt bleus. Ses bras pendent le long de son corps, son iPhone dans sa main droite. Elle parle avec prudence, comme si elle craignait que les vibrations de sa voix ne provoquent un cataclysme.

— Je l'ai appelée vers six heures et quart, juste après que je t'ai laissé un message tantôt sur ton téléphone. Tu sais, l'autre soir, dans ta chambre d'hôtel à Trois-Rivières, j'ai fouillé sur ton laptop pis j'ai noté quelques numéros, dont celui du cellulaire de ta femme. Je lui ai dit que j'étais ta maîtresse, que j'avais plein de choses à lui révéler pis qu'elle devait me rencontrer ce soir, seule, si elle souhaitait connaître toute l'histoire. Je lui ai donné rendez-vous ici à huit heures et demie. Je lui ai conseillé d'en parler à personne, sinon ça pourrait mettre tout le monde dans le trouble, y compris elle. T'as vu le quartier : c'est tranquille, le magasin en bas était déjà fermé… Je suis allée garer son char plus loin, tout à l'heure…

Le visage de Michaël est encore plus noir que la pénombre environnante. La voix de Wanda se veut rassurante.

— Aussitôt qu'elle est entrée, elle était sur le gros nerf, mais je l'ai pas laissée dans cet état-là longtemps : je l'ai endormie avec du chloroforme après deux minutes. Elle a résisté un peu, mais j'ai pas été violente, je te le jure. Pis comme je lui ai administré du chloroforme une couple de fois avant que t'arrives, elle a sûrement rien senti pendant que tu la tuais.

Michaël se met en mouvement vers elle, le pas lourd. On n'entend que son souffle, lent mais rauque, comme la respiration des ténèbres. Le faciès impassible de Wanda arbore un bref moment un air navré.

— J'avais pas le choix : il fallait que tu haïsses la personne couchée dans ce lit, comme Soulières haït Dumas. Pis je suis sûre que tu dois me détester encore plus maintenant. Mais je suis prête à ça, Michaël, même si ça me brise le cœur. En plus, ça prouve que je peux sentir quelque chose, pis ça, c'est grâce à toi.

Elle esquisse un sourire incertain. L'écrivain avance toujours en élevant le fer de golf. Wanda, sans bouger, suit du regard le bâton, fronce les sourcils, gonfle ses joues, puis sa voix essaie de devenir convaincante :

— Michaël, c'était ta dernière scène, ta dernière épreuve. Mais j'ai pas choisi ta femme juste pour être cruelle. Y a une raison, une raison que t'aimeras pas, mais je sais qu'une fois que tu vas avoir écrit notre roman, tu ne me détesteras plus parce que tu...

Le fer fend l'air sur le côté et fauche la joue gauche de Wanda. Sa tête est projetée violemment vers la droite, elle titube sur une jambe jusque dans le salon puis tombe en lâchant son cellulaire. Michaël entre dans la pièce, son regard fou créant deux trous noirs terrifiants dans son visage de pierre. Wanda, sur le dos, la joue ouverte, grimace en massant sa mâchoire douloureuse. Ce n'est plus de la haine qu'il ressent, mais l'esprit même de la destruction, une destruction qui sera totale et dont Wanda sera l'épicentre. Il lève son arme et l'ex-détenue pointe son iPhone, plus loin sur le plancher.

— J'ai pris des photos de toi pendant que tu tuais ta femme, explique-t-elle rapidement, la prononciation déformée par le coup qu'elle a reçu. Elles ont été envoyées directement sur mon ordinateur à mon travail. D'ailleurs, je t'ai menti : j'ai fait la même chose avec tous les autres documents que j'ai sur toi, ils sont tous en double au magasin. Si tu me tues, la police découv...

Michaël, sans l'ombre d'une hésitation, frappe à nouveau, cette fois dans le ventre. Wanda pousse un cri étouffé et se recroqueville sur le sol en toussant.

L'écrivain la fixe un moment, sa lèvre supérieure agitée par un spasme incontrôlable. Elle n'a donc pas compris ? Elle n'a pas compris qu'il s'en fout, maintenant, d'aller en prison ? que continuer à vivre dans de telles ténèbres serait pour lui la pire des tortures ? que la seule chose qui compte, désormais, est de frapper encore et encore sur le monstre jusqu'à le réduire en miettes ? Il sait qu'aucune satisfaction n'en sortira, mais c'est tout ce qu'il peut faire. Ostie de câlice ! c'est *tout ce qu'il peut faire* !

Il lève donc le fer à nouveau et Wanda, entre deux accès de toux, croasse :

— Pis ton fils ? Tu veux qu'il sache que son père est en prison parce qu'il a tué sa mère ? C'est ça ?

Le bâton hésite, tremble entre ses mains. Michaël se met à respirer bruyamment, le spasme de sa lèvre ayant maintenant atteint sa paupière droite. Hubert occupe tout son esprit et il l'imagine grandir avec un tel héritage. Impossible. Michaël est déjà responsable du décès de trois êtres humains, dont deux qu'il a personnellement assassinés, il ne va pas en plus bousiller la vie de son enfant ! Il préfère crever plutôt que de...

Hagard, il tourne la tête vers la fenêtre du salon, éclairée par le lampadaire extérieur, carré lumineux dans la pénombre de cet appartement de cauchemar. Une autre porte, là, qui s'offre à lui, mais qui mène vers le néant, la paix, la vraie fin. Il n'est qu'au second étage, mais avec un peu de chance, il tombera sur le crâne.

Et en quoi ta mort aidera Hubert ? Wanda ne se gênera pas pour dire que tu es le tueur d'Alexandra. Et même si tu l'élimines avant de te suicider, la police découvrira tout sur l'ordinateur du magasin... et Hubert grandira avec le même héritage : un père disparu qui a été trop lâche pour affronter la réalité.

Il n'y a pas de porte de sortie. Il n'y a que la vie.

Maintenant, Michaël halète. Il tourne lentement sur place en jetant des regards affolés autour de lui, comme s'il chutait dans le vide, et enfin, le rugissement qu'il sentait monter tout à l'heure jaillit, long, guttural, le cri que poussera l'univers lorsque sa dernière étoile s'éteindra pour toujours. Alors que son cri, à bout de souffle, se transforme en graillement à peine audible, il se met à frapper partout, sur le divan, sur la télé, sur l'ordinateur, contre les murs. Pendant ce temps, Wanda se relève, crache un peu de sang, recule de quelques pas puis, le visage de marbre, tout en massant sa mâchoire douloureuse, elle attend la fin de la crise.

Au bout de deux minutes de démolition vaine, Michaël s'arrête, la respiration sifflante, laisse choir son bâton de golf et s'écroule sur les genoux, les mains entre les cuisses, la tête pendante. Wanda essuie l'hémoglobine sur sa joue puis s'approche.

— Comme je te l'ai dit, je pense pas qu'elle a confié à personne qu'elle venait ici. Pis si elle l'a dit à quelqu'un pis que la police vient me voir, ben, câline! tant pis, je vais me débrouiller. Mais tu peux être sûre que je t'impliquerai pas. Tant que tu parles pas de moi, je parle pas de toi. Pis y a aucune raison que les flics aient des doutes sur toi: après-midi, t'étais à Québec pendant l'incendie, ensuite à l'hôpital, y a des témoins pis toute. Pis en ce moment, t'es dans ta chambre d'hôtel, bouleversé par tout ce qui s'est passé. D'ailleurs, en sortant d'ici, faudrait que tu y retournes. Pour ton alibi. Même si le Salon est annulé, ce serait plus prudent qu'on te voie demain matin à Québec…

Il ne réagit pas, mais tremble de manière convulsive. Elle effectue un pas supplémentaire.

— Inquiète-toi pas, je vais m'occuper du reste. Le mieux, c'est qu'on retrouve pas le corps de ta femme.

Fais-moi confiance là-dessus. Je peux m'arranger aussi pour pas qu'on retrouve son char avant un bon boutte. Toi, il te reste juste une chose à faire : finir notre roman. Pis après, tu iras mieux, tu…

Elle est interrompue par un son troublant qui émerge de l'écrivain, un rire faible, mais noir, fêlé. Michaël se lève d'un bond et, sans cesser son ricanement déraillé, explose :

— Je vais le détruire, mon roman, t'as compris ? Le brûler, l'anéantir, le pulvériser !

— Tu vas vivre comment, d'abord ?

Michaël cligne des yeux. Wanda hoche le chef.

— Oui… C'est pour ça que j'ai choisi Alexandra…

Malgré l'esprit et l'âme de Michaël qui ne sont plus que champ de ruines, le raisonnement se déroule à toute vitesse dans son crâne douloureux. Wanda a songé à tout. Absolument à tout. Il recule encore de quelques pas, la respiration sifflante, ses mouvements secs et désordonnés. Il émet deux hoquets brisés et, cette fois, ce n'est plus seulement la haine qui déforme ses traits, mais une véritable terreur.

— T'es pas un démon… T'es le diable en personne…

Elle secoue la tête.

— Non, Michaël, non. Tu sais très bien ce que je suis.

Maintenant il pleure, mais avec une révolte qui rend ses sanglots effrayants, atroces. À nouveau, il ressent un besoin physique de la tuer, comme un junkie en manque. Mais la pensée de Hubert émerge aussitôt. Chancelant, il s'appuie contre le mur, se frappe le front contre la paroi puis crache avec véhémence :

— J'écrirai jamais ce roman, ostie de folle ! Tu cliques ça ?

À ces derniers mots, un sourire ému illumine le visage de Wanda tandis que ses yeux tournent au vert, mais elle reprend rapidement un air grave.

— T'es un auteur, Michaël. Tu écris à temps plein depuis six ans, tu pourras plus te passer de ça. Tu serais capable de travailler dans un bureau ? Ou dans un dépanneur ? Ou même de retourner enseigner ? De faire une job de jour pis d'écrire juste une couple d'heures par semaine ?

Elle esquisse un rictus dans lequel Michaël décèle une intention qu'il n'a jamais vue chez la meurtrière : de l'ironie.

— Et tu penses que tu pourrais produire un autre roman ordinaire alors qu'il y a un chef-d'œuvre à la portée de ta main ? Tu penses que tu vas accepter de tomber dans la pauvreté alors que la richesse t'attend ? Tu penses que tu vas te contenter d'être un *has been* alors que tu pourrais redevenir célèbre ?

Il la dévisage, pantois, comme si plus rien de tangible ne tenait en lui. Wanda marche vers la porte de l'appartement et l'ouvre. Ses yeux ont repris une teinte bleue.

— Ma job est finie. Je t'achalerai plus tant que t'auras pas fini la tienne.

Elle s'écarte pour libérer le passage. Il hésite, tourné vers la chambre à coucher. Peut-être n'est-elle pas morte. Peut-être peut-il encore la sauver... Mais il revoit son crâne en bouillie, son œil à moitié ouvert... et, en poussant un hoquet d'horreur, titube vers la porte. Juste avant de la franchir, il pivote vers Wanda tout près... et tout à coup, il lui entoure le cou de ses deux mains. Il serre de toutes ses forces, les lèvres retroussées, les narines palpitantes. Wanda ne réagit pas, ne se défend pas. Leurs regards se percutent, celui brûlant de haine de l'écrivain, celui paisible, mais profond, de Wanda. Cette dernière s'empourpre de plus en plus, étouffe, mais n'oppose toujours aucune résistance, et Michaël serre, serre... jusqu'à ce que l'image de Hubert traverse son esprit confus. Alors il lâche la femme en éructant un râle impuissant et, tandis qu'elle reprend son souffle par grandes goulées, il se sauve à toutes jambes comme s'il fuyait son ombre.

L'escalier tangue sous ses pieds, il a l'impression qu'il descend sans fin, comme s'il cherchait à atteindre l'enfer, mais il se retrouve enfin dans la rue et zigzague vers sa voiture. Tout son corps est prisonnier d'une armure de métal en fusion. À mi-chemin, il vomit sans ralentir, puis s'écrase sur le capot de la Spark, suffoquant. Il s'assoit derrière le volant et se met en route. Sa vision est floue, mais il conduit quand même. Il ressent à nouveau le besoin de dégueuler, mais se retient. L'armure dans laquelle il est coincé le compresse toujours, comme si elle rapetissait de plus en plus. Il rejoint l'autoroute 40 et monte jusqu'à cent trente kilomètres-heure. Il ne sait pas encore s'il a l'intention d'aller à Joliette ou à Québec, mais il roule. Il remarque vaguement une odeur repoussante dans la voiture et comprend qu'elle provient des traces de vomissure sur sa chemise déchirée et son pantalon noirci. Il est pris de hoquets, son ventre se révulse, mais rien ne franchit sa bouche béante, sinon quelques graillements ignobles. C'est l'armure qui l'étouffe. Il s'arrête sur le bord de l'autoroute, sort dans la nuit en réalisant à peine qu'un autre véhicule passe tout près de lui en klaxonnant. Il se dirige vers le bas-côté, tourne sur lui-même, les deux paumes sur la tête, se penche pour dégueuler, mais en vain. Il va mourir. Il râle, son cœur va exploser, il ne peut plus endurer ça, il va crever comme un chien !

Tout à coup, il ouvre la portière du côté passager, glisse sa main gauche sur le rebord et referme la portière de toutes ses forces. Le craquement se propage jusque dans sa cervelle et la fulgurante douleur perce l'armure, la réduit en miettes. Il hurle puis tombe sur les genoux. Il observe sa main mutilée : ses doigts sont cassés, aucun doute là-dessus.

La nausée et l'étouffement sont passés. Lentement, il monte dans la voiture, appuie son front contre le volant et ne bouge plus pendant dix longues minutes.

Puis, il se remet en route. À la hauteur de Joliette, il ne ralentit pas et poursuit son chemin, le visage dur. Il retourne à Québec. Pour l'alibi.

Mais après ?

Il revoit le sourire ironique de Wanda.

Jamais, ostie ! Jamais !

Mais il est dans l'abîme. Et peu importe ce qu'il décidera, il sait qu'il n'en sortira plus.

Journal de Wanda

11 AVRIL 2015

Je sais que je dois me débarrasser du cadavre et de la voiture, mais avant, il faut que j'écrive. Parce que je ressens des émotions en câline, comme jamais je n'en ai ressenti dans ma vie !

C'est terminé. Et ça s'est passé comme je le voulais. Quand j'ai lu son manuscrit il y a un mois, je n'avais pas tout prévu dans les détails. J'avais déjà compris qu'il aimait sa maîtresse et qu'elle serait parfaite pour la scène d'incendie qui ouvre le roman. Je savais aussi que sa femme devait mourir, pour être sûre qu'il n'ait plus de source de revenus, mais câline ! je me demandais comment l'incorporer (incorporer ? intégrer ?) dans le scénario ! Il n'aurait pas été capable de la voir se faire torturer et il n'accepterait jamais de l'assassiner. Et je ne voyais pas comment l'amener à haïr sa femme au point d'être content de la tuer. Quant aux deux autres victimes du roman, je voulais au départ prendre deux personnes au hasard, genre des sans-abri, mais Dubuc et Vallières ont... comment on dit ça, déjà ? ont servi le plateau d'argent ? Quelque chose de même...

Ç'a été très difficile pour moi, mais ç'a été pire pour Michaël. En ce moment, il me déteste comme ce n'est pas permis et c'est sûr qu'il ne doit pas écrire, qu'il doit être trop traumatisé. Mais ça va passer et ça va valoir la peine.

C'est vrai que j'étais prête à tout pour que le livre soit le meilleur possible. Quand je lui ai dit que j'accepterais même de mourir, il y a une couple de jours, je savais déjà que ce ne serait pas nécessaire, mais au tout début de mon plan, j'y ai vraiment pensé : si Michaël devait tuer quelqu'un qu'il détestait, c'était moi la personne idéale. Mais rapidement, j'ai eu l'autre idée et j'ai enfin découvert comment impliquer Alexandra. À force de faire vivre le ménage à elle toute seule, elle n'a sûrement pas mis beaucoup d'argent de côté. En plus, je me suis informée sur sa clinique : elle l'a ouverte avec une partenaire, donc c'est son associée qui va hériter de la clinique, pas son mari. Et même si Alexandra a une assurance-vie, les assureurs paient juste pour les décès. Dans le cas d'une disparition, ça peut prendre des années. Je le sais, je me suis renseignée là-dessus aussi. Bref, non seulement je me débarrassais de la source de revenus de Michaël, mais sa mort servait d'inspiration pour le livre. Quand j'ai pensé à ça, je me suis trouvée vraiment bonne. J'aurais vraiment été une pas pire auteure si j'avais su écrire… Alors oui, j'étais prête à mourir pour le roman, mais si ce n'est pas obligatoire, câline! j'aime autant pas! Avant, je m'en serais foutue, mais plus maintenant. En plus, je serai témoin du succès de Michaël, qui va être aussi un peu mon succès à moi. Même si personne est au courant, je m'en fous : moi, je vais le savoir! Moi et Michaël! La gloire, l'argent, le respect, l'admiration, je lui laisse tout ça. Moi, je me garde l'essentiel : l'émotion, la satisfaction… la vie. La vraie.

Le seul respect dont (dont? que?) je veux, c'est celui de Michaël. Sauf que je ne l'aurai pas avant un bon moment. Mais j'ai confiance.

Bon. Je me lève de bonne heure pour travailler, surtout que mon boss ne sera pas content que je ne sois pas rentrée (rentrée ? entrée ?) aujourd'hui. En plus, je ne suis pas encore couchée : j'ai un cadavre et un char à cacher. J'ai l'impression que je vais être maganée demain, mais ce n'est pas grave. Ça va être une belle fatigue, comme on dit.

Je pense que je suis heureuse. En tout cas, si c'est ça le bonheur, c'est pas mal agréable.

ÉPILOGUE

AU CENTRE, LE MIROIR

Le 12 septembre 2015 sort en librairie *Au centre, le miroir*, le nouveau roman de Mike Walec. Aucun lancement n'a été organisé : l'écrivain est à peu près invisible depuis l'incendie au Salon du livre de Québec, en avril dernier, terrible tragédie qui a coûté la vie à dix-neuf personnes, dont trois auteurs, et ce, moins d'une semaine après le meurtre de Hugo Vallières, drame qui n'a jamais été élucidé. Si tous les journalistes s'entendent pour dire que le milieu du livre québécois a vécu le printemps le plus sombre de son histoire, ils reconnaissent que le cas de Mike Walec est pire encore, car à l'assassinat de son collègue et à l'incendie s'ajoute la disparition de sa femme. Ironiquement, c'est exactement pour les mêmes raisons que certaines mauvaises langues médisent sur Walec. Pourtant, malgré la jalousie qu'il a avoué nourrir pour Vallières, la police n'a pu l'impliquer dans le meurtre de celui-ci de quelque manière que ce soit. Quant au feu de Québec, les flics croient avoir affaire à un pyromane fou qui aurait peut-être agi sous les ordres d'un certain Jérémie Marineau, un essayiste contestataire qui dénonçait depuis un an le monde de l'édition. Il avait la réputation d'un illuminé un peu dingue et, selon quelques rescapés de la tragédie, Marineau, durant le sinistre, hurlait dans un micro sa joie de voir le Salon livré aux flammes. Il est d'ailleurs mort sur place et sans doute est-ce aussi le cas de son éventuel complice, qu'on n'a jamais retrouvé. Bref, c'est la théorie la plus plausible jusqu'à maintenant. En ce qui concerne Alexandra Parent, la police a évidemment interrogé Walec, mais celui-ci se trouvait dans la Capitale lors de la disparition et il y a même été soigné pour légères brûlures. Les médecins ont par contre déclaré que Walec avait quitté l'hôpital rapidement, mais ce dernier serait rentré directement à l'hôtel pour se reposer, bouleversé et en état de choc. Des employés du Hilton et d'autres amis ont confirmé la présence de l'écrivain le lendemain matin à Québec. Bien sûr, il aurait eu tout le temps nécessaire pour se rendre à Montréal durant la nuit, mais aucun motif solide n'émergeait, surtout pas financier. De toute façon, il n'y a aucune preuve et surtout, la police s'intéresse à une piste plus sérieuse: Alexandra Parent, lors du week-end de sa disparition, se trouvait chez sa sœur Lisette. Celle-ci a affirmé aux enquêteurs qu'elle semblait déprimée, mais qu'elle ne lui en avait pas expliqué la raison et s'était contentée de dire que « ça brassait dans sa vie ». Puis, samedi soir, la femme de Walec avait reçu un coup de téléphone sur son cellulaire, qu'elle avait écouté en privé dans une pièce de la maison, et qui l'avait manifestement bouleversée. Au bord des larmes, elle avait annoncé à Lisette qu'elle devait aller rencontrer quelqu'un immédiatement à Montréal et qu'elle reviendrait peut-être tard. Quand sa sœur lui avait demandé qui la mettait dans un tel état, elle avait répondu que c'était personnel puis elle était partie. Plus personne n'avait revu Alexandra

Parent depuis. La police tente donc de savoir qui est cet individu qui l'a appelée vers dix-huit heures quinze. Et il ne peut s'agir de son mari puisque les médecins confirment qu'à cette heure il était toujours à l'hôpital de Québec, inconscient. Les enquêteurs penchent vers l'hypothèse d'un amant secret. Néanmoins, même si Mike Walec est lavé de tout soupçon, il se trouve quelques râleurs pour souligner (surtout sur Internet) qu'il est tout de même curieux que l'écrivain soit concerné par trois drames, dont deux survenus simultanément.

C'est donc avec étonnement qu'on apprend la sortie d'un nouveau roman de l'auteur. Ce qui jette tout le monde par terre, cependant, est le bouquin lui-même. Alors que tous ont fini par croire que Mike Walec ne réussirait plus jamais le coup de maître de son premier livre, *Au centre, le miroir* est la bombe que l'on n'attendait plus, encore plus explosive et spectaculaire que *Sous pression*. « Le grand retour de Mike Walec », « Un chef-d'œuvre du genre » et « Le roman noir le plus troublant des vingt dernières années » sont quelques-uns des commentaires dithyrambiques qui pleuvent dans tous les médias à travers le Québec. Mais certains préfèrent distiller du fiel : voilà donc à quoi s'occupait l'écrivain au cours des derniers mois ? À rédiger un thriller ? Alors que son collègue a été tué, que son entourage professionnel a été bouleversé par un fléau meurtrier et que sa propre femme a disparu sans laisser de trace ? À cela, la plupart des critiques rétorquent qu'il est tout à fait normal qu'une période funeste amène un artiste à accoucher d'œuvres du même acabit, surtout que Walec a toujours pondu des romans durs et violents. Pourquoi en serait-il autrement ? Mais on insiste : cette scène d'incendie, dans le bouquin, c'est de mauvais goût, non ? Bien sûr, le drame se déroule dans une maison, mais tout de même, le parallèle avec le sinistre de Québec est trop évident. Charles Tagliani, l'éditeur, répond que Michaël n'a pas écrit son livre en cinq mois et qu'il avait sans aucun doute songé au feu de la maison bien avant la catastrophe que l'on connaît ; de toute façon, les créateurs se servent souvent de l'écriture comme exutoire à leurs émotions sombres. Néanmoins, plusieurs internautes soulèvent le mauvais goût de telles pratiques.

Le roman se hisse rapidement à la tête des palmarès et se vend encore plus que *Sous pression*. Mais Walec demeure invisible et, un mois après la sortie de *Au centre, le miroir*, il n'a toujours donné aucune entrevue. Enfin, à la mi-octobre, on apprend qu'il apparaîtra à l'émission *Tout le monde en parle*.

◆

— Il est l'auteur québécois le plus populaire de l'heure et en cinq semaines, son dernier roman, *Au centre, le miroir,* a déjà vendu plus de cinquante mille copies. C'est sa première sortie publique depuis plusieurs mois. Voici mon dernier invité de la soirée, l'écrivain Mike Walec.

Sous un tonnerre d'applaudissements, Michaël fait son entrée sur le plateau de *Tout le monde en parle*. Habillé très chic, il descend les marches qui mènent à la scène centrale, regarde droit devant lui, le visage impassible. Plusieurs auditeurs remarquent qu'il a vieilli, que ses cheveux ont beaucoup grisonné en un si court laps de temps, mais qu'il dégage une intensité nouvelle, à la fois dure et mélancolique. Il serre poliment la main à l'animateur Guy A. Lepage, salue les autres invités et s'assoit.

Lepage lui pose les questions d'usage sur son roman : l'intrigue qu'il raconte, sa conception de la violence, l'engouement du public pour ce genre d'histoire... L'auteur livre ses réponses d'une voix posée, mais on le sent moins décontracté qu'auparavant. Il est plus sérieux, plus distant et ne lance aucune blague. À un moment, son regard semble apercevoir quelque chose ou quelqu'un dans la foule, mais il s'en désintéresse aussitôt.

— Vous avez déjà déclaré que pour vous, écrire, c'était écouter vos personnages, demande l'animateur avec un sourire narquois. C'est vrai ou c'est de la pose d'artiste ?

Courte réflexion de Michaël, puis, impassible :

— Peu importe ce que les écrivains disent, c'est une forme de pose. On se convainc comme on peut.

— Eh ben, ç'a le mérite d'être honnête ! lâche le coanimateur Dany Turcotte.

Quelques ricanements dans la salle. Mais Michaël ne sourit pas.

— Et toutes les fois que vous avez affirmé qu'un auteur ne doit pas se poser de questions morales quand il écrit, qu'il ne doit pas se demander si c'est bien ou mal, c'est de la pose aussi ?

Michaël réfléchit à nouveau en grimaçant.

— Ça, c'est carrément un mensonge. On se demande toujours ce qui est bien ou mal. Tout le temps. Sauf que... ça donne rien. Parce que le milieu de la route annule tout ça.

Silence perplexe dans l'assistance. Les autres invités froncent les sourcils. Lepage demande un éclaircissement, mais l'écrivain a un geste vague, comme si cela n'avait pas d'importance. Turcotte dit à la blague :

— En tout cas, y a une chose qui a l'air vraie : les écrivains, vous en fumez du bon, hein ?

On s'esclaffe dans le studio. Michaël, comme s'il réalisait la bizarrerie de ses paroles, étire enfin ses lèvres en un mince sourire :

— Oui, et ce sont mes personnages qui me vendent mon stock.

Les rires redoublent et Michaël, qui observe la salle hilare, semble pour la première fois de l'entrevue un tantinet détendu. Puis, Lepage devient plus grave :

— La dédicace au début de votre roman se lit comme suit : « À Hugo, à qui je dois beaucoup. » Il s'agit, j'imagine, de Hugo Vallières, le grand auteur de polar qui a été tué au printemps dernier et qui était aussi votre ami…

— Exactement.

— Et c'est vrai, que vous lui devez beaucoup ?

Michaël prend une petite respiration.

— Plus que vous ne pouvez le croire.

— Peu de temps après son décès, il y a eu l'incendie au Salon du livre de Québec, une tragédie qui a fait dix-neuf morts et dont le milieu commence à peine à se relever. Au même moment, votre femme a disparu et aujourd'hui encore vous n'avez aucune nouvelle d'elle. Est-ce que ces mois très sombres peuvent expliquer la profonde noirceur de votre roman ?

Silence dans la salle. Michaël examine ses doigts quelques secondes, le faciès de marbre, puis répond :

— Les écrivains sont des éponges. Qu'on le veuille ou non.

Vague d'émotion parmi les auditeurs. Puis, l'entrevue prend fin sur l'annonce qu'un projet d'adaptation cinématographique est en cours, et l'émission se termine par les applaudissements.

Les invités se lèvent et discutent entre eux. Plusieurs spectateurs viennent saluer timidement leurs vedettes préférées. Une bonne dizaine d'entre eux s'approchent de l'auteur, avec une copie de son nouveau bouquin en main, et demandent une signature. Michaël hésite, puis accepte sans enthousiasme. Tandis qu'il signe, il remarque les visages impressionnés de ses fans et cela semble éveiller quelque chose en lui. Une lectrice, superbe jeune femme d'une trentaine d'années, lui donne la main en le remerciant et en profite pour lui glisser un morceau de papier dans la paume. Lorsqu'elle s'éloigne, il le déplie : il y trouve un nom ainsi qu'un numéro de téléphone. Il fixe le papier un moment, puis le fourre dans sa poche.

Quand il entre dans sa loge, Charles l'attend.

— Bravo, Mike. C'était très bien. Un peu bizarre des fois, mais pour un gars qui a pas fait de médias depuis longtemps, c'était très bon.

Même s'il sourit et paraît satisfait, on le sent distant avec Michaël. De toute évidence, une brisure a eu lieu entre eux deux depuis leur entrevue à Radio-Canada et, désormais, leur relation se limite aux affaires.

— Tant mieux, répond l'écrivain.

— Écoute, les offres d'entrevues arrêtent pas. Maintenant que t'as accepté de revenir sous les feux de la rampe, ce serait génial si… si tu voulais en faire quelques…

— Je vais faire toutes les entrevues que tu veux, Charles.

Et il ouvre une bouteille d'eau qui l'attendait sur la petite table. Charles remarque une lueur étrange dans son regard, à la fois orgueilleuse et triste, presque fataliste.

— Parfait. Et le Salon du livre de Montréal ?

— J'y serai. Et à tous les autres aussi.

— Parfait. Et tu vas constater que le milieu va mieux. Au printemps, les Salons de la Côte-Nord et de l'Abitibi ont été durs : on était tous encore sous le

choc de l'incendie. Mais au Saguenay, le monde re-
commençait à être de bonne humeur. On est en train de
s'en sortir, je t'en passe un papier. Mais, heu… bon,
je sais que pour toi, c'est pas pareil, t'es encore… Je
veux dire, c'est pas réglé et…

Il toussote, mal à l'aise. Michaël le regarde en
portant le goulot de la bouteille à ses lèvres, le visage
immuable. La froideur de Charles se fissure d'une
furtive compassion tandis qu'il demande maladroitement :

— Comment va Hubert ?

— Pas pire.

Charles hoche la tête. Puis, il reprend son air distant
et annonce qu'il va boire un verre avec des copains
au Cheval Blanc. Il quitte la loge sans inviter son
auteur à le rejoindre.

Seul, Michaël s'examine dans le miroir, songeur.
Il éprouve quelque chose d'ancien, une émotion qu'il
n'a pas vécue depuis plusieurs années. Son reflet
semble ravi de retrouver cette sensation, alors que lui,
devant la glace, paraît terrifié.

La régisseuse entre dans sa loge.

— Excusez-moi, mais il y a une femme qui était
dans l'assistance et qui désire vous voir. Elle veut pas
me donner son nom, mais m'a assurée que vous sauriez
c'est qui. Je peux lui dire de partir si vous…

— Elle peut venir, dit tout simplement Michaël.

Il entend la régisseuse s'éloigner. Il étudie son reflet
une dernière fois, puis ferme les yeux. Après quelques
secondes, une voix féminine s'élève derrière lui.

— Salut, Michaël.

Il ouvre les paupières. Dans le miroir, ce n'est pas
son reflet qu'il aperçoit, mais Wanda. Elle porte ses
écouteurs autour du cou, ses cheveux blonds sont
attachés en queue-de-cheval et elle sourit. Ses yeux
pers, aujourd'hui, sont d'un bleu d'azur.

— T'es blême en câline.

Il dépose la bouteille sur le comptoir et se retourne. Le sourire de Wanda est radieux, mais sans orgueil, sans supériorité, uniquement complice.

— Bravo, *partner*.

Le dos appuyé contre le comptoir, les bras le long du corps, Michaël ne réagit pas. Aucune trace de haine dans son attitude. Ni de peur ou de doute. Seulement de la fascination, douloureuse et résignée, qui surnage dans l'abîme de ses prunelles. Wanda va s'asseoir sur une chaise, frappe ses cuisses de ses deux mains et, alors qu'un éclair émeraude traverse son regard, elle demande avec l'enthousiasme d'une enfant :

— Pis ? As-tu une idée pour notre prochain roman ?

REMERCIEMENTS

Merci à Eveline Charland et Anne-Marie Trudel (pour les archives des Salons du livre); Jean Sarrazin (ma source policière); Marie-Hélène Poitras (pour Wanda Jackson); Roxanne Bouchard (pour Joliette), Diane Drolet, Véronique Marcotte et Nancy Corriveau (pour l'enseignement en milieu carcéral); René Gélinas (pour la bump key); André Tardif, Jean Nicolas Lavoie et Martine Isabelle (pour les camions-citernes).

Merci à mon agent Patrick Leimgruber.

Merci à ma webmestre Karine Davidson Tremblay.

Merci à mes deux redoutables lecteurs, René Flageole et Olivier Sabino.

Merci à Jean, Louise, Diane, Gabriel, Francine, Philippe, Mélanie et toute l'équipe d'Alire.

Merci à Sophie, femme de ma vie.

PATRICK SENÉCAL...

... est né à Drummondville en 1967. Bachelier en études françaises de l'Université de Montréal, il a enseigné pendant plusieurs années la littérature et le cinéma au cégep de Drummondville. Passionné par toutes les formes artistiques mettant en œuvre le suspense, le fantastique et la terreur, il publie en 1994 un premier roman d'horreur, *5150, rue des Ormes*, où tension et émotions fortes sont à l'honneur. Son troisième roman, *Sur le seuil*, un suspense fantastique publié en 1998, a été acclamé de façon unanime par la critique. Après *Aliss* (2000), une relecture extrêmement originale et grinçante du chef-d'œuvre de Lewis Carroll, *Les Sept Jours du talion* (2002), *Oniria* (2004), *Le Vide* (2007) et *Hell.com* (2009) ont conquis le grand public dès leur sortie des presses. *Sur le seuil* et *5150, rue des Ormes* ont été portés au grand écran par Éric Tessier (2003 et 2009), et c'est Podz qui a réalisé *Les Sept Jours du talion* (2010). Trois autres adaptations sont présentement en développement tant au Québec qu'à l'étranger.

EXTRAIT DU CATALOGUE

VOUS VOULEZ LIRE DES EXTRAITS
DE TOUS LES LIVRES PUBLIÉS AUX ÉDITIONS ALIRE ?
VENEZ VISITER NOTRE DEMEURE VIRTUELLE !
www.alire.com

L'Autre Reflet
est le cinquante-deuxième volume de la collection «GF»
et le deux cent cinquante-cinquième titre publié
par Les Éditions Alire inc.

Il a été achevé d'imprimer
en octobre 2016 sur les presses de

MARQUIS

Imprimé au Canada

Imprimé sur Rolland Enviro100, contenant
100% de fibres recyclées postconsommation,
certifié Éco-Logo, Procédé sans chlore, FSC
Recyclé et fabriqué à partir d'énergie biogaz.